जहाँ से उजास

जहाँ से उजास

राजी सेठ

वाणी प्रकाशन

वाणी प्रकाशन
4695, 21-ए, दरियागंज, नयी दिल्ली 110 002
शाखा
अशोक राजपथ, पटना 800 004
फ़ोन : +91 11 23273167 फ़ैक्स : +91 11 23275710
www.vaniprakashan.in
vaniprakashan@gmail.com
sales@vaniprakashan.in

JAHAN SE UJAS
by Raji Seth

ISBN : 978-93-5072-584-9
Memoirs

संस्करण 2013
आवृत्ति 2017

मूल्य : ₹ 395

हर्ष प्रिंटर्स, दिल्ली-110 093 में मुद्रित

वाणी प्रकाशन का लोगो मक़बूल फ़िदा हुसेन की कूची से

शिखर
उतने ही नहीं थे
जितने मैंने देखे

भूमिका

ये लेख समय-समय पर अवसर विशेष, समय सीमा और माँग के दबाव-तनाव के चलते लिखे गये। कह सकती हूँ ऐसा दबाव-तनाव न होता तो यह लिखे ही न जाते। सैकड़ों सन्दर्भ मन में प्रसुप्त पड़े रहते हैं; माँग में तनाव का काँटा ही हमारी इच्छा-मंशा को जगाने का काम करता है। बाद में सन्दर्भ-विशेष की केन्द्रीयता और उसका परिप्रेक्ष्य पाने का अनिवार्यता के चलते ये और ऐसे, प्रारूप हमारे हाथ लगते हैं--किसी विधा के बन्धन के बिना; स्वतन्त्र सोच के रूप में। ऐसी स्थिति और ऐसे लेखन को मैं श्रेयस्कर ही मानती हूँ क्योंकि इन पर विधा के रूप में अपने को प्रमाणित करने का कोई भार नहीं होता।

ये एक रचनाकार की अपनी दृष्टि के छोटे-छोट अक्स हैं जिन्हें उपलब्ध करने की चेष्टा में उसे अपने आत्मगत सरोकारों को समझने के साथ-साथ, अन्य को सम्बोधित कर सकने की तटस्थता अर्जित करने में भी उतना ही यत्नशील होना पड़ता है। मुझे लगता है लेखक को कृतज्ञ होना चाहिए कि इस दबाव में वह अपनी दृष्टि के प्रतिबिम्बित प्रारूपों को पा सका। एक ऐसे स्थल पर खड़ा हो सका जहाँ से रास्ता आगे भी जाता है; यह कि उसका उपक्रम समावेशी है, अन्तिम या निष्कर्षात्मक नहीं। उसमें विचार-स्वातन्त्र्य की छूट का परिणाम जितना है, उतना ही साहित्य में हर किसी की निजता और मौलिकता का आदर भी।

इन आलेखों को पढ़कर देखते दो और बातों की तरफ मेरा ध्यान गया। लेखक विशेष के बारे में लिखते मेरी दृष्टि स्वभावतः वहीं-वहीं टिकी जहाँ मुझे व्यक्तित्व और कृतित्व के बीच बनते सेतुओं की कमजोर या सशक्त ध्वनियाँ पकड़ में आयीं। उन सूत्रों को उपलब्ध करने में मैंने अपने को ऊर्जस्वित पाया। अन्तर और बाह्य के समागम की सम्भावनाओं ने मुझे अपने रचनाकार्य में भी इसी तरह प्रेरित और मुखरित किया है। वहीं पहुँचकर मेरी मनोमयता प्रकृतयः उर्वर बनती है। ये लेख भी इसका अपवाद नहीं है।

दूसरी बात, एकाध को छोड़कर इन लेखकों से अपने अल्प-परिचय का एहसास; जिसके चलते मुझे अपने स्मृत को टटोलना पड़ा और लेखक विशेष से अपने सम्पर्क-बिन्दुओं की तलाश करनी पड़ी। इस चेष्टा में कहीं-कहीं अपना-आप प्रमुख हो गया है जो इच्छित नहीं था। दूसरे छोर पर खड़े होने की बाध्यता थी। समय और

सम्पर्क के क्रम में से गुजरते, शतवार्षिकी के निमित्त अज्ञेय जी पर लिखा संस्मरणात्मक लेख शायद इसीलिए कुछ लम्बा हो गया है पर इस उपक्रम में उनके बहुत से अनदेखे, अनजाने पहलुओं को उकेरना हुआ, उसका मुझे सन्तोष है।

पुस्तक के उत्तरार्ध में शामिल लेख भी इसी तरह, किसी अवसर विशेष के दबाव में ही लिखते हुए, अपनी आत्मगत प्रतीतियों को टटोलते हुए। इन प्रबुद्ध-महत्त जनों के अवदान और अब अवसान से साहित्य जगत को हुई क्षति को दृष्टिगत रखते हुए। मेरे, ऐसा करने को बेशक आवृति दोष माना जा सकता है (डॉ. देवराज, अज्ञेय, शैलेश मटियानी) फिर भी इन लेखों को इसी पुस्तक में रखने का विचार मुझे सम्यक् और औचित्यपूर्ण ही लगा क्योंकि एक तरह से यह उन्हीं-उन्हीं सन्दर्भों और छवियों का विस्तार है। हिले हुए मन की ज्यादा संवेदित गूँजे। वैसे भी चेतना में दीवारें नहीं होतीं। प्रसंग उपस्थित होने पर अपने एहसासों तक को उसी व्योम में दाखिल होकर पाना पड़ता है। यों भी इन लोगों के बारे में मेरा कुछ किया-धरा तो निमित्त मात्र ही है। ये सब तो अपनी यशःकाया में सदा आदीप्त असमाप्त हैं।

इसी मानसिकता की निरन्तरता में अन्तिम लेख का समावेश भी मुझे अप्रासंगिक नहीं लगा। मेरे लिए वह एक न भूलने वाली घटना थी। निगमबोध घाट पर उसाँसती व्यथा ने मुझे कुछ दूसरी तरह हिलाया था। किसी आत्मीय व्यक्ति को खो देने के अवसाद-सघन क्षण में, व्यक्ति को खबर बना देने के हड़बड़ाए संचार-माध्यमी हठ ने मुझे बेहद विचलित किया था। वैसी चेष्टा बल्कि मुझे क्रूर जैसी ही लगती रही थी। उस परिवेश में स्तब्ध खड़े तो हम से छूट गया व्यक्ति ही सबसे बड़ा आख्यान लग रहा था। साहित्य के लिए तो वह सब कालान्तर की प्रोग्रामिंग थी, जो मुझे उस अवसादाच्छन्न समय में अपाच्य लग रही थी। इस लेख को इस संकलन में शामिल करते मैं अजीब तरह से भार-मुक्त महसूस कर रही हूँ।

– राजी सेठ

अनुक्रम

स्मृति शेष

डॉ. देवराज : न्याय-वंचित प्रज्ञा-पुरुष

पिछले 25 वर्षों में प्रबुद्ध समाज में मुझे एक भी व्यक्ति ऐसा नहीं मिला जिसने यह स्वीकार न किया हो कि डॉ. देवराज जैसी अपूर्व और विलक्षण प्रतिभा पर विस्तार से लिखा जाना चाहिए। साहित्य, संस्कृति, दर्शन, नीतिशास्त्र में उनके चौतरफा योगदान का आकलन होना चाहिए, पर ऐसा हुआ नहीं। बरसों से हमारे आलोचनात्मक विवेक को कट्टरता या अर्थवान चुप्पी ने हथिया रखा है। अतः उनके छह दशक तक सक्रिय सृजनात्मक उद्यम पर एक भी ढंग की पुस्तक तैयार नहीं हो पायी। वैसे भी हमारे साहित्य जगत में कुछ ऐसा चलन है कि किसी लेखक की शुरू की किताबें हमारा ध्यान खींचती हैं। बाद में उन्हीं कुछ पुस्तकों पर बनी राय एक चक्रवात की तरह हमारे सिर पर मँडराती रहती है। लेखक का अन्दरूनी विकास, उसके केन्द्रीय सरोकार और अनिवार्य उत्तरोत्तरता शोधार्थियों के अध्ययन-मनन की चीज रह जाती है। वह भी तब, यदि लेखक की गुणवत्ता सिद्ध मानी जाये। इस दृष्टि से भी डॉ. देवराज पर कम ही काम हुआ है जबकि उनका रचनाकर्म अपनी सघनता, व्यापकता और अर्थवत्ता में बेजोड़ ही नहीं चुनौतीपूर्ण भी रहा।

अपने जीवनकाल में डॉ. देवराज को अपना प्राप्य नहीं मिला। बेशक इसके कई कारण रहे। एक प्रमुख कारण तो यही रहा कि उनकी विद्वत-छवि दो भागों में बँटी हुई रही। अपने छह दशक के सक्रिय जीवन में उन्होंने 8 उपन्यास, 10 कविता संग्रह, 8 साहित्य चिन्तन की पुस्तकें साहित्य जगत को दीं। दर्शन के क्षेत्र में उच्च कोटि की एक दर्जन पुस्तकें ही नहीं बल्कि अपने मौलिक चिन्तन के फलस्वरूप एक नये जीवन दर्शन का प्रतिपादन भी किया जो 'सृजनात्मक मानववाद' के नाम से जाना गया। दोनों क्षेत्रों में इतने विपुल योगदान के बावजूद दर्शनक्षेत्री उन्हें साहित्यकार मानकर और साहित्यक्षेत्री उन्हें दर्शनक्षेत्री मानकर परे रखते रहे। यह तथ्य जाना नहीं गया कि जिस केन्द्रीय अभिप्राय को निष्पन्न करने में वह इतनी रचनात्मक ऊर्जा खपा रहे हैं वह मूल्यबोध के स्तर पर विकसित किया गया व्यापक और सार्वभौमिक जीवनदर्शन है जो साहित्य और दर्शन में भेद नहीं करता। उनका संस्कृति-चिन्तन दर्शन में सैद्धान्तिक रूप से और साहित्य में व्यावहारिक-सामाजिक स्तर पर व्यक्त होता रहा। यह उनका अपना उपार्जित सत्य था—उनकी अपनी जीवन दृष्टि का सारतत्त्व। वहाँ तक पहुँचने का रास्ता उन्होंने जीवन भर के चिन्तनात्मक

और सृजनात्मक उद्यम से पाटा था। उनको लेकर विशेष उल्लेखनीय बात यही थी कि उनके सारे चिन्तन में एक ठोस आवयविक संगति और तारतम्य रहा, जिसे दृष्टि की केन्द्रीयता भी कहा जा सकता है। दृष्टि की केन्द्रीयता का आग्रह जीवन भर उनका ऑब्सेशन रहा। जिसे वह अपने में विकसित करने और दूसरों में खोज पाने के लिए सतत् आग्रहशील रहे। इसी ऑब्सेशन ने उनकी अद्वितीय आलोचकीय दृष्टि का निर्माण भी किया और लेखन और लेखकों की भेदपरक कोटियाँ भी निर्धारित कीं।

विचारों में ऐसे तार्किक निष्पादन और संकेन्द्रण के बावजूद उनकी एक अविभाजित छवि हमारे सामने प्रकट नहीं होती रही। इस विखंडन की प्रतीति देने वाले और भी बहुत-से कारण उनके साथ जुड़े रहे। वह द्विक्षेत्री ही नहीं द्विभाषी भी थे। उन्होंने हिन्दी और अंगेजी दोनों भाषाओं में लिखा। अन्तरराष्ट्रीय स्तर को छू पाने वाली (डॉ. हाकिंग और प्रो. नार्थरॉप सरीखे विद्वानों द्वारा प्रशंसित) उनकी चिन्तनपरक किताबें अंग्रेजी में लिखी गयीं और रचनात्मक साहित्य उन्होंने हिन्दी में लिखा। इन दोनों छोरों में भाषा और वस्तु के स्तर पर कोई स्वाभाविक आवाजाही नहीं थी। गहरे जाकर या समग्र रूप से देखने पर ही उस साँझे सरोकार पर अँगुली रखी जा सकती थी जो सामान्यतया सम्भव नहीं था क्योंकि ज़ाहिरा तौर पर दर्शन का अध्यापक और अध्येता अपने उपन्यासों और कविता-संग्रहों की रचना द्वारा संस्कृति के आधारों में से मूल्य चेतना का अन्वेषण कर रहा था। यह अपाट असाधारणता विश्वास से ज्यादा सन्देह पैदा करती रही।

इसके अतिरिक्त अपने अध्ययन का आधार भी उन्होंने भारतीय परम्परा और संस्कृत वाङ्मय को बनाया क्योंकि उनके अनुसार "किसी देश या संस्कृति की जातीय चेतना पूरी तरह वहीं प्रतिबिम्बित होती है।" धुर बचपन से ही उनकी शिक्षा और शोक का विषय संस्कृत साहित्य रहा चाहे उनका दृष्टिकोण ताउम्र घोर वैज्ञानिक बना रहा। वैज्ञानिक प्रगति के दौर के अपने जीवनकाल में वह पश्चिमी विचारों के प्रति पूरी तरह बहुश्रुत रहे और उनसे प्रभावित भी हुए। पश्चिमी आलोचना के विधायक रूपों में उन्होंने अपने अन्वीक्षण के लिए जमीन ढूँढ़नी चाही, चाहे लक्ष्य उस माध्यम से भारतीय सांस्कृतिक परिवेश का गुणधर्म निर्धारित करना था। अपने विचारों और निष्कर्षों की सन्दर्भवत्ता उन्होंने अपने को बहुत व्यापक स्तर पर ले जाकर तलाशी और वैश्विक प्रामाणिकता भी अर्जित करनी चाही। ऐसी पूर्वाग्रहरहित पड़ताल का साहस उनमें हमेशा रहा जिसके बूते वह चिन्तन-सृजन की ऐसी ऊँचाई तक पहुँचे भी पर अभाग्य से हमारी उस समय की प्रचलित साहित्य धाराएँ ज्ञान के इन दोनों ही छोरों—संस्कृत परम्परा और पश्चिमी चिन्तन से विमुख थीं।

वैसे भी अपने समय की प्रचलित धाराओं में उन्होंने कभी हाँ में हाँ नहीं मिलायी। अपना औचित्य वह अपनी मौलिक उद्भावनाओं में टटोलते रहे। मार्क्सवाद का प्रभाव भी उस समय विस्तार ले रहा था, जिससे वह कई कारणों से असहमत

थे। उन्हें लगता था जब कोई दृष्टि लेखकों के एक पूरे वर्ग को आक्रान्त करे तो शक होने लगता है कि कहीं दृष्टि के नाम पर किसी सामाजिक फैशन का जिक्र तो नहीं किया जा रहा। जबकि सृजन ऐसा क्षेत्र है जहाँ हर लेखक को अपनी जीवन दृष्टि विकसित करने का अधिकार है। जाहिर था कि ऐसे वातावरण में उन्हें मान्यता या लोकप्रियता नहीं मिल सकती थी। सामाजिक चिन्तन से संलग्न होने और अति आधुनिक वैज्ञानिक दृष्टिकोण होने के बावजूद उन पर परम्पराविरुद्ध होने का आरोप थोपा जाता रहा। यह बात पूरी तरह अनदेखी कर दी गयी कि वह संस्कृत के उन गिने चुने अध्येताओं में से थे जो परम्परावादी होने की दुर्घटना से बच सके थे। परम्परा का इस्तेमाल उन्होंने नया प्ररिप्रेक्ष्य पाने के लिए किया। सौन्दर्यबोध और नीतिबोध को पूरा सैद्धान्तिक आधार दिया।

वह हमारे युग में सबसे प्रखर बुद्धिवादी थे, जिन्होंने सृष्टि के केन्द्र में मनुष्य को माना, ईश्वर को नहीं माना। अलौकिकता में नहीं, लौकिकता में विश्वास किया। जीवन का चरम लक्ष्य मनुष्य के भीतर सम्भव हो सकने वाली ऊर्ध्वमुखता की शक्ति को माना और मोक्ष की प्रचलित धारणा को नकारा। मनुष्य में सन्तत्व तक पहुँच सकने वाली 'हीरोइक सम्भावनाओं' को परखने, पड़तालने की कोशिश की। उनका आदर्श विश्व भर के सभी महापुरुष रहे। उन्होंने माना कि चेतन प्राणी होने के कारण मनुष्य के पास नैसर्गिक रूप से वह सब साधन और उपकरण मौजूद हैं जो उसे उच्चतर मूल्यों का दृष्टा और सृष्टा बना सकते हैं। उसके लिए किसी ईश्वर या मानवेतर संज्ञा की जरूरत नहीं। इस दृष्टि से वह बौद्ध दर्शन के ज्यादा निकट पड़ते थे। उनके द्वारा प्रतिपादित 'सृजनात्मक मानववाद' अपनी ढेरों शाखाओं, प्रशाखाओं के साथ इसी धुरी पर टिका हुआ है।

ऐसा करने, मानने और लिखने का साहस उन्होंने आधुनिक होने के फैशनपरस्त दबाव के तहत नहीं किया बल्कि सदियों पुरानी भारतीय आध्यात्मिक परम्परा को पूरी तरह खँगालने और आत्मसात् करने के बाद किया। पुरातन ज्ञान में वह आधुनिक दृष्टि का सन्धान कर रहे थे। उनकी चिन्तनात्मक परिसीमा में साहित्य और दर्शन, परम्परा और आधुनिकता, संस्कृत और अंग्रेजी, नीतिवत्ता और नास्तिकता, क्लासिकी रुझान और कल्पनाशीलता, पुराने मिथक और नये विषय-शैली-भाषा प्रयोग, संवेदन रस और विचार पूरी तरह गुँथे हुए मिलते हें। उसी रसायन में से 'सृजनात्मक मानववाद' नाम का एक नया, निजी, मौलिक सृष्ट-चिन्तन उदभूत होता है। यह जानना रोचक है कि उनका सारा चिन्तन परम्परागत प्रतीकों का उल्लेख और खंडन दोनों करता है, शायद इसीलिए वह अपनी निजी मौलिक शैली विकसित कर पाये। यह शैली वस्तुगत और सन्तुलित है।

विचारों में ऐसी समग्रता और समन्वय-चेतना के बावजूद उनके आकलन में ऐसी तीखी उपेक्षा दुखद ही मानी जाएगी। असल में इतने विषयों और विधाओं में

उनका सतत् सृजनशील बने रहना, एक तरह से उनके विरुद्ध ही पड़ता रहा। उनकी उपस्थिति विकेन्द्रित-सी रही। हर पल पढ़ने और नित नये विचारों से अपने को जोड़े रखने का व्यसन ऐसा था कि उनके दृष्टिकोणों में संवर्द्धन की भूख और एक तरह की गतिशीलता दिखाई देती रहती थी जो उनके मूलभाव को विकीर्ण करने की बजाय सघन और बहुआयामी बनाती थी। मानववादी चिन्तक होने की एक सार्वजनिक-सी छवि के अतिरिक्त उनके समूचेपन को उनके जीवनकाल में किसी एक आधार में अँटाया नहीं जा सकता। इस ओर से वह स्वयं भी निरासक्त ही थे।

अपने या दूसरे के कमाये हुए सत्य के प्रति उनका खुला जनतान्त्रिक रवैया था। ज्ञान को वह वैश्विक सम्पदा मानते थे। हर नया सूचनाखंड उनके लिए आत्मशिक्षण की चुनौती बन जाता था, जिसकी रोशनी में वह अपने विचार-परीक्षण की गति को बढ़ा देते थे और जाने हुए सत्यों को नया परिप्रेक्ष्य देने को प्रस्तुत हो जाते थे। शायद यही कारण रहा होगा कि 'भारतीय उच्च अध्ययन संस्थान शिमला' में अपने अध्येता काल में उन्होंने दर्शन की प्रस्तावित पुस्तक के अतिरिक्त एक और वैचारिक पुस्तक लिख डाली। उनके अनुसार ऐसी बेजोड़ लाइब्रेरी में विचारों की निर्व्याज उपलब्धि का मौका अनुर्वर तरीके से गँवाया नहीं जा सकता था। उन्हें वह दिन बेकार गया लगता था जिस दिन कोई नया विचार या प्रत्यय उनके सोच में न जुड़ सके। हर नये विचार को वह पूरी कृतज्ञता से स्वीकारते थे। विचारों की यह सतत् गतिशीलता उन्हें आकलन-सक्षम नहीं रहने देती थी।

अपने जीवन के पिछले दिनों में वह अपनी जिल्द-दर-जिल्द लिखी जाती किताबों के बाहर बहने की आकुलता महसूस करने लगे थे। उन्हें लगता था, वस्तु-संकेन्द्रण विचारों को एक जिल्द और दिशा में बाँध देता है जिसके चलते समकालीन जीवन और आत्मानुभव की मननशील झलकियाँ लेखन द्वारा अनदेखी रह जाती हैं। इस बेचैनी के चलते अपने जीवन के अन्तिम दस वर्षों ('युग-साक्षी' के सम्पादन काल के दौरान) में वह 'परत-दर-परत'[+] शीर्षक से सम्पादकीय लिखने लगे थे। अपनी चौतरफा सोच के यह घुले-मिले हिस्से उन्हें विशेष सन्तोष देने लगे थे। इनमें आत्मानुभव, आसपास का जीवन, व्यवहार, सोच, साहित्य, दर्शन, राजनीति, समाजशास्त्र, इतिहासबोध सब कुछ शामिल था। इन संपादकीयों को उनका महत्त्वपूर्ण धारावाहिक दस्तावेज माना जा सकता है।

बाकी के कारणों को बहुत कुछ व्यक्तिगत भी कहा जा सकता है। उनके संसर्ग-संवाद में रहने वाले लोग उनकी ओर से आते आकलन के किसी भी प्रकार के दबाव से मुक्त रह सकते थे। प्रत्यक्ष या परोक्ष दूसरों से ऐसी कोई इच्छा, अपेक्षा उनके व्यवहार में प्रकट होती नहीं लगती थी। प्रायः वह विचारित या विचाराधीन

+ अब सस्ता साहित्य मंडल प्रकाशन संस्थान में प्रकाशनाधीन

विषयों पर संवादरत रहते थे और विषय से उगती सम्भावनाओं की ओर इशारा करके छोड़ देते थे। उनकी संलग्नता समस्याओं के चिन्तन, सन्धान और समाधान में थी, दूसरों द्वारा दिये जाते प्रमाण-पत्रों में नहीं।

दूसरे, अपने सृजनशील होने को वह अहंकार का कारण नहीं मानते थे। उनके हिसाब से मनुष्य स्वाभाविक रूप से मूल्यान्वेषी है। अतः सृजनशीलता मनुष्यत्व में निहित है। मनुष्य में सृजनशीलता का होना कोई विशेष बात नहीं है पर इस वृत्ति को विकसित करना विशेष बात जरूर है। अतः उस ओर से वह विरक्त जैसे थे। विरक्त होने का कारण सदा उनकी सृजनशील व्यस्तता मात्र ही नहीं थी पर वह मनुष्य को विपुल उर्वरा के भंडार का एक छोटा माध्यम मानते थे जो अपने योगदान के लिए प्रतिबद्ध है। योगदान के स्तर पर वह अपने को या दूसरों को बहुत महत्त्व नहीं देते थे। उन्हें अक्सर यह कहते सुना था कि "लिखते समय यह प्रश्न मन में बराबर बना रहना चाहिए कि जो कुछ लिखा जा रहा है क्या वह इतना अर्थवान है कि अगले 50 वर्षों तक बचा रहे" यह मान्यता उन्हें रचनाओं के गुणात्मक पक्ष की तरफ से सचेत रखती थी। यों अपने सृजन को लेकर वह शंकालु भी नहीं थे क्योंकि एक तो स्वयं अध्ययनशील और गुणधर्मयुक्त पर तटस्थ भी उतने ही थे कि अपने सृजन को भी सही परिप्रेक्ष्य में रख लें। उनका विश्वास था कि दृष्टि की परिपक्वता किसी लेखक को तब उपलब्ध होती है; जब वह अपने सृजन तक को एक बाहरी आत्मालोचक दृष्टि से देखने में समर्थ हो पाता है। यह आत्मालोचक तटस्थता उनके अपने स्वभाव में भी थी। अपने को दूर से देखने का व्यसन और बाहर से आते छोटे से छोटे विचार-कण के प्रति एक अपूर्व चौकन्नापन उनमें हर पल देखा जा सकता था।

और तो और इतिहास के घटित को भी वह इसी निरावेग तटस्थ साक्षीभाव से देखने के आदी थे। उनकी यह तटस्थता मेरे निकट आँखों देखी थी। उस समय की प्रधानमन्त्री श्रीमती इन्दिरा गाँधी की नृशंस हत्या के समय वह एक सेमीनार के सिलसिले में दिल्ली में मौजूद थे। ऐसी हत्या के कारण उस समय चारों ओर खलबली मची थी। सुरक्षा के ख़याल से उन्हें और डॉ. भोलाभाई पटेल को हम घर लिवा लाये थे। हम सब खूब उद्विग्न और उत्तेजित थे पर भीतर बाहर की इतनी उत्तेजना के वातावरण में भी वह विरत जैसे बैठे कोई किताब पढ़ते रहे थे। इस अप्रत्याशित प्रतिक्रिया का कारण जानना चाहने पर वह ख़ासे खीझे ही थे। संसार के इतिहास और सभ्यताओं की इतनी उलट-पलट के सामने उन्हें यह कोई बहुत बड़ी और महत्त्वपूर्ण घटना नहीं लग रही थी। निजी और पारिवारिक जीवन की अनेक अनहोनी घटनाओं को भी उन्होंने इसी मनोभाव से झेला था। उनके परिवार वालों का कहना है कि अपने जवान भतीजे की ऐक्सीडेंट में मौत पर उन्हें केवल एक ही बार भाई की छाती से लगकर रोते देखा गया था। निस्पृह बने रहने की पराकाष्ठा यह कि उन्हें

अपने बेटे-बेटी की शादी तक में जाना जरूरी नहीं लगा था। यों विद्यार्थियों की छोटी से छोटी जरूरतों पर उन्हें विचलित और द्रवित होते देखा जा सकता था। उनके स्वभाव में कोमलता, मृदुलता, वत्सलता और सहृदयता का अद्‌भुत संगम था।

तीसरे, उनकी महत्त्वाकांक्षा सृजन को लेकर रही मान्यता को लेकर नहीं। उस ओर से वह चिन्तामुक्त और विरक्त थे। चर्चा के केन्द्र से विरक्त होने और अपने कर्म में निष्ठापूर्वक लगे रहने का कारण उनके जीवनदर्शन का उनपर प्रभाव था। कथनी और करनी में फर्क न रहे यह उनके द्वारा विकसित आचारशास्त्र का ही एक हिस्सा था। मनुष्य के भीतर की उच्चतर सम्भावनाओं की खोज में जिस मूल्यबोध का वह अन्वेषण कर रहे थे वहाँ आत्मकेन्द्रण, आत्मरति, लोभ, द्वेष, दम्भ, स्पर्द्धा प्रतियोगिता परक मूल्यों को कोई स्थान नहीं था। निष्काम कर्म की दीक्षा और आचरण में अनासक्ति उनके तईं एक उपार्जन-योग्य वस्तु थी, जो उनके व्यक्तित्व में सदा लक्षित होता था। अपने आचरण में वह सदा अपने विश्वासों तक पहुँचने का यत्न करते रहे इसलिए अपनी उपस्थिति दर्ज कराने की आक्रामकता उनके स्वभाव में नहीं रही।

इसका यह अर्थ नहीं कि अपने कर्म की गुणवत्ता का उन्हें ज्ञान नहीं था। पूरे साहित्यिक परिदृश्य में वह अपना स्थान भी जानते थे। एक तरह का वस्तुपरक मूल्यांकन-वस्तुओं, विचारों, प्रत्ययों के प्रति उनकी दृष्टि में संचित था, जिसमें उनका अपना कृतित्व भी शामिल था। उसे भी वह एक आत्मालोचक पड़ताल के तहत रख सकते थे। ऐसा करने में न श्रेष्ठता भाव से उत्तेजित होते थे, न किसी तरह की कमतरता से दंशित। इसी विशेषता के चलते वह एक ठोस किस्म का आलोचनात्मक विवेक विकसित कर पाये और जरूरी लगते मुद्‌दों पर खुलकर सहमत, असहमत हुए।

व्यावहारिक दृष्टि से उनका इतना बेलाग और बेबाक होना भी उनके विरुद्ध ही पड़ता रहा कि वह बेहद निष्पक्ष और निर्भीक किस्म के इंसान थे। असल में इतना बहुश्रुत होने के कारण वस्तुओं, व्यवहारों, आशयों को जाँचने का उनका रवैया वस्तुनिष्ठ और तटस्थ ही नहीं पूरी तरह सन्दर्भित रहता था। उनका परिप्रेक्ष्य इतना व्यापक और दृष्टिपरक कारणों से बँधा होता था कि चौंकाता था। स्वभाव की ऋजुता के बावजूद वह दूसरों को प्रसन्न रखने में असमर्थ रहते थे। उनका जैसा निष्पक्ष और खरा व्यक्ति कभी लोकप्रिय नहीं हो सकता। उन्हें प्रायः 'रूखा' और अमित्र ही माना जाता रहा। आशंसा प्रशंसा या चापलूसी के आधार पर उनसे आपसी लाभ की भी कोई स्थिति नहीं बनती थी। हमारे समय के सुविख्यात कवि और डॉ. देवराज द्वारा सम्पादित पत्रिका 'युग चेतना' के सहयोगी रहे श्री कुँवरनारायण ने उनके बारे में कहा था कि "वह निर्भीक और आत्मविश्वासी विचारक थे। उनका आत्मविश्वास हठधर्मी नहीं था। वह प्रज्ञात्मक दृष्टि का आत्मविश्वास था जो तर्क से भी आगे जाने

की दृष्टि रखता था। वह अपनी सोच को प्रकट करने में कभी हिचकते नहीं थे। उसके पीछे पूरा चिन्तन-मनन छिपा होता था।"

यह उनके जैसी मनीषा के ही बूते की बात थी कि इतने ग्रहणशील और समावेशी बौद्धिक होने के बावजूद उन्होंने अपनी दृष्टि अपनी संस्कृति-चेतना में बींध कर रखी और विचारों की मौलिकता द्वारा परम्परा को आधुनिक अर्थ में समृद्ध किया। शुद्धतावादी नैतिकता का निराकरण करते हुए आधुनिक उदारवादी मूल्यों का समर्थन किया। दृष्टि की केन्द्रीयता का अपने लिए उपार्जन और दूसरों में उसकी पड़ताल ही उनकी आलोचनावृत्ति का अन्तिम मापदंड रही। इसी विवेचन-विवेक से उन्होंने अलग-अलग तरह के लेखकों की भेद-विभेद युक्त कोटियाँ बनायीं। संस्कृति साहित्य से लेकर आधुनिक हिन्दी साहित्य तक की सब महत्त्वपूर्ण धाराओं और सर्जकों को अपने विवेचनात्मक आकलन का लाभ उन्होंने दिया, जिसका प्रमाण उनकी साहित्य चिन्तन की कई चौंकाने वाली किताबें हैं।

हिन्दी में ऐसे लेखक विरल हैं जो विश्व चिन्तन के धरातल पर खड़े होकर बड़े सवाल उठाएँ और सब प्रकार की परा-सत्ता को चुनौती देते हुए मनुष्योपयोगी जीवन दर्शन का समर्थन करें। मनुष्य की उच्चतर वृत्तियों के प्रतिपादन का आनुभाविक-बौद्धिक पक्ष प्रस्तुत करें। देश में व्याप्त वैचारिक दरिद्रता ने उन्हें सदा पीड़ित किया। उन्हें लगता था पश्चिम में हर बौद्धिक क्रान्ति के साथ तत्सम्बन्धी सृजनात्मक साहित्य की बाढ़-सी आ जाती है, दर्शन और साहित्य में एक आपसीपन पैदा होता है जबकि अपने यहाँ इतनी लम्बी समृद्ध दार्शनिक सांस्कृतिक परम्परा के बावजूद ठोस विचार और सृजनात्मक अन्तर्धाराएँ पनपती दिखाई नहीं देतीं। सांस्कृतिक चेतना का वैचारिक आधार खोखला ही बना रहा। इन प्रश्नों के उत्तर अन्ततः उन्होंने ढूँढ़े और अपनी परम्परा की सीध में आधुनिक होने का विकल्प और दृष्टि भी दी।

यह खेदजनक है कि आकलन-अल्पता के इस युग में हमने उनका देय उन्हें नहीं दिया सो नहीं दिया पर उनके द्वारा आकलित सत्यों को भी अनदेखा ही किया। शायद हमारे प्रबुद्ध समाज में असाधारण प्रतिभाओं को अपना प्राप्य पाने के लिए मरना पड़ता है। मरने के बाद उनका होना हमारे पछतावे और सन्तापी सन्तोष में जीवित रहता है। उनकी रचनाओं का उत्खनन होता है जब विश्वविद्यालयों की शोधपरक जरूरतें बेचैन होने लगती हैं। ऐसी प्रतिभाएँ तब एक विषयवस्तु की तरह काम आती हैं चाहे शोधार्थी का स्तर लेखक की परिपक्वता से मेल खाये या न खाये।

अज्ञेय : स्वाधीनता का अर्थ

अज्ञेय की एक कविता है—'साम्राज्ञी का नैवेद्यदान'। उसे जब भी पढ़ा, मन में एक लीक-सी खिंचती गयी, पता नहीं कितनी दूर तक। जापान की साम्राज्ञी के मन में असमंजस है। वह आयी तो है परन्तु भेंट में कुछ नहीं ला सकी...फूल को डाली से विलगा सकने का उसे कष्ट है, इसलिए उसका समर्पण—

'जो कली खिलेगी जहाँ/ खिली/ जो फूल जहाँ है,
जो भी सुख/ जिस भी डाली पर/ हुआ पल्लवित पुलकित
मैं उसे वहीं पर/ अक्षत अनाघ्रात, अस्पृष्ट, अनाविल/
हे महाबुद्ध/ अर्पित करती हूँ तुझे।'

यह कविता समर्पण भाव की कविता उतनी नहीं, जितनी अक्षुण्ण भाव के प्रति गहरी आस्था की। महाबुद्ध के चरणों और फूलों के बीच जितनी दूरी है, वही पवित्रतम है, वही लक्षित करने की चीज़ है, क्योंकि वह नोची, खसोटी, सूँघी, स्पर्शी तक नहीं गयी है। जहाँ की तहाँ है, जैसी की तैसी... मनोभाव से अर्पित।

यह मनोभाव कवि का मनोभाव है, जिसकी वाहक साम्राज्ञी बनी है। थोड़ी दूर तक तो कविता साम्राज्ञी की मनःस्थिति को व्यक्त करती है, फिर पाठक को अज्ञेय के एक बहुत गहरे भावक और चिन्तक मनःविस्तार के बीचों बीच लाकर खड़ा कर देती है, जहाँ इस आस्वाद से कोई बचाव नहीं है। जो अज्ञेय के कृतित्व में से गुज़रे हैं, उनके लिए यह कोई नया आस्वाद नहीं है, बल्कि अज्ञेय की मौलिक मनःभूमि का विस्तार है। चिन्तन और सृजन की सतह के नीचे सतत बहती अन्तर्धारा की पहचान है।

चीजों, स्थितियों, व्यक्तियों, कार्यकलापों, मनोदशाओं को उनकी निहित अर्थवत्ता के बीच बना रहने देना और सामने खड़े होकर उनके विकसने की सदाशयता से अभिभूत होना अज्ञेय की सृजनात्मकता का परिचित तेवर है। वह चीजों को बदलने में नहीं, 'हो लेने दो' तक ले जाना चाहते हैं और इस हो लेने-देने के धीरज में से ही एक परिणति, एक काव्य-प्रक्रिया तथा उन्मेष की एक छटा हाथ लगती है। वहाँ नदी भी दीठ से टोह कर नहीं, मन के उन्मेष द्वार जानने की बात करती है। और—

'उसे पकड़ो मत/ उसी के हो लो।'

के आग्रह से पगी हैं। किसी भी प्रकार की परतन्त्रता चाहे वह लगाव की भी क्यों

न हो, से मुक्ति अभीप्सित है। निहायत सहज रूप से सीधे उठना है और होना है, साथ ही उस सारे उठने और होने का साक्षी होना है–

'ओ प्यार! कहो है इतना धीरज/ चलो साथ/ यों : बिना आशा आकांक्षा/ गहे हाथ? (पर क्यों इतना भी क्यों)/ यह कहा सुना, कहना सुनना ही सब झूठा हो जाने दो/ बस रहो, रहो रहो।'

वह आशा आकांक्षा की डोर जो प्यार को जताती है, सान चढ़ाती है, उससे भी पार जाना है कवि को। अनात्मीय हो जाने के लिए नहीं, बल्कि अपने सामने स्वत्व के पूरेपन में आ जाने की निर्विकल्प एकात्मकता के दर्शन के लिए। 'बस रहो' कहने-सुनने की आशा-आकांक्षा के बिना का एकदम निरावृत्त, भीतर बाहर एक ही धड़कन में बजता हुआ जो आत्मीय आत्मबोध है वही अभीष्ट है कवि को। यह गुणात्मकता प्यार में है नहीं, प्यार को दी जाने वाली है एक वांछा की तरह। वह वांछा है–'रहो'–निवावृत एकात्मकता में ही रहो। यह एकता अपनी 'अवेयरनेस' में ऐसी ही है जैसी साम्राज्ञी की थी–फूल रहे जैसे के तैसे... जहाँ के तहाँ। या फिर–

'तुम्हारी याद/ स्मृतियों के पिंजरे में बाँधकर मैंने नहीं रखी/ तुम्हारे स्नेह को भरना/ कुप्पियों में स्वत्व की/ मैंने नहीं चाहा।'

या फिर–

'इस मर्यादातीत/ अधर के अन्तरीप पर खड़ा हुआ मैं/ आवाहन करता हूँ :/ आओ भाई!/ राजा जिसके होंगे हों/ मैं तो नित्य उसी का हूँ जिसको/ स्वेच्छा से दिया जा चुका।'

इस मर्यादातीतता में स्वच्छन्दता पर ध्यान नहीं; स्वेच्छा की सहजानुभूति की ओर प्रयाण है और 'उसी का हो जाने' तथा अपने दे दिये जाने का स्वतः स्वीकार है, जैसे एक वर्तुल अपनी गोलाई में चलता हुआ अपने अर्थ-वृत्त को स्वयं पूरा कर सकने की क्षमता में निहित है।

ऐसे जाने कितने उदाहरण कवि के कृतित्व में सुलभ होंगे। कोई भी व्याख्या इस मनोगत स्थिति का उतना उद्घाटन नहीं कर सकती जितना कवि के अपने शब्दोन्मेष–'वर्षान्त' कविता में कहाँ तो हहराता हुआ दर्द है कि 'कहाँ गया वह ज्वार/ वह हिल्लोलित सागर कैसे कहाँ गया', पर अगली ही पंक्ति में कवि एक दूसरे प्रकार की सन्नद्धता में उतर आया है–

'लो : मुट्ठी भर रेत उठाओ :, ...
उसे उँगलियों में से बह जाने दो : बस यों!
इस यों में ही हैं सब जिज्ञासाओं के उत्तर!'

इसी तरह 'अन्धड़' कविता में कवि धूल को साँस में भर जाने की छूट ही नहीं देता, उसे आमन्त्रित भी करता है। उसमें बचाव का भाव नहीं, न वितृष्णा का, न क्षोभ का– *'धूसरित होने दो तन–जो दूध की धुली तो नहीं'*, *'आकाश के विदग्ध उर*

के उमसने' की कामना करता है तथा–

'आने दो/ हहराती इस लहर को काटकर गिराने दो/ कूल/ उसी के वक्ष पर फिर पछाड़ खाने दो/ सुध बिसराने दो/ गल कर वत्सल हो जाने दो।'

इस वत्सल भाव, इस जीवनी शक्ति को पाने की प्रक्रिया में विसर्जन-भाव का ऐसा आत्यन्तिक उन्मेष अज्ञेय की कविता में बार-बार पाठक का रास्ता काटता है और एक विशेष प्रकार की भावस्थिति के बीचोंबीच खड़ा करता है। चाहे यह भावस्थिति व्यक्त-अव्यक्त अथबन्धों के छोटे-छोटे जुड़ावों के बीच ही हाथ लगती है पर मन में एक तस्वीर पूरी करती है–

'जीवन का रस लो/देह मन आत्मा की रसना से/ पर जो मरे उसे मर जाने दो।'

क्योंकि कवि के लिए–

'आसक्ति नहीं आनन्द है सम्पूर्ण व्यक्ति की अभिव्यक्ति' और इस आनन्द की सिद्धि कब है जब–

'मत बनो बाधा/ जो मरे उसे मर जाने दो।'

यहाँ अज्ञेय जिजीविषु को भी, जिसके मन में जीने की अभीप्सा उत्कट है, परित्राण नहीं देते, क्योंकि जीवन की सिद्धि पकड़-जकड़ में नहीं, परन्तु जीवन में मृत्यु के 'निहित होने' और उसे सहज भाव से लेने में हैं। जो हो रहा है, उसे होते देने में है।

वस्तुतः इस 'होने देने' में जो ओभीप्सित है, वह कुछ और है। व्यक्ति को, भाव को, अनुभूति को, क्रिया को, स्थिति को उसकी सहजावस्था में छोड़ देना, इस विश्वास के साथ कि ऐसा करना उसके निहित को उन्नततम होने देना है–

'फूल को प्यार करो/ पर झर जाए/ तो झर जाने दो।'

कहना न होगा कि आत्मोन्नतता में ऐसा निहित विश्वास ही इस इतनी बड़ी भाव-इमारत की आधारशिला है। उसके बिना इस प्रकार की निर्भयता की सृष्टि नहीं हो सकती, जो अज्ञेय में खूब दीखती है। साधारणतया होता यह है कि चीजों के प्रति अपने लगाव को हम स्थायी और स्थिर कर लेना चाहते हैं, चाहे उस यत्न में चीजें नहीं, चीजों के टुकड़े ही हाथ लगें। इस जकड़न के रहते व्यक्ति या वस्तु की स्वायत्तता में बाधा पड़ती है, हालाँकि यह बाधा भी सम्बन्ध में उतनी ही निहित है, उतनी ही सच है जितनी कि उत्कर्ष की सम्भावना; पर उस निगेटिव पोटेंशियल पर अज्ञेय का ध्यान नहीं, वह उसी हिस्से पर ध्यान देना चाहते हैं, जो अपनी अप्रकाशित सम्भावनाओं के वृत्त को पूरा करने की याचक है। इसलिए अज्ञेय की, अपने सत्य की, खोज का रूप भी इतना अभिन्न एवं तदाकार है–

'तुम मेरे साथ/ मेरे ही आँसू में गले/ मेरे ही रक्त पर पले/ अनुभव की दाह पर क्षण-क्षण उकसती/ मेरी अशमित चिता पर/ तुम मेरे ही साथ जले/ तुम/ तुम्हें तो/ भस्म हो/ मैंने फिर अपनी भभूत में पाया/ अंग रमाया।'

यह सारा सान्निध्य ही विलय और विसर्जित हो जाने के लिए हुआ है, द्वैत में होने की अधीनता और परतन्त्रता को ध्वस्त कर देने के लिए। अज्ञेय की प्रवृत्ति वस्तुओं और व्यापारों के निकट इसी मनोभाव से आती और लौटती है। ध्यान में यह भी आता है कि किस कारण से कवि के मन में यह विश्वास है कि जो झरेगा, मरेगा, बद्लेगा, बहेगा, वह विकास का ही कोई क्रम होगा, विकृति नहीं। दोनों ही परिवर्तन की सकारात्मक और नकारात्मक अवस्थाएँ हैं। क्या जरूरी है कि सब कुछ सकार में ही समाहित हो या उतना पूर्णतर हो कि समाहित हो सके। यह भी क्या जरूरी है कि मरणासन्न वस्तुएँ एकरूपता में बदल जाने की आस्था और पुनर्जीवन के आश्वासन से भरी हुई हों। चीजों की जीर्णावस्था और जिजीविषा पर निगेटिव वृत्तियों के शिकन्जे उतने ही सच, उतने ही चरम और उत्कट हो सकते हैं; पर अज्ञेय के मन में उन चीजों का स्वीकार नहीं, हालाँकि इनके अस्तित्व का क्योंकर नहीं होगा, क्योंकि अवसाद को, दर्द को, हूक, हुमस, टीस परित्राण पाने की बौखलाहट और सान्ध्यतारा के सान्निध्य में जी जाने को भी कवि उतना ही जानता है पर अँधेरे का यह स्वीकार भी कवि से किस प्रकार से वैकल्पिक सत्य की रचना करवाता है—

'क्यों चलना यदि पथ है केवल
मेरे अन्धकार से सबके अन्धकार तक
—या कि लाँघ कर ही उसको पहुँचा जावेगा
सब कुछ धारण करने वाली पारमिता करुणा तक
निर्वैयक्तिक प्यार तक।'

या दूसरा विकल्प है—

'आँखे भर कर ले फेर/ और भर अंजलि दे बिखेर/ पीछे को फूल/—स्मरण के, श्रद्धा के, कृतज्ञता के, सबके हम नहीं पूछते जो हो, बस मत हो परिताप कभी।'

'आँखें भरकर ले जब फेर' में जब कोई बन्धन नहीं है, अंजलि बिखेरने में भी नहीं, परिताप हो सकता है, पर उसका स्वीकार नहीं, क्योंकि परिताप या अवसाद एक निषेधात्मक बन्धन है और अज्ञेय का अभीष्ट है मुक्ति, निर्बाध स्वातन्त्र्य, उठने और विकसने की सुविधा, चरम विसर्जन, चरम मौन। जहाँ 'सागर तुम कुछ कहना नहीं चाहते, तुम होना चाहते हो।' जहाँ निषेध में होने की इस स्थिति का अज्ञेय ने ऐसे भी सामना किया है। वहाँ भी अपने निर्बन्ध हो सकने की आस्था को अक्षुण्ण रखते हुए—

'न दो प्यार/ खोलो न द्वार/ ... इस अन्धी दीवार में : पा लूँगा दरार मैं कोई/ हो न सकूँगा पार-/ न हो : मैं बीज उसी में डालूँगा : वह फूटेगा : फिर डार-डार/ से उसकी झूमेगा फल-भार... ।'

या कि, जहाँ सारे रूपाकार अन्धकार में हैं, पहचान और पकड़ से बाहर हैं।' पर मेरी चेतना में इसकी पहचान है।

कि अन्धकार भी/ 'एक चरम रूपाकार है/ सत्य का, यथार्थ का विस्तार है।'

यों भी इस संग्रह तक आते 'पहले मैं सन्नाटा बुनता हूँ'—यानी (वर्ष 1970-73) अन्धकार और प्रकाश के तादात्म्य के बीच अन्तर्विरोधों के सिकुड़ जाने और एक चटक साफ सुथरी दृष्टि पाने की यात्रा की पहचान दिखाई देती है, पर है यह यात्रा ही। कोई ऐसा नया उन्मेष नहीं, जो अज्ञेय के भीतर शुरू से नहीं था। यह बात अलग है कि उसे वैसी वस्तुनिष्ठ व्याख्या अब मिलती है कि *प्रकाश अग्रजों का है—*

'पोढ़ा है, खरा है :/ अन्धकार मेरा है / कच्चा है हरा है।'

'यों मुझे मत छोड़ दो सागर' वाली अधीर मुद्रा अज्ञेय में शायद ही कभी दीखती है। यहाँ भी नहीं है, क्योंकि इस अधीरता में एक उत्कट माँग है—पूरा होने की। कवि की दीठ को, हिय को, वासना को, मन को, कर्म को, मर्म को, चाहे को, जिये को—

'मुझको और मुझको और मुझको
कहीं मुझसे जोड़ दो।'

यहाँ भी जोड़ना, ऊपर से नीचे तक, भीतर से बाहर तक जोड़ना प्रमुख है। वह आसंगता माँगी जा रही है, क्योंकि कवि छूट गये होने की अपूर्णता और अधीरता के बीच नहीं रहना चाहता है। यहाँ वैसा विसर्जन नहीं हो सकता। क्योंकि अभी तक तो अपने को अपना पूरा अपना आप भी उपलब्ध नहीं। ऐसे में अपने को सौंपना किरकिराती आस्थारहितता को सौंपे जाना है, जो अज्ञेय का चुनाव नहीं, अज्ञेय की अपनी भाव-भूमि नहीं। अज्ञेय का मूल परिचय जिस सागर से है *'वह घेरता है, धरता है, सहता है, धारता है, भरता है/ लहरों में सहलाता है, दुलराता है, झुमाता झुलाता है/और फिर भी निर्बन्ध मुक्त रखता है मुक्त करता है-/ मुक्त, मुक्त, मुक्त करता है।'*

सोचना यह है कि वह क्या है जो कंकड़ फेंकी झील के केन्द्र में खड़े कवि मानस को, वर्तुलों की तरह बार-बार आघात देता है और उसी आन्दोलित स्थिति में कवि के अपने सारे भाव-जगत् को सन्दर्भित करने के लिए बाध्य करता है। क्या है जो अपने अभीप्सित को भी परे फेंक सकने का बल देता है। तिस पर यह फेंक देना निश्चय ही वितृष्णा से नहीं, ममता से, इच्छा से, विकसित हो सकने की सदाशयता से भरा है। कुछ तो है कि नश्वरता (फूल को प्यार करो पर झरे तो झर जाने दो) के सामने, कल्मष, अनुर्वरता, के सामने कवि एक निधड़क आशा का पाथेय लेकर खड़ा रहता है। वह हर चीज का सामना करता है : हस्तक्षेप का अधिकार हाथ में लिए बिना। इन वरीयताओं में क्या ऐसा कुछ है कि कवि की चेतना के गुणधर्म की व्याख्या कर सके। कुछ तो कारण है कि देह, मन, आत्मा की रसना से जीवन का पूरा रस लेने वाले का मन उपभोग्य वस्तुओं और व्यापारों को मरने से बचाने की हड़बड़ी से इतना मुक्त है। सौन्दर्य को अपनी अन्तिम सम्भावना तक देखने और देख पाने की आकुलता जिस उग्रता और उत्कटता में जागती है, उसी अनुपात में

लौट पड़ने, छोड़ देने, अक्षुण्ण रहने देने, आत्मसम्पन्न होने देने की अनिवार्यता भी कवि मन में जागती है।

प्यार जैसी निहायत निजी और आत्मपरक अनुभूति के समक्ष भी कवि *'प्यार अकेले हो जाने का एक नाम है/ यह तो बहुत लोग जानते हैं/ पर प्यार अकेले छोड़ना भी होता है'* की बात करता है और ऐसी प्रिया को कवि प्रियतर पाता है, जो प्यार करना ही नहीं, प्रिय को अकेला छोड़ना भी जानती है। सपने जैसी अमूर्तता में हाथ में हाथ को लेकर सहलाने में जिस उत्कट कोमलता और अनूठे जुड़ाव की सृष्टि होती है, वह भी अन्ततः उसी आत्मसम्पन्नता या आत्म-विसर्जन में निरस्त होती है—*'हाँ, तुम्हारा हाथ मैंने गहा/ तुम्हारे हाथ को मेरा हाथ/ देर तक लिए रहा/ पर एकाएक मैंने देखा कि उस मेरे हाथ के साथ मैं ही तो नहीं रहा।'*

इस हौले हल्के कोमल स्पर्श में चलकर, 'मैं ही तो नहीं रहा' की तल्लीनता को पहुँचना अज्ञेय की ग्रहण करने की निरायासता को भी उतना ही स्पष्ट करती है जितना देने की। पाने में वह ऐसे ही है जैसे देने में—

'बड़ा सुख है देना/देना नहीं है निःस्व होना/ और वह बोध/ तुम्हें फिर स्वतन्त्रतर बनाएगा।

× × ×

वह स्वतन्त्र या स्वतन्त्रतर होते होने की उत्तरोत्तर जागृति ही वह मूलाधार है, जो अज्ञेय के काव्य में चित्रित संसार को एक नितान्त मौलिक (प्रवृत्तिगत और व्यक्तित्वगत) अर्थवत्ता में खोलने और अपने अभीष्ट (स्वातन्त्र्य) की गति का प्रकट निर्देश देती है। यह एक आत्मावस्था है। उसे जीवन का कोई सार्थक समाधान कहने में संकोच होता है, क्योंकि समाधान देने का बाहरीपन उसमें नहीं है। वैसी कोई चेष्टा नहीं है कहीं। हो तो ऐसी भावभूमि में वह एक निहित विरोधाभास हो जाएगी, क्योंकि अज्ञेय की सृजनात्मक निष्ठा पहचान के प्रति तो है, पकड़ के प्रति नहीं। दृष्टि के प्रति है, देखने के प्रति नहीं।—*'आये-आये वह तन्मय क्षण/ जब ओ छिपे स्रोत/ तू मुझे धर ले-/ मैं पाऊँ कि मैं अपने को वारता हूँ।'* आत्मभाव की इस केन्द्रीय तल्लीनता के बीचोंबीच अज्ञेय की काव्यसृष्टि होती है। इसी सजगता के बीच उनकी सृजनात्मकता झूलती और सन्तुलित होती है। उसी के रहते पूरा डूब जाने की तन्मयता और बस्तुओं, स्थितियों से अलग खड़े रहने का सौष्ठव सधता है, क्योंकि चीजों को ध्वस्त करने में उनका विश्वास नहीं।

अज्ञेय की मानस-यात्रा में इसीलिए 'क्षण' कीमती है। तादात्म्य के किसी बिन्दु पर ऊजस्वित होकर वह चौंध बनकर खड़ा मिलता है—भावबोध का चरम बनकर। हर चीज को 'मैं-मय' बना लेने की आक्रामकता अज्ञेय के प्यार में नहीं दीखती। अतः नये प्रकार के भाव-बोध की सृष्टि करती है। क्योंकि ऐसा सोच अभी हमारी मानसिकता का भाग नहीं बन पाया। प्यार में विलय हो जाने की स्थिति ही हमारी

सोच में एक ठहरा हुआ चरम है। पर 'मुलाकात' कविता में 'आँखों में सुलगते अंगारों के' बने रहने के बावजूद भेंट हो जाने पर कवि को आघात लगता है, क्योंकि भेंट उस भाव-ऐक्य को खण्डित करेगी।

'लो! हो गयी मुलाकात/ अब तुम्हारी राह उधर मेरी उधर' इस विषमता का एहसास अज्ञेय के लिए उस मुलाकात में नत्थी था। इसलिए न तो यह मोहभंग का विलाप है, न वियोग की असहनीयता का दर्द। यह स्वीकार है—नियति का उपभोग बन गये होने का अकुण्ठ क्षोभरहित स्वीकार और आगे चल निकलने की तैयारी, क्योंकि अज्ञेय इसे 'हो गया है' के भाव से नहीं 'होगा' की निश्चयात्मकता से स्वीकारते हैं। 'मैं तुम्हारा प्रतिभू हूँ' कविता में सम्पूर्ण की दिशा में प्रस्थान के भाव ने एक विचित्र विनियोग की रचना की है। प्रेतों के प्रति कवि का आत्मीय भाव बेजोड़ है। कवि प्रेतों का आह्वान करने से डरता नहीं है, क्योंकि वे भाई हैं, सगे हैं, अपने अधूरे अतृप्त भाग हैं, जो अपनी तृप्ति और पूर्णता के लिए यह दाय पीछे छोड़ गये हैं। कवि उनके साथ 'हाथ मिलाकर... उस विकीरित शक्ति को सम्पुंजित कर सकने की' बात कहता है, क्योंकि *'वही संजीवन है/ वहीं सम्पृक्ति है/ वही मुक्ति है, वही दायित्व है, 'जिसका तुमने (मुझसे) न्यास किया था/ उससे, 'मुक्त करो और मेरे साथ मुक्त हो जाओ मेरे भाइयो।'*

काव्य-मनस् की बनावट और चुनाव के बिन्दु बार-बार अपने को इन कविताओं में खोलते और उस एक मुक्ति-कामना के गहन में बार-बार सम्पुंजित होते हैं। काव्य का यह सारा ताना-बाना इन्हीं इच्छाओं, आकांक्षाओं, कामनाओं का बुना हुआ है। यह भावबोध अज्ञेय की काव्य-प्रज्ञा के लिए अचेत चाहे हो, बाहरी नहीं है, बल्कि अपने ही आत्मभाव का विस्तार है। उनकी भीतर से बाहर और बाहर से भीतर की आवेगात्मक दौड़ और ऊर्जा अन्तिम रूप से इसी मुक्त-भाव को अर्जित करने में खर्च होती है।

यों इसे स्वातन्त्र्य भाव या मुक्त-भाव कहने से मुक्ति का एक बड़ा रूढ़-सा अर्थ सामने आता है (चाहे मुक्ति-भाव कभी अपने आप में रूढ़ नहीं हो सकता) परन्तु अज्ञेय में इसकी सहस्रों बानगियाँ और अर्थ-छटाएँ हैं, जो प्रभाव के स्तर पर पहुँचकर मन में बनते आये एक विशेष प्रकार के भाव-बोध का संचार और विस्तार करती हैं। जिस एक बिन्दु में वह अर्थ-विस्तार समाहित होता है, उसका नाम है मुक्ति। अपने केन्द्र से, केन्द्रीयता से, केन्द्रीयता की मर्यादा से मुक्ति। यह केन्द्रीयता चाहे किसी भी बिन्दु, सम्बन्ध या स्थिति में अभिहित हो, उसका मूवमेंट एक ही तरह से चुना जाता है—चीजों को स्वतन्त्रतर बनाने के लिए उनकी गत्वरता को उस दिशा में उन्मुख करने के लिए जहाँ वह पूर्णतर आत्मसम्पन्न और स्वायत्त हो सकने को अग्रसर दिखें।

इस स्वायत्तता को पाने के, अज्ञेय के पास अनेकों रास्ते हैं, अनेकों तरह की

काट और तराश, अनेकों तरह का रूप-परिवर्तन। वह अनासक्त होने से मिलती है। संचित होने से मिलती है। अमिट के प्रति स्वीकार से, विध्वंस से बचाव में, वस्तुओं को उनके मौलिक स्वरूप से छोड़ देने से मिलती है। आत्म-विसर्जन में मिलती है। जीवन के बहाव में एक लय होने से मिलती है, बाँधने के भाव से परे हो जाने में मिलती है। वह एकाग्रता भी है, समग्रता भी, तन्मयता भी और अपने-अपने तत्त्वों में वापसी भी। वह एक ऐसी आत्म-सम्पन्नता है, जो अपने को और उसी भाव से सामने वाले की मुक्ति-कामना के शिवत्व में मिलती है, जिसके रहते ऐसा हो सका है कि विदा का मोड़ आ जाने पर कवि पथ-साथी को रोकने को तत्पर नहीं। उसके 'संवेदन की धार में तीक्ष्ण' होने और 'नये क्षितिजों' की कामना करता हुआ यह कह सका है कि *'कोई पथ का मोड़ किसी को अलग नहीं करता है और स्वयं* 'वाष्पाकुल आर्द्रभाव' में बना रहने में सन्तुष्ट है। इस आश्वासन में आत्मसम्पन्न अकेलेपन की प्रतीती ही अपनी-अपनी अलग-अलग मुक्ति के वृत्त की पहचान है, जिसे अपने-अपने छोर पर ही पूरा होना है। उनमें निःसम्बन्धता नहीं है, पर विश्वास का ताप है। इसीलिए प्यार और निजत्व जैसी व्यक्तिगत भाव-स्थिति की अन्तिम सिद्धि मुक्ति-भाव के छोरों को स्पर्श करती दीखती है।

'कब, कहाँ, यह नहीं/ जब भी जहाँ भी हो जाय मिलना केवल यह : कि जब भी मिलो, मिलो तब खिलना।'

यह उदारता और आश्वस्ति स्थिति में से नहीं कवि के अपने भीतर से आती है। आत्म-विस्तार की गूँज बनकर अपनी विविधता और सघनता में यह कवि के आत्मभाव के चरम की अद्वैत भावावस्था है, जो अपनी समग्र भावनाओं और विकल्पों के बीच पूरी तरह जाग्रत रहने की कायल है।

आत्मभाव का यही चरम अज्ञेय में कर्म के चुनाव का पुरोगामी भी है। कर्म वहाँ भीतर से पूरे का पूरा खुल पड़ने और दूसरों को खोल देने का उद्‌बोधक भी है। इसकी बेजोड़ अभिव्यक्ति 'असाध्य वीणा' में हुई है। कवि की आत्मगत संवेदना ने अपनी तात्त्विक ऊर्जा से उस कविता के भीतर के संसार की सृष्टि की है। जिस चरम तल्लीनता के ताप में वह लिखी गयी है, वही उसका कथ्य भी है—वही अभिप्रेत, वही लिखने का अपना विधान, परन्तु यहाँ कविता की उन सूक्ष्मताओं को छोड़ देना होगा।

देखना यह है कि वीणा असाध्य थी, फिर भी संगीत की सिद्धि हुई। प्रियंवद ने उन्हीं-उन्हीं तत्त्वों, अनुभवों, व्यापारों का आह्वान किया, जो कालक्रम में किरीटि तरु में तब से अब तक आत्मसात् होते रहे। यानी वीणा के काठ-तत्त्व ने अब तक जो कुछ देखा, सुना, झेला, ग्रहण किया... वह सारे भूचाल, आँधियाँ, ऋतुएँ... तब... सब... सब! किरीटि तरु में अपने ही तत्त्वों, अपने ही अनुभवों के प्रति एक पुकार जागी... उस दूरी तक जहाँ अनुभूति स्वयं तन्मय होकर बजने लगती है। भूल जाती है, विविधता, विभिन्नता, विजातीयता। एक आन्तरिक, आहूत एकान्विति में सब

जुड़ता चला जाता है—जो बीत गया वह भी (पर वातावरण में हैं) और जो बीत रहा है वह भी। संगीत वहीं उभरता है जहाँ दो पन, विविधता, अनेकता शमित होती है, तत्त्वों की तत्त्वों में वापसी होती है, सब कुछ एकलय होता है। प्राकृतिक व्यापारों और तत्त्वों का ही नहीं, संगीतकार के अहं का भी, राजा के राजत्व का भी (क्योंकि वह भी वीणा की असाध्यता कम नहीं कर सका) विलयन होता है और उस एकान्विति की हार्दिकता में से स्वर जागता है। एक स्वर, जिसे सबने सुना पर अपनी-अपनी तरह जाना और व्याख्यायित किया। जिसमें एक के चरम पर पहुँचकर फिर अनेक अर्थ-बन्धों की रचना हुई क्योंकि वह सब उसमें निहित तो थे ही। उसे चरम तक ले जाकर खोला गया था। सबके लिए... उस चरम को वही छू सकता है, जो पूरे के पूरे संचित संवेदन को छू सकता है... स्वयं खत्म हो सकता ह, विसर्जित हो सकता है। उस आत्म-विसर्जन के बाद मुक्ति ही मुक्ति है, अर्थ ही अर्थ है, संगीत ही संगीत है।

इस कविता में यह स्पर्श बड़े पैमाने पर... बड़े कार्य-व्यापार के बीच... बड़े परिवेश (आन्तरिक, प्राकृतिक, बाहरी) को समेटते हुए... विविध भाव-स्थितियों के बीच हुआ है। अज्ञेय बार-बार उसी थीम को, उसी भाव को चुनते हैं। बार-बार वस्तुओं या व्यापारों को अपने स्वरूप के चरम तक पहुँचा पाने और उसमें से लयात्मक सिद्धि या क्रियात्मक गत्वरता को उपलब्ध करने का साधन भी बनाते हैं। उन चीजों की स्वतन्त्रता या स्वायत्तता को वह उन्ही के सन्दर्भ में पूरा करके उसी के बीच में से अर्जित करना चाहते हैं। अपने को भी पीछे छोड़ देते हैं (अहं को) *'मैं फिर कुछ नहीं रहा',* जैसे उनका प्रियतर बोध है, वहीं प्रियंवद का भी है। वह अज्ञेय के अपने आत्मभाव का विस्तार है, जिसे पाने के लिए लयात्मक एकात्मकता तक पहुँचना पड़ता है। इस दोनों छोरों की आत्मिक दौड़ के बीच ही चीज़ें जुड़तीं और स्वतन्त्र होती हैं।

जैसा कि ऊपर कहा जा चुका है, इस मुक्ति-कामना से आन्दोलित चरम आत्मभाव का विस्तार ही अज्ञेय में कर्म के चुनाव का पुरोगामी भी है। कर्म की स्थिति इसीलिए एक विचित्र प्रकार के गाम्भीर्य और दायित्व-बोध से आवेष्ठित है। यों भी इस रास्ते, इतना आत्म-विसर्जन करके, इतना तन्मय होकर, इतनी सेल्फ-विल्ड निष्ठा से जो अनुभुति हाथ लगती है, वह उच्छृंखल नहीं हो सकती। वह जब युगबोध या इतिहास पर दृष्टि फेरती है, तो उसका यह स्वरूप होता है—

'मैं मैं क्या मैं भी उत्तरदायी नहीं हूँ/ इतिहास के प्रति/ चेहरे के प्रति/ परम्परा के प्रति/ मुकुर के प्रति/ बालकों के भोले विश्वास के प्रति/ क्या मैं उत्तरदायी नहीं?'

और आत्मा के उद्‌बोधन को प्रवृत्त होती है तो आत्मसम्पन्नता को एक मूल्य में परिवर्तित करती है। यह आत्मसम्पन्नता 'जिस दिन तुम किसी से मार्ग पूछने निकले/ तुम्हारा पथ खो गया' अक्सर नैतिक सजगता के स्तर तक उठती चली गयी

है। कविताओं में प्रचुर रूप से पाया कर्मठ आत्मान्वेषण भी उसी सजगता का स्वर है। यह अप्रत्याशित लग सकता है कि निहायत सौन्दर्यानुरागी और प्रकृतिप्रेमी कवि हिमशृंगों को 'कौतुक पुतले' या 'हेम मुकुट' भर की संज्ञा देता है और कहता है कि 'उस दिन, *उस दिन, उस दिन/मेरा शीश झुकेगा', जिस दिन वह पिघलकर, स्वयं मिलेंगे सरसीजल में'* क्योंकि—

'तपस्या चमक नहीं है/ वह है गलना : गलकर मिट जाना/- मिल जाना-/ पाना।'

'यही एक अमरत्व है' कविता में जीवन के घटने का जो 'सुन्दर' और 'शिव', 'अप्रतिहत संगीत' है, उसी में स्वेच्छा से घुल जाने की बात कवि करता है यह जताता हुआ कि 'यह मेरा है, यह बँधा नहीं है मुझसे'।

यहाँ भी जीवन के अपने घटने के क्रम पर कोई रोक नहीं, आत्मनिर्देश का भाव ही प्रमुख है।

इन सन्दर्भों के विस्तार में आवृत्ति दोष ही उत्पन्न होगा, क्योंकि अज्ञेय का रचना-संसार इन दृष्टान्तों से पूरी तरह आच्छादित है। इसका इतना प्रचुर प्रस्फुटन इसलिए हो पाया है कि यह वृत्ति आभ्यन्तरिक है। इस आन्तरिकता को पहचान लेने पर अज्ञेय का कृतित्व किसी सार्थक व्याख्या के आलोक में खुलने लगता है, जैसे कि चिन्तन का अन्तस्तत्त्व हाथ लग गया हो। *रचनात्मक धरातल पर यह अन्तस्तत्त्व सूक्ष्म और जटिल मनःक्रियाओं द्वारा सजातीय उद्रेक का कारक बनता है और वैचारिक धरातल पर आत्मसम्पन्नता को एक मूल्यात्मक नैतिकता तक खींचकर समाज का सामना करता है।* छोटे से छोटे, पर बड़े से बड़े कार्य-व्यापार में भी अज्ञेय की रचनात्मक अस्मिता सामने वाले (प्रकृति, स्थिति या व्यक्ति) के स्वत्व का आदर करती है और उसके स्वायत्त पोटेंशियल को स्वीकार करके आगे बढ़ती है। इसीलिए 'मैं' और 'ममेतर' का उनका रिश्ता आमने-सामने का है, इतनी-सी तबदीली के साथ कि—कौन, कब, कहाँ, किस दिशा में कौन-सी भूमिका निभा रहा है, अज्ञेय बस इतना-सा पक्ष-विपक्ष लेते हैं, नहीं तो यह सारी सृष्टि इस रूप में उनके लिए पूरी है—

'मैंने देखा कि हर होने के साथ/ एक न होना बँधा है और इसका स्वीकार ही बार-बार/ हमें/ हमारे होने की ओर लौटा लाता है।'

इसीलिए फिर...

'आज मैंने तुम्हारा/ एक आमूल नये प्यार से अभिषेक किया/ जिसमें मेरा तुम्हारा और स्वयं प्यार का/ न होना भी है वैसा ही अशेष प्रभामण्डित।'

सबसे अधिक उल्लेखनीय बात यह है कि मुक्ति के इस अर्थ को अज्ञेय अपने कृतित्व के भीतर ही अर्जित और पूर्ण करते हैं। उसकी अवधारणात्मक सिद्धि अपने ही दिये आरम्भ से प्रसारित होती हुई एक विकसित सोपान तक पहुँचती है और

चेतना के गुणधर्म की व्याख्या करने में सक्षम होती है। यह सिद्धि हो पाती है, क्योंकि यह अपनी ही सृजनात्मक और चिन्तनात्मक प्रकृति और प्रवृत्ति का फलागम है, विकसना है इसीलिए केन्द्र से परिधि तक पहुँचने की प्रक्रिया में यह वृत्ति कृतित्व में किसी सचेत भावाश्रय की तरह उतनी नहीं, बल्कि आत्मचेतना के समृद्धतर आयाम की तरह हाथ लगती है, जैसे गुलाब का पौधा गुलाब के फूल देने को आबद्ध हो, जिसके परे या बाहर जाना अपनी प्रकृति के बाहर जाना है, जिसके अज्ञेय सिद्धान्ततः भी कायल नहीं हैं। उनके कृतित्व में इसके स्वरूप की खोज किसी कविता के कथ्य या अर्थ की खोज नहीं, बल्कि कविता को 'वैसी-ही क्यों' बनाने वाले रचनात्मक आधार की खोज है। रचनाकर्म के लिए हाथ में ली गयी मिट्टी के मौलिक आस्वाद की खोज है।

अज्ञेय : कृतित्व में 'अन्य' की उपस्थिति

अज्ञेय की जन्मशती के बृहद आयोजन पर इस छोटे-से संवाद-समय के लिए मैंने अपने आलेख का शीर्षक "अज्ञेय के चिन्तन में अन्य की उपस्थिति रखा है, जोकि उलझन भरा लग सकता है, क्योंकि 'अन्य' का अर्थ वह 'दूसरा' या 'अदर' है जो एक विशेष औपनिवेशिक सन्दर्भ में इस्तेमाल होता आया है, और इसकी ध्वनि भी हीनतर और नकारात्मक मानी जाती है, पर शब्द एक जगह ठहर नहीं जाते। उनकी सिद्धि प्रयोग करने वाले की जरूरत और उस अर्थ को वहन करने की शक्ति में होते हैं।

वस्तुतः अज्ञेय के चिन्तन मनन के उत्पाद की बहुलता और विविधता के समकक्ष 'अन्य' शब्द का अर्थ मेरे सामने सर्जक को घेरते 'अन्यों' सभी मुद्दों का संसार है। यह संसार मेरे सामने एकवचनीय न होकर बहुवचनीय की तरह दर्ज हुआ। जिसका ध्वन्यार्थ स्पष्ट है कि अज्ञेय ने अपने सर्जक की निजता का अतिक्रमण विचार के आँगन में स्थित होकर किया। मम को ममेतर के विविध, विपुल, प्रयोगधर्मी अतलान्तों तक ले जाना चाहा। अपने स्वात्म के अलावा, सारी सृष्टि चर-अचर, भाव, अनुभूति, मंशा, बुद्धि प्रेरणा के कौशल अज्ञेय के लिए अन्य के विचारणा जगत की अन्तर्वस्तु बने, इसलिए मुझे अन्य को अन्यों कहने में संकोच नहीं हुआ। शायद हम भूलने लगे थे कि अज्ञेय ने अपने घर में उजाला नहीं माँगा था पर उजाले के घेरे में अपना घर होना माँगा था। भावार्थ में, अज्ञेय का घर उनके स्वत्व का घर है बाकी का सारा उजाला संसार और सृष्टि का है, जीवन और मनुष्य के जीवट का है। जीवन के सभी आधारभूत संस्कारों और सरोकारों का है। लगा केन्द्र में अज्ञेय का एक अकेला स्वात्म है, उनकी अन्तरदृष्टि है, उनकी सृजन-सृष्टि है उसके बाहर विषयों, सरोकारों, अन्यों की खासी भीड़ है जो इस चिन्तन के आधार बने हैं, और इनके प्रति अज्ञेय ने आजीवन जिम्मेदारी महसूस की है। उनका चिन्तनात्मक साहित्य चार दशकों तक फैला है और काव्यकर्म से कहीं भी कम नहीं है। यह बात अलग है कि उनके रचनाकर्म की बहुलता और पूर्वग्रहों के धुएँ में उनकी मौलिकता पर गम्भीरता से विचार नहीं किया गया।

संक्रमण काल के जिस संघर्षशील दौर में अज्ञेय परिदृश्य पर थे, वहाँ उनके जैसे सजग नागरिक के लिए लड़ाई के ढेरों मुद्दे थे—औपनिवेशक भारत, क्रांतिकारी की

उनकी मानसिकता, विदेशी प्रभाव, मूल्यों की डगमगाहट, नवचितन के तहत राष्ट्रीय स्तर पर उभरते वाद और संस्कृति को खतरे। ध्यान से देखें तो इस सारे पूरे दौर में अज्ञेय ने अपनी चिन्तनात्मक मुहिम जारी रखी। परिवेश में प्रस्तुत शायद ही कोई ऐसा मुद्दा रहा हो जो अज्ञेय के विचारगत न रहा हो। उन्होंने निष्ठा पूर्वक—साहित्य, कला, जीवन, आधुनिकता, परम्परा, कालचिन्तन, सौन्दर्यबोध, मूल्यान्वेषण, स्वातन्त्र्य बोध, सत्य और तथ्य के रिश्ते, नये काव्य शास्त्र की खोज, नयी भाषा, नयी दृष्टि का अन्वेषण किया। यह तालिका यहाँ समाप्त नहीं होती। डॉ कृष्णदत्त पालीवाल के शब्दों में अज्ञेय के चिन्तन में "भारतीय परम्परा का नचिकेता भाव निरन्तर विद्यमान रहा है", चाहे उनके विरोधियों के नगाड़े उन्हें लगातार अपदस्थ करने में लगे रहे हों।

यह भी एक उल्लेखनीय बात कही जाएगी कि जिन-जिन मुद्दों को लेकर अज्ञेय विरोधियों, निन्दकों, वादियों के घेरे में रहे, उन सब मुद्दों पर बिना किसी प्रतिशोध भाव के उन्हों ने एक अडिग, संयमित आश्वस्त भाव से लिखा। सोच विचार की मुहिम सघन और सारवान तरीके से जारी रखी; जैसे कि प्रश्नों की अराजकता ही उन्हें उन मुद्दों को विचारणीय बनाने के लिए उकसाती हो, जिसके चलते विचारणा की एक नव्यतर संहिता भी रची जाती रही। उनके चिन्तन को 'निजता की सनातनता' का नाम दिया जाना उचित ही है।

जाहिर है कि 30-40 साल की अवधि में उनके द्वारा विकसित संकलित चिन्तन का हर मुद्दा सत्कार, विचार और मनन की माँग करता है जो अपने आप में दृष्टि की समग्रता को समेटने जैसा कठिन काम है। यह तथ्य भी बार-बार रेखांकित किया गया है कि उनके चिन्तन और काव्यरूपों में आशयों, निष्कर्षों का विकल्परूप में सतत् आदान-प्रदान है। यहाँ इस प्रकट-सी बात को भूलना नहीं चाहिए कि इन दोनों अभिव्यक्तियों का सर्जक तो अज्ञेय का चेतस स्वात्म ही है—उनके स्वात्म का चिरजागृत मूल्यधर्मी चैतन्य। यह भी कि उनका स्वात्म आलोचकों के मत-मतान्तर या पश्चिम के व्यक्तिवाद से निर्मित नहीं है। होता तो भी मैं उसे परहेजी या पराया शब्द न मानती, क्योंकि ज्ञान और शिक्षा के कारण पहुँच के भीतर रहे विचारों की सत्ता को नकारना ज्ञान के प्रस्थान बिन्दुओं को नकारने जैसा है। अज्ञेय का व्यक्ति संस्कृति की मूल्यधर्मी चेतना से प्रेरित है। वही उनकी गवेषणा की दिशा है। चिन्तन के शुरुआती दौर में जब अज्ञेय का कविरूप, भाषा, शब्द और अर्थ के स्पष्टीकरण में लगा था तो वे पश्चिमी प्रभावों के प्रति ज़्यादा खुले और ग्रहणशील दिखाई दे रहे थे पर उनके जैसे शिक्षित और प्रबुद्ध व्यक्ति के लिए वैश्विक विचार-सरणियों के बीच अपना मूल ठिकाना ढूँढ़ना अनिवार्य था। यह अनिवार्यता अज्ञेय के लिए मौलिक और मनोगत है। उनका भारतीयता की ओर

लौटना, अपने चिन्तन के विकासक्रम में, अपनी संस्कृति के मूलाधारों की खोज की तरह है। फाँक जो दिखाई देती रही वह ज्ञान और परिपक्व होते आत्मबोध के बीच की फाँक थी, जो हर विचारशील आत्मान्वेषी व्यक्ति द्वारा इसी क्रम में पाटी जाती है। अज्ञेय भी इसका अपवाद नहीं हैं।

हमारे लिए यह सोचना भी जरूरी हो सकता है कि अज्ञेय अस्तित्व की समस्याओं के प्रति सचेत होते हुए भी क्यों सार्त्र की मान्यताओं से अपनी दूरी मानते रहे। वह अपने दिशा-चिन्तन में क्यों यास्पर्स की मान्यताओं के अधिक निकट रहे शायद इसलिए कि वहाँ आत्मचेतना और निजता को ही मनुष्य की स्वतन्त्रता का आयाम माना गया। क्योंकि वहाँ अस्तित्व की चिन्ता के मूल में चाहे गये विकल्प के वरण की स्वतन्त्रता का विचार है जो एक जिम्मेदार ढंग से व्यक्ति और जगत के बीच सम्पर्क संचार का माध्यम भी है। स्वाधीनता, का मुद्दा अज्ञेय के चिन्तन में किन ऊँचाइयों तक गया है, इससे साहित्य संसार पूरी तरह परिचित है। 'साम्राज्ञी का नैवेद्यदान' कविता इस दिशा में अपनी और दूसरे के स्वत्व को स्वीकारने और अक्षुण्ण रहने देने के मनोभाव को दर्शाती क्लासिकल कोटि की कविता है जो अज्ञेय के स्वातन्त्र्य की अवधारणा को एक बारगी स्पष्ट कर देती है, और जिसका सहारा लेकर हम अज्ञेय के चिन्तन की गुह्य गुफाओं और अन्तरालों में यात्रा कर सकते रहे।

वस्तुतः तो अज्ञेय वहीं-वहीं जुड़े जहाँ उन्होंने 'अपनी सास्कृतिक चेतना की अनुरूपता और निजी सत्ता की स्वाधीनता' को एकसाथ पाया हो। उनकी उत्कट प्रयोगधर्मिता उन्हें बार-बार उसी ओर जाने के लिए उकसाती रही। वह बार-बार चिन्तन और सृजन में लिप्त हुए; पर लिप्त होकर भी निर्वैयक्तिक होने के आग्रह में रहे; याकि समावेशी होने के बावजूद नयी लीकों को टेरने का उत्साह जो उनमें संचित था वह हिन्दी साहित्य की समृद्धि के रूप में हमारे सामने आया। हमने एक लम्बी, सघन, मौलिक चिन्तन परम्परा का वरदान उनसे पाया। यह जरूर है कि कर्म के प्रति कृतज्ञता भाव अज्ञेय में भरपूर था, हममें हो या न हो।

सच तो यह है कि अज्ञेय के चिन्तन के व्यापक विराट चेतस गुणशील विस्तार का लेखा जोखा एक असम्भव काम है। वह सदा जिज्ञासु, उत्सुक और उदार शोधार्थियों के उत्खनन का क्षेत्र बना रहेगा तभी सघन रूप से कुछ न कुछ हाथ लग पाएगा। अज्ञेय की जन्मशती के सन्दर्भ में उनके सृजनकर्म के एकत्र को देखकर सुखद आश्चर्य तो होता ही है, उनके साहित्य को लेकर सन्धान और अन्वेषण की मंशा भी तीव्रतर होती है। जीवन का सच तो यही है कि घड़े में कुछ होगा ही नहीं तो निकालेंगे कहाँ से। अज्ञेय ने लिखा भी है *'प्रकाश मेरे अग्रजों का है/ कविता का है/ परम्परा का है/ पोढ़ा है/ खरा है/ अन्धकार मेरा है।/ कच्चा है/ हरा है।'*

ऐसा कहकर उन्होंने अन्धकार में चरम रूपाकार ढूँढ़ने का साहस किया था, क्योंकि उन्हें विश्वास था कि इस खोज में *'सत्य का/ यथार्थ का विस्तार है/ चरम रुपाकार है।'* हमारे लिए तब इसे चुभते हुए प्रश्न का सामना जरूरी हो जाता है कि हम अपने अग्रजों के प्रकाश में अपनी सांस्कृतिक परम्परा और विरासत से कैसे पेश आयें।

चिन्तनकर्म और काव्यरूपों की निहित जटिलताओं को ध्यान में रखते हुए ही अज्ञेय ने कहीं लिखा भी है, *"मैं उन लेखकों में से हूँ जो यह प्रयत्न करते हैं कि उनका जीवनदर्शन, उनकी सृजनात्मक कृतियों में निहित या अनुस्यूत रूप में ही सामने आये जिसे लेखक स्वयं भी और पाठक भी कसौटियों पर परख सके। कोई जीवनदर्शन एक साहित्य सृजक कलाकार का है इससे वह समग्र संरचना और आभ्यान्तरिक तर्क से मुक्त नहीं हो पाता।"*

इस कथन का सबसे मार्मिक पक्ष यह है कि अज्ञेय एक सर्जक कलाकार होने के नाते अपने को भी बख्शना नहीं चाहते। भारहीन या दायित्वमुक्त होना नहीं चाहते। सर्जक होने के नाते अपने को छूट या क्षमाभाव के हवाले नहीं करते बल्कि अपने से भी एक सार्थक विचार शृंखला की अपेक्षा करते हैं जो अन्ततः उन्होंने निष्ठापूर्वक निभायी।

इस कथन से यह भी स्पष्ट होता है कि उनके मन में एक सार्थक शृंखलाबद्ध जीवन-दर्शन के विकसित होने का एहसास है, और उसकी तर्कसम्मत परख के लिए वह भीतर से खुले हुए भी हैं। ज्यादातर रचनाकार इस चुनौती के सम्मुख अपने को इतना खुला हुआ नहीं भी पाते क्योंकि अपनी अनुभूतियों, आवेगों, संवेदनों को एक रचना-रसायन में परिणत कर देने को वह सर्जककर्म की इति मान लेते हैं, शायद तर्कातीत मानते हों।

इसी धारा की सीध में जिस दूसरी बात की ओर ध्यान जाता है—वह है अज्ञेय की कविताओं को पढ़ते हुए बार-बार या अकसर इस प्रकार के सन्देह का सिर उठाना कि क्या अज्ञेय की कविता उनके चिन्तन की अनुचर है कि उसमें निचाट धुरी से उठता हुआ आवेग, आवेश दिखाई नहीं देता? अहं के विलयन के पक्षपाती होकर भी वह विसर्जन के ठिकानों पर इतने अछूते क्यों दिखाई देते हैं? अपनी सोच के श्रम से वह पूर्णकाम को उपलब्ध करते दिखते हैं। अचानक मेरे हाथ लगी उनकी ऐसी कविता विरल ही दिखाई देती है—

चिनारों की ओर सुरसुराता, सरकता
झरने का पानी
अरे जा, चुप नहीं रहा जाता तो
चाहे जिससे कह दे
जा, सारी कहानी

पतझड़ ने कब ढक दी है
धरा की गोद-सी वह ढाल
जहाँ
हमने की थी मनमानी

यहाँ अनुभूति की तीव्रता के साथ-साथ प्रकृति राग से तादात्म्य को भी समेट लिया गया है। हो सकता है इसका एक कारण अज्ञेय के विचार में वैसे आवेग-उन्मेष को 'क्षणानुभूति' और बाकी उपक्रम को 'स्मृतरुप' मानना हो। यों यह सच भी है क्योंकि अनुभव के अगले ही क्षण में कविता प्रायः स्मृति को समेटते हुए ही लिखी जाती है पर मुझे अज्ञेय की इस वृत्ति में एक विशिष्ट अनिवार्यता दिखाई देती है। वह यह कि अज्ञेय के चरित्र में निजीपन का बोध बहुत तीव्र होने पर भी अमुखर ही रहा। आत्मकथा को भी उन्होंने उपन्यास की सामग्री माना। एक जगह उन्होंने अपने लेख (शायद अज्ञेय अपनी निगाह में) में अंग्रेजी के 'सेंस ऑफ प्राइवेसी' का हवाला देते हुए लिखा है कि अज्ञेय की बड़ी स्पष्ट और दृढ़ धारणा है.. कि मनोवेगों को मुखर न होने दिया जाए...निजी अनुभूतियों के निजीपन को अक्षुण्ण रखा जाए यानी प्राइवेट फेसेज इन पब्लिक प्लेसेज़ का एक तरह से समर्थन किया है।

कहना चाहती हूँ कि कवि की इस चारित्रिक विशिष्टता ने भी एक तरह से चिन्तन के अरोक द्वार खोले हैं, इतना कि अज्ञेय का उपजीव्य, जीवन को कई दिशाओं से घेरता हुआ चिन्तन हो जाता है बल्कि एक सुसंगत विचार-सरणि की तरह हमारे सामने खुलता है। इस सविशेष और मूर्त वानगियों से अज्ञेय का रचना संसार भरा पड़ा है, जिसकी पूरी खोज-खबर एक साथ असम्भव है। एकाध दृष्टान्त प्रस्तुत करना हो तो कहा जा सकता है कि उनकी मशहूर कविता 'साम्राज्ञी का नैवेद्यदान' में हर वस्तु—फल, फूल, पत्ती, पूरा परिवेश, यहाँ तक कि समर्पण भाव भी निजता के प्रति अक्षुण्ण भाव से घिरा है; और 'असाध्य वीणा' की अन्तिम परिणति भी सबका यानी जीव-अजीव का अपने-अपने तत्त्वों में लौट जाना है।

कहने का अर्थ यह है कि निजता के या 'मम' के प्रति अज्ञेय के इस मनोभाव ने भी 'मम' और 'ममेतर' के पृथक्करण को एक मजबूत जमीन दी है, जिसे अज्ञेय ने अपने मतानुसार 'सार्थक विचार श्रृंखला' से पाटा है। 'मम' को सबमें शामिल करके 'ममेतर' का क्षेत्र विस्तार किया है। व्यक्ति के सामने पूरा समाज, संसार, चर-अचर सृष्टि, संस्कृति के अमाप विस्तार को खड़ा किया है। अज्ञेय ने स्वयं कहा भी है कि *"मेरा युद्ध प्रकृति की सृष्टियों से नहीं, मानव की अपसृष्टियों से है"* शायद इसी मंशा के कारण उनमें सौन्दर्यबोध, मूल्यबोध के साथ जुड़कर अपनी संस्कृति की परख और पहचान की तरह चमका है।

मुझे लगता है इन दो विरोधी दिखाई देती टिप्पणियों की रोशनी में अज्ञेय का

चिन्तन संसार और भी कई गवाक्ष खोलेगा और अज्ञेय की शर्तों पर ही यह अपेक्षा पूर्णकामी होने योग्य भी बनेगी। खोजी इन दिशाओं का उत्खनन जरूर करेंगे क्योंकि 'पंक्ति को दे दो' वाला अकेले का आत्मदान खोखला नहीं है। चार दशकों में फैली 'अज्ञेय की मनोनीत सार्थक विचार शृंखला' इसकी लिखित साक्षी है और उन्हीं के अनुसार

कम नहीं ललकार होती जिन्दगी की...
हम समझते हैं इशारा जिन्दगी का
हमें पार उतार दो
रूप मत, बस सार दो
अर्थ दो, अर्थ दो
मत हमें रूपाकार इतने व्यर्थ दो।

जैनेन्द्र : कितने आधुनिक

जैनेन्द्र जी कितने आधुनिक, जैसे मुद्दे को लक्ष्य मानकर यदि हम यह सिद्ध करने की कोशिश करें कि वे कितने आधुनिक थे या नहीं थे; याकि इस निमित्त हम ज्ञान-चिन्तन की अबतक विकसित हो चुकी पद्धतियों की श्रेणियाँ गिनाने लगें या उनपर जैनेन्द्र जी के आत्मप्रत्ययों को घटाने-बढ़ाने के उपक्रम में लगें तो उससे एक खास तरह की अकादमिक जरूरतें तो पूरी हो सकती हैं पर जैनेन्द्र जी के मूलाधारों को समझने की दिशा में पैर बढ़ाने की ज्यादा जमीन नहीं मिलती। ऐसा तो होता ही आया है कि बदलते समय के क्रम में आगे चलती पीढ़ियाँ यह जानने का बाध्य होती हैं कि उनके अग्रजों के योगदान (चिन्तन-मनन-सृजन) में आधुनिक और नये के नाम पर क्या और कितना कुछ उपलब्ध है जो परम्परा-समूह से छिटककर उनके तात्कालिक समय को भी सन्दर्भित कर रहा हो और नया भावबोध सृजित कर रहा हो।

ये प्रक्रिया सतत् है। यानी इन दोनों का आमना-सामना। सामान्यतः इन दोनों को विरोधी मान लिया जाता है। इस बात को भुला दिया जाता है कि आधुनिकता अपने स्वत्व के अधिकार से परम्परा का ही पुनर्संस्कार है अर्थात् परम्परा-समुह में जो-जो कुछ रूढ़ि बन चुका उसका परित्याग और मूल्यवान तत्त्वों को बचाए रखने की सचेतता। ज्ञान के सन्धान और उपयोग की यह एक प्रगति प्रमुख अविभाज्य कड़ी है। किसी सयाने ने आधुनिकता को ठीक ही 'स्थायी क्रान्ति' का नाम दिया है।

गठजोड़ के इस समीकरण को न समझे जाने का दुष्परिणाम अकसर यह भी होता है कि आधुनिकता जैसी गतिशील, व्यापक, समावेशी, कालबोधक अवधारणा का न केवल सरलीकरण होता है उसे 'नये', 'नवीन', 'नवीकरण', जैसे प्रत्ययों में सीमाबद्ध भी कर दिया जाता है--यानि कि जो-जो कुछ नया है, या परम्परा के विरोध में है वह आधुनिक है; जबकि स्थिति यह है कि आधुनिक चेतना-सम्पन्न रचनाकार अपनी मौलिकता को इसी परम्परा में जोड़ते हुए प्रगतिकामी और समृद्ध बनाता है। परम्परा को नया परिप्रेक्ष्य देता है किसी चीज का मात्र 'नया' होना उसके आधुनिक होने का प्रमाण नहीं है, चाहे ऐसा मान लिया जाता रहा हो।

जैनेन्द्र जी के आकलन को लकर असली कठिनाई यहीं से शुरू होती है क्योंकि उनके रचनाकर्म में सहज ही 'नये' की भरमार है और इसी बहुलता के कारण वे ऐसी

प्रतीति देते हैं। उनके लेखन में कथा-यथार्थ के नये रूप, सोच की अपूर्वता, नयी भाषा-शैली, सामाजिक की जगह व्यक्तिगत, सामाजिकता की जगह व्यवहारगत, स्थूल की जगह सूक्ष्म, बहिरंग की जगह अन्तरंग, मूर्त की जगह अमूर्त, नैतिकता के नये मापदण्ड तथा उसी के अनुरूप पात्र-सृष्टि, जैसे समवाय बहुलता से दिखाई देते हैं। इतना ही नहीं अपने समकालीन समय में जब कथा-साहित्य में आरम्भ-मध्य-अन्त वाले पैटर्नाइज्ड ढाँचे मौजूद थे और सामाजिक कहा जाने वाला यथार्थ खुलकर अभिव्यक्ति पा रहा था उन्होंने अपने लेखन द्वारा अपनी विशिष्टता भिन्न रूपों में प्रकट की। उस समय के परिदृश्य में दाखिल होने के बजाय निजी और नये किस्म के आवेश और उन्मेष को अपना रचना-कौशल सौंपा। अनगढ़ अपरिचित भाषा रची। अपनी दृष्टि रचना के पार्श्वों, अन्तरालों, संकेतों पर रखी। अर्थ की लम्बाई और गहराई के अनुपात में शब्दों की मितव्यता बरती। इस बारे में उनका लेख-'प्रेमचन्द का गोदान अगर मैं लिखता' द्रष्टव्य है। मात्र नव्यता को आधार मानें तो इतने आयामों में दाखिल होने वाले जैनेन्द्र जी को आसानी से आधुनिक युग का जन्मदाता ही मान लिया जा सकता है। पर क्या ऐसा मान लेने से जैनेन्द्र जी में आधुनिकता तत्त्व की सही-सही व्याख्या हो जाती है? उनके रचनाकर्म के इन्हीं प्रकट आधारों को उनके आकलन का अन्तिम चरण मान लिया जा सकता है? ऐसा कुछ करना क्या किसी रचनाकार के मूलगामी आधारों को किसी एक तत्त्व की कुप्पी में ठूँस देने या अनदेखा करना जैसा नहीं हुआ?

यहाँ इस बात का उल्लेख करना भी अर्थवान होगा कि जैनेन्द्र जी स्वयं भी नयेपन के तत्त्व को ज्यादा महत्त्व नहीं देते रहे। उनका मानना रहा कि ''जो घटना की नवीनता पर अधिक निर्भर करते हैं... वे जल्दी निपट भी जा सकते हैं, कारण कि घटना कोई है ही नहीं, जो पहले भी घट न चुकी हो। नयापन दृश्य से अधिक दृष्टि में है। जो लेखक किसी सिद्धान्त की आरूढ़ता में नहीं, जिज्ञासा की प्रश्नशीलता में रहते हैं उनके बासी होने का खतरा कम है।'' उनका यही रुख यथार्थ को लेकर भी रहा। वे मानते रहे कि ''उपन्यास को अगर जीवन को विकास का साधन बनाना है तो यथार्थ उसकी मर्यादा नहीं हो सकता। वास्तविकता का धरातल उसके (उद्यम से) उठेगा जो स्वयं ऊँचा होगा..." अर्थात वे 'धरातल' और 'उद्यम' को महत्त्व देते हैं जो किसी व्यक्तित्व के मनोभाव या भावबोध में न्यस्त होता है। इसी निरन्तरता में वे यह भी कहते हैं--"घटना कभी मेरा लक्ष्य नहीं रहा...घटना प्रसंगों की दृष्टि से मुझे अँधेरे बियाबान में बढ़ना पड़ता है। मैं अधिकांश ऐसी जिज्ञासा से शुरू करता हूँ जिसका अस्पष्ट...सा उत्तर मेरे भीतर होता है पर रचना द्वारा मैं उसे पक्का और परीक्षित कर लेना चाहता हूँ।''

जाहिर है कि जैनेन्द्र जी की गति आधुनिक होने या न होने की विचारणा से पूर्णतया मुक्त थी। इस दिशा में वे सचेत ही नहीं थे; चाहे उनके, उसी काल में कहे

गये यही कथन आधुनिकता के टेम्पर में प्रवेश पाने की तीखी गवाही दे रहे हों जैसे कि 'जिज्ञासा की प्रश्नशीलता' या 'दृश्य से अधिक दृष्टि'। ध्यान दिया जाये तो जैनेन्द्र जी का पूरे का पूरा रचना-पाठ इन्हीं आधुनिक ही नहीं, अत्याधुनिक अर्थ-संकेतों से भरा पड़ा है, जैसे कि यथार्थ की प्रकृति, मनुष्य की सशंयात्मक, द्वन्दयुक्त वृत्ति, प्रश्नाकुलता, आत्मतत्त्व की प्रधानता आदि, बल्कि उनकी आस्तिकता भी स्वीकृति-जन्य न होकर प्रश्नाकुल ही रही। यहाँ रुककर यह कहना भी जरूरी है कि उनके ऐसे रुझान आधुनिक प्रवृत्तियों को प्रकट जरूर करते हैं पर यह जैनेन्द्र जी की प्रवृत्तियों का प्रत्यक्षीकरण भर ही कहलायेगा। उनकी मूल प्रकृति के आधारों को जानने के लिए तो हमें और आगे जाना पड़ता है जहाँ उनकी पृष्ठभूमि और मानसिकता का निर्माण होता रहा है।

19 वर्ष की अवस्था में जिस कातर-भाव से वह अपनी पहली कटी-पिटी, अटपटी रचना आचार्य चतुरसेन शास्त्री की मेज पर छोड़ आये थे और वहीं से एक तरह से अपना रचनारम्भ-सा किया था, यह सब भी उनके जीवन में अयाचित ही हुआ--सहज, बिना किसी शोर-शराबे के, अपनी अन्तर्वृत्ति की पहिचान और परख की दिशा में। यह नहीं कि समय में सेंध लगाने की नीयत से वह कुछ कह-सुन रहे थे बल्कि अपनी आन्तरिक सुगबुगाहट को ही अपने सामने रखकर देख रहे थे। यही चलन उनका जीवन भर रहा। अपने पूरे लेखकीय-कर्म की निरन्तरता में सदा इसी तरह जीवन को और समय को अलग पैमाने पर जाँचते हुए, कहते हुए कि "अन्दर की प्राप्ति के रूप में ही बाहर का 'जितना जगत' हमें प्राप्त होता है उतना ही वह वास्तव में बनता है अन्यथा वह अलग है और वास्तविकता अलग है।"

वस्तुतः उनका लेखन उनकी स्वचेतनता की सहज, अकृत्रिम क्रियाएँ-प्रतिक्रियाएँ हैं; जिनमें विचार, अनुभूति, जगत-बोध, आत्मबोध सब कुछ शामिल है। उनका मर्म नये और आधुनिक की खोज में नहीं, उनके आत्मचेता चैतन्य में है जिसने अपनी अभिव्यक्ति के लिए सृजनात्मकता की लीक पकड़ी। दूसरे शब्दों में उनका सृजन उनकी आत्मचेतना का फलागम है और उनके उपकरण (मनोगत, अन्तरंग भाषा-शैली आदि) उनके मनोभाव की दिशा में उनका उपार्जन। सहज अभिव्यक्ति के लिए उन्हें जैसे-जैसे उपकरणों की जरूरत रही वैसे ही निरायास भाव से उन्होंने, उन्हें चुना और बरता। यह बात अलग है कि चूँकि जैनेन्द्र जी अपने समय में इतनी नव्यताओं की भीड़ में अकुंठ दिखाई देते रहे कि उन्हें आधुनिक उद्घोषित करना आसान लगता रहा जबकि आधुनिकता-बोध के निर्माण में हर रचनाकार की एक अपनी विशिष्ट मौलिक प्रविष्टि होती है। जैनेन्द्र जी भी इसका अपवाद नहीं थे। उनके सृजन का मर्म जानने के लिए हमें उनके व्यक्तित्व और कृतित्व के बीच बनते पुलों की तलाश करनी पड़ती है। आधुनिकता इसी अर्थ में प्रगतिकामी है कि वहाँ हर मनीषी परम्परा-समूह में अपना नया और मौलिक कुछ जोड़ता चलता है और उसे गतिशील

और समृद्ध बनाता है।

वस्तुतः जैनेन्द्र जी के सृजन का मर्म उनकी स्वचेतनता के गुणधर्म में निहित है। उनका लेखनकाल लम्बा रहा। 1929 से शुरू करके 1981 तक वे लिखते रहे। उन्होंने कहानियाँ, उपन्यास, नाटक, ललित-निबन्ध, चिन्तन-साहित्य, आलोचना, संस्मरण, बाल-साहित्य लिखा। कविता नहीं लिखी पर उनके कथा-संवेदन की प्रवाहमानता में सोच का जो निजी, उत्कट, अतिक्रमण-सक्षम तत्त्व है वह काव्य के मौलिक आत्मतत्त्व के निकट बैठता है। उनका गद्य भी निजता, मौलिकता और प्रवाहमानता के जोड़ से ही बनता है क्योंकि उनकी संवेदना शिक्षित दीक्षित न होकर आत्मचेतना के विस्तार की तरह है। बकौल उनके--"अन्दर की अपेक्षा में ही बाहर को मानने की लाचारी जैसे रोग की तरह शुरू से ही मुझ में बसी हुई है..." इसका अर्थ है अन्दर की प्राप्ति भर वह बाहर के जगत को स्वीकारते हैं--अपनी निजता की माप भर। कुछ आगे जाकर तभी तो वे कहते हैं--"अपनी कृति में मैं...लीक भर इधर-उधर नहीं जाना चाहता कि जिसकी साक्षी मेरी अनुभूति नहीं। कल्पना का सब यथार्थ मेरे लिए यथार्थ है; क्योंकि उसे प्रत्यक्ष या परोक्ष अनुभूति थामती है। जिसे भौतिक यथार्थ कहा जाता है उसको तदख्य, तदाकार मैं मान नहीं पाता।"

इस सन्दर्भ में यहाँ यह उल्लेख जरूरी है कि डॉ. रामस्वरूप चतुर्वेदी ने आधुनिकता के लक्षणों में 'स्वचेतनता' को मुख्य लक्षण माना है। उनके अनुसार "अपने विशिष्ट अर्थ में आधुनिकता की पहली और अनिवार्य शर्त स्वचेतनता है" उन्होंने तो यहाँ तक कहा है कि मानवीय व्यक्तित्व की स्वचेतनता के कारण ही इतिहास के काल, समय-अवधि की दृष्टि से छोटे से छोटे होते जा रहे हैं। युगप्रवृत्तियों के मुखड़े जल्दी-जल्दी बदल रहे हैं, "इनका इतना शीर्घ परिवर्तन और उसका इतना शीघ्र अनुभावन गहरी स्वचेतनता द्वारा ही सम्भव है। आधुनिक काल से प्रारम्भ होने से लेकर अब तक 25-25 वर्षों के कई युग समाप्त हो चुके हैं जैसे भारतेन्दु युग, द्विवेदी युग, छायावाद, प्रगतिवाद, प्रयोगवाद और वर्तमान समय। यह क्षिप्रता अनायास नहीं है, इसके पीछे मानवीय व्यक्तित्व की 'स्वचेतनता' है... कलात्मक सृजन के लिए भी सहजता और स्वचेतनता एक सम्भाव्य सन्धिस्थल है।"

(सन्दर्भः--हिन्दी साहित्य कोश भाग-1 : परिभाषिक शब्दावली : प्रकाशक ज्ञानमण्डल लि., वाराणसी)

जैनेन्द्र जी तो प्रकृतयाः इसी मिट्टी के बने हुए हैं। उनका सारा लेखन सहजता और स्वचेतनता का ही पराक्रम है। यह वृत्ति उनमें अन्तर्निहित है। उनका अभिव्यक्त, उनकी स्वचेता प्रज्ञा का स्वाभाविक प्रस्फुटन है। स्वचेतनता ही वह महानदी रही जिसमें डूबते-उतरते जैनेन्द्र जी ने अपने पात्रों की लड़ाइयाँ लड़ी। उनके सुख दुख में डूबे। समाधान उन्होंने नहीं दिये। प्रश्न और प्रश्नाकुलता ही व्यक्त की। नैतिकता के मूल प्रश्नों से उलझते हुए भी कोई रचनाकार यदि समाधान न देना चाहें

तो उससे बड़ा आधुनिक और कौन हो सकता है। इस प्रसंग में मिलान कुन्देरा याद आते हैं जो समय के बहते प्रवाह में समाधान पकड़ने की बेचैनी में अकुलाये लोगों की कड़ी भर्त्सना करते हैं। वस्तुतः स्वाधीनता ही उनके अवदान की मौलिकता की आधारभूमि होकर रही। अपने रचना-कर्म में ऐसी मौलिकताओं के उत्पादन की स्वतन्त्रता जैनेन्द्र जी ने भरपूर बरती जिसके चलते कथा-रूपों के सभी प्रचलित विधान उन्होंने बदले, चाहे वैविध्य के सवाल पर उनपर प्रश्न-चिह्न लगते रहे; क्योंकि उनकी पात्र-सृष्टि में वही-वही पैटर्न तथा चिन्तन में वही-वही आशय प्रगाढ़ होते दिखे। बेशक इस बारे में जैनेन्द्र जी का अपना मत सदा स्पष्ट और पारदर्शी रहा। वे कहते हैं—"हर लेखक अपने अथ से इति तक स्वयं ही रहने को बाध्य है। वह अपने को ही लिखता है। जब वह स्वयं वही है तो उसके द्वारा होने वाली रचनाओं में भी...क्या एकसूत्रता व्याप्त न होगी?"

आज के समय में इस बात से आश्चर्य नहीं होना चाहिए कि जैनेन्द्र जी को लेकर आधुनिकता का मुद्दा बार-बार क्यों सिर उठाता है, वह भी अवधारणाओं की लदान और अदला-बदली के तीव्रगामी समय में। इसका एक मुख्य कारण तो उत्तर-आधुनिक माहौल में स्त्री-विमर्श के सन्दर्भों का तीखे रूप से सतह पर आ जाना है। जैनेन्द्र जी ने अपने समय में ऐसी स्थितियाँ और ऐसी स्त्रियाँ सिरजी जो उस समय के समाज की स्त्रियाँ नहीं लगतीं। वे साहसी, विचारशील और स्वयंचेता स्त्रियाँ रहीं। ऐसी स्त्रियाँ उन्हीं घरों में, नैतिकता की उसी जकड़न के बीच रहती दिखाई गयीं पर पीड़ा से ऊपर उठ सकने और आत्मोत्सर्ग की विलक्षण आत्मशक्ति के चलते वे बिना बताये, बिना जताये सब की नियति की नियामक बन जाती रहीं। जैनेन्द्र जी के चुनाव में शायद स्त्री की पीड़ा को भी और आकांक्षा को भी, एकसाथ, एक ही जगह व्यक्त होना रहा। वहाँ घर की आकांक्षा भी है और पीड़ा भी बल्कि वैसी आकांक्षा ही पीड़ा का निमित्त है।

यह पैटर्न जैनेन्द्र जी ने रूप बदल-बदलकर दोहराया। वस्तुतः तो वह अपनी इस दिशा में अथक बनी रही जिज्ञासाओं को ही रचनात्मक रूपों में ढालते रहे। आवरण हटाकर नैतिकता के मूल तत्त्व तक पहुँचना चाहते रहे। शायद वही जमीन उनके लिए मूल्य-बोध को पड़तालने की जमीन हो सकती थी। ऐसी उन्नत परिकल्पनाओं के आलोक में आज का स्त्रीविमर्श, अपने आत्मसंघर्ष की दाह से तपकर निकली स्त्रियों को अपने पाले की स्त्रियाँ मान सकता है। चाहे कृति-विशेष को केन्द्र में रखकर इन्हीं पक्षों पर विचलन और विवेचन की गुंजाइश सदा बनी रहती है; पर फिलहाल यह हमारा मुद्दा नहीं है। इस समय तो जैनेन्द्र जी का यही कथन सार्थक है कि 'नयापन' उन्होंने 'दृश्य में नहीं दृष्टि' में माना और उनकी दृष्टि में विकास का अर्थ है—"शरीर से प्राणों की ओर बढ़ना, बनावट से स्वाभाविकता की ओर बढ़ना, सजावट से रुचिरता की ओर बढ़ना और आडम्बर से प्रसाद की ओर

बढ़ना।'' अपने इस दृष्टिकोण के चलते उन्होंने चेतन-अवचेतन की डूब-चूभ में अपने को सही लगते सच तक जाने की कोशिश की। नैतिकता के मूल रूप को पाने के लिए आजन्म वैसी बेचैनियों में उलझे। पूरी अन्तर्निष्ठा से मूल्य-बोध का एक ढाँचा पाने का यत्न किया। दृश्य-जगत से परे का कोई न कोई पहलू उनकी हर रचना में मौजूद मिला, जिसको उकेरते, घोर सामाजिक अंकुश के माहौल में भी उन्होंने एक अलग किस्म की नैतिकता को तरजीह दी; और तो और अपने वैसे कथा-अनुभव की पुष्टि के लिए अनेक ग्रन्थों द्वारा चिन्तन-मनन की जमीन भी हमें उपलब्ध करायी।

इसका मतलब है कि अपनी आस्थाओं और विश्वासों को उलट-पलटकर देखने की उनमें तीखी छटपटाहट रही। वह 'स्व' और 'पर' के द्वन्दात्मक रिश्ते को पूरी तरह स्वीकार करते हुए भी एकात्मकता की सम्भावना तक ले जाकर देखना चाहते रहे। ऐसा करने के लिए वे तोड़फोड़ का हिंसक रास्ता न चुनकर, भारतीय मानसिकता की तरह, दोनों छोरों में धीरता, लोच और सोच की जगह तलाशते रहे। उनकी इस विश्वासनिष्ठा मंशा ने द्वैत को प्रकट करने के कई ठिकाने और कई रूप रचनाओं में ढूँढ़ निकाले-जैसे प्रेम और विवाह, आदर्श और यथार्थ, देह और मन, भौतिक-अभौतिक, आस्तिकता और नास्तिकता आदि। इन मोटे शीर्षकों के नीचे उनके रचना-पात्रों के मन के हजारों चेतन-अचेतन स्तरों की हलचल दिखाई देती है। अपने उपन्यास लिखते समय जैनेन्द्र जी को शायद पता भी न हो कि ऐसे अत्याधुनिक समय में परीक्षण के आँवें चढ़ चुकी मनोविज्ञान की विकसित और वस्तुनिष्ठ प्रणालियाँ उनकी पात्र-सृष्टि पर आजमायी जा सकती हैं और उनके व्यक्तित्व और कृतित्व के बीच बनते पुलों पर खड़े होकर इस अति-आधुनिक युग के मिजाज को जाँचा जा सकता है। आज के समय में मनुष्य की द्वन्दात्मक प्रकृति, उसकी संशय-वृत्ति, उसका आत्मसंघर्ष, उसकी जिज्ञासा और जिजीविषा, उसकी चेतनता, मूल्यों के टूटने और ढूँढ़ने की छटपटाहट में से अपने पाठकों को गुजारते हुए जैनेन्द्र जी आधुनिक ही नहीं आत्याधुनिक दिखाई देते हैं। 'स्व' और 'पर' के रिश्तों में वे दिनोंदिन सूक्ष्मतर होते गये हैं, जिसका भेद-विभेदपरक संज्ञान आज के ज्ञान-सन्धान की नव्यतम प्रणालियाँ कही जा सकती हैं।

वैसे भी आधुनिकता अपने-आप में न कोई साध्य है, न मूल्य। वह आत्मविस्तार और आविष्कार की स्वतन्त्रता में होने की परिवेशगत सुविधा है; जिसकी प्राप्ति के उपकरण हमें खुद ही ढूँढ़ने पड़ते हैं। जैनेन्द्र जी ने सहज ही आधुनिकता के उपकरणों को एक आत्मप्रत्यय की तरह, आत्मसाक्षात्कार की तरह बरता। ऐसा कुछ कहते हुए कि "हमारे अन्दर अनन्त अव्यक्त है। मैला उसमें है, धौला उसमें है। इन सबको स्वीकार करके शनैः शनैः उसे बाहर निकालकर रिक्त करते जाना है। इससे अलग सृजन क्या होता है?" इस उपक्रम में वे अपने रचना-रूपों में रिक्ति और पूर्ति की प्रक्रिया में से गुजरते अतिक्रमणशीलता की सरहदें छूने लगते हैं; ऐसा हो पाता है क्योंकि उनकी सृष्टि चेतनागत है। वैसे तो सारा

सृजन की चेतनागत है। चेतना अतिक्रमण की क्षमता से लैस है इसलिए भूत-वर्तमान-भविष्य, में विचरण कर सकती है और इस एहसास ने साहित्य में 'चेतना-प्रवाह' शैली को जन्म भी दिया, पर जैनेन्द्र जी में यह प्रवृत्ति विचारगत, विश्वासगत और अन्तरनिष्ठ है। इस दिशा में उनकी ऐसी उक्तियाँ गौर करने लायक हैं—"मेरे निकट चेतना से अलग समय कुछ है ही नहीं, अतः त्रिकालबाधित सत्य में वह समाप्त हो रहता है। उस अखण्ड, अद्वैत, अकाल को चेतना छूती है तो ही काल की प्रतीति होती है।" साथ ही साथ वे यह कथ्यगत सत्य भी जोड़ लेते हैं कि "सत्य व्यक्तियों के मार्फत ही हम तक आता है या हम उसतक जा सकते हैं। व्यक्ति निरपेक्ष होकर जैसे वह शून्य ही हो जाता है जिसमें हम अपने को खो सकते हैं।" पा नहीं सकते ऐसा कहते-कहते ये झट रचना की मनुष्यधर्मी जमीन पर उतर आते हैं, सहज सोचती हुई भाषा में समझाते हुए कि; "अपने अनुभव में आने वाले सुख-दुःख के मार्ग से चलकर हममें जो नहीं उतरता वह प्रेत की तरह भ्रमता रहता है। आत्मा पाकर वह सत्य या सत्त्व बन पाता है।"

यह सबकुछ कथ्य के यथार्थ को चेतनागत रास्तों और अतिक्रमण की विधियों से पा लेने के लक्षण हैं; चाहे जैनेन्द्र जी इस बारे में सदा अचेत ही रहे। जो कुछ उन्होंने कहा-सुना-लिखा, सहज, स्वचेतनता के गहन में डूबकर लिखा। इस दृष्टिकोण से उनकी प्राविधियों की पड़ताल हमारे लिए जैनेन्द्र जी के आकलन के बहुत-से रास्ते खोल सकती है। साथ ही अतिक्रमणशीलता के क्रियान्वन को देख पाने को हमारे लिए सुलभ बना सकती है।

अतिक्रमणशीलता रचनाकर्म में तो एक मूल्य है ही, आजके समय में चेतना-विज्ञान के इलाके में खोजी छटपटाहट का एक धधकता हुआ मुद्दा भी है। आधुनिक समय की जिज्ञासाएँ चेतना-विज्ञान (Science of Consciousness) के नाम से इस पराशक्ति को सूक्ष्मातिसूक्ष्म उपकरणों द्वारा जाँचने पड़तालने में लगी हुई है। इस समय का शोध-प्रवृत संसार, सौरमंडल वाले ब्रह्माण्ड की तरह, पराचेतना के ब्रह्माण्ड में प्रवेश पाने के लिए जी-जान से व्याकुल है और चेतना की अदेखी, त्रिकालदर्शी शक्तियों का रहस्य पा लेना चाहता है मुझे वह समय दूर नहीं लगता जब उत्तर-आधुनिक अध्ययनों के दबाव में पराशक्ति की इस पड़ताल में जैनेन्द्र जी के रचनापाठ का विखंडन निश्चय ही केन्द्र में होगा और उनकी मौलिकता और अतिक्रमण—सक्षम मनीषा ऐसे में उस सन्धान का उपकरण बनेगी। उनकी जैसी प्रज्ञा को आधुनिक या उत्तर-आधुनिक या अन्य किसी नाम के घेरे में बाँधना व्यर्थ है। मेरी समझ में किसी रचनाकार को उसके संस्कारों और मूलाधारों के रास्ते ही जाना जा सकता है तभी परम्परा-संस्कारित आधुनिकता में उसके अवदान की कोई जगह बनती है। अपना-आप हो पाना ही किसी लेखक की मौलिकता की सबसे बड़ी कसौटी है। जैनेन्द्र जी का रचनाकर्म इस कसौटी पर खरा ही उतरता है।

फिराक-निराला : दो शती पुरुष–आमने-सामने

भारतीय उच्च-अध्ययन संस्थान में–फिराक और निराला इन दो कवियों की जन्म शती के अवसर पर पधारे आप सब प्रबुद्धजनों का हार्दिक स्वागत है। यह समागम मुझे कई अर्थों में बहुत ही विचलित करने वाला और मार्मिक लग रहा है क्योंकि कितने ही देशव्यापी सन्दर्भों की गूँज इस समय हमारे साथ है। मुझे नही लगता, उस स्मरण में से गुज़रे बिना किसी शुद्ध साहित्यिक आयोजन की शुरुआत की जा सकती है। वह भी निराला और फिराक को लेकर जिनके जीवन और रचनाकर्म में, जिनकी चेतना के घटकों में राष्ट्र, समाज, इतिहास पूरी शिद्दत से शामिल रहा।

इस समय शताब्दी खत्म हो रही है और अपने आकलन का बोझ हम पर डाल रही है। इस साल हमारी अपनी स्वतन्त्रता के 50 वर्ष पूरे हुए हैं। स्वतन्त्रता के इच्छित अर्थ यदि कुछ हद तक हमें हासिल नहीं हुए तो भी स्वतन्त्रता है तो 'अपनी'। अपनत्व के इस जज़्बे को अपने अन्दर समाये बिना सारा पुरुषार्थ और जिम्मेवारी एक बाहरी चीज़ रह जाती है।

इस संगोष्ठी का इस संस्थान में होना भी एक विशेष महत्त्व रखता है, क्योंकि यह मात्र एक ऐतिहासिक इमारत नहीं, राष्ट्रीय अस्मिता के लौटाये जाने की एक मूर्त गवाही है। इसकी दीवारों को छूते इन गलियारों में से गुजरते, इसके निर्माण की गाथाओं को सुनते एक अजीब रोमांच से गुजरना होता है जो बहुत-से तीखे कड़वे दर्दों की स्मृति भी मन में उजागर करता है, पर उन दिशाओं की ओर जाना प्रासंगिक नहीं। सन्तोष इस बात का है कि जिन शती-पुरुषों को लेकर यह आयोजन किया जा रहा है वह समय के शतखंड को दरज करने की औपचारिकता के लिए नहीं, बल्कि अपनी विरासत का लेखा-जोखा लेने के लिए है। यह विरासत इतनी समृद्ध, इतनी विपुल और इतनी प्राणवान है कि आने वाली पीढ़ियों की चिन्तन धारा में इसके प्रवेश की सुगबुगाहट सुनाई देने लगी है, जबकि यह दोनों कवि अभी अपने समय के बहुत पास हैं। निराला के अवसान को तो फिर भी 3 दशक बीते हैं पर फिराक़ तो अभी भी दिमाग में हिरफिर रहे हैं। इस सभा में बहुत-से लोग ऐसे होंगे जिन्होंने उन्हें देखा, सुना, जाना तक होगा।

साहित्य में विरासत का सवाल भी बड़ा अनोखा है; जिसकी परम्परा पूँजी में नहीं,

पूँजी के त्याग में है। चेतना में है। तहरीर में है। अक्षर बहम में है। इसका स्थानान्तरण भी चेतना के माध्यम से ही होता है। सस्ते दाम तो कुछ नहीं मिलता। महाप्राण निराला तो इस अर्थ में जाने कितनी पीढ़ियों की विरासत के परम्परा पुंज रहेंगे और हर युग की चेतना को उपलब्ध रहेंगे।

विरासत को लेकर एक मार्मिक-सी बात कभी नहीं भूलती। उन दिनों 'सारिका' कथा साहित्य की एक महत्त्वपूर्ण पत्रिका मानी जाती थी। उसका प्रकाशन कभी बन्द भी हो सकता है, यह सोच पाना अकल्पनीय था। बहुत मेहनत से प्रेमचन्द पर एक भारी विशेषांक निकाला गया था और अंक के विमोचन के लिए प्रेमचन्द जी के सुपुत्र श्रीपत राय को आमन्त्रित किया गया था। श्री श्रीपत राय, बरसों से 'कहानी' पत्रिका निकालते थे, और कहानी विधा की गहरी सूझ समझ रखते थे। 'कहानी' पत्रिका उनके दृष्टिवान सम्पादकीय टिप्पणियों के लिए भी जानी-मानी जाती थी। कहने का अर्थ यह है कि वह प्रेमचन्द जी के अपात्र उत्तराधिकारी तो नहीं थे। कहानीकारों की कई पीढ़ियाँ उस पत्रिका के माध्यम से खड़ी हुईं और अभी भी पनप रही हैं। श्रीपत राय आये द्रवित-से मंच पर बैठे जरूर रहे पर विमोचन से लेकर सम्बोधन तक किसी बात में उन्होंने हिस्सा नहीं लिया। जैनेन्द्र जी को पत्रिका थमायी और प्रेक्षकों की तरफ़ मुँह करके बोले, "मैं मात्र पुत्र होने के नाते प्रेमचन्द का उत्तराधिकारी तो नहीं हूँ, उनके उत्तराधिकारी यहाँ सामने बैठे सब लोग हैं।" इतना कहकर वह धम्म से कुर्सी पर बैठ गये। उस आयोजन में बुलाये गये मुख्य अतिथि द्वारा यही एक वाक्य बोला गया था। वह कौन-सा बोझ रहा होगा जिसने उन्हें इस तरह मर्महित कर दिया था। इसे बोझ़ न भी कहें, दायित्व कहें तो यही दायित्व इस आयोजन में फिराक और निराला के हमारे रिश्ते को परिभाषित करता है।

इस बात का एहसास मुझे पूरा है कि इस आयोजन में मेरा इस समय यहाँ खड़े होना औपचारिकता का हिस्सा ज्यादा है, फिराक और निराला को लेकर मेरी पात्रता का उतना नहीं। इस विषय में विशद और विश्लेषणात्मक ज्ञान की मंजूषा खोलने वाले दोनों भाषाओं के विद्वान यहाँ मौजूद हैं। अभी तक जितना भी आकलन सम्भव हुआ है इन्हीं की चेष्टाओं से सम्भव हुआ है; हालाँकि इस स्थिति की एक निहित कठिनाई जरूर है कि एक ओर तो इन दोनों कवियों का अवदान इतना विपुल, विविध और विस्मयकारी है कि अपने समय की सरहदें तोड़ दें और उनका समय हमारे इतना निकट कि आकलन की सभी चेष्टाएँ छोटी पड़ती जायें।

बताने की इच्छा हो रही है कि निराला और फिराक की जन्मशती के अतिरिक्त, सृजनात्मक साहित्य पर गोष्ठी के आयोजन के पीछे एक सोच, एक दृष्टि यह भी रही कि इस शोध-प्रधान संस्थान में साहित्य की सक्रिय साझेदारी एक दूसरी तरह के स्वाद का सृजन कर सके। विषय भी इन कवियों का जीवन और रचना रखा गया।

चाहे यह माँग भी एक 'सम्पूर्ण'[1] को समेटने की माँग है, पर यहाँ के साहित्येतर सहयोगियों की दृष्टि में जीवन पहले है, रचना बाद में। रचनाकार इस क्रम में अपनी तरह हेर-फेर करता है।

उस दृष्टिकोण से फिराक और निराला के जीवन-क्रम को खखोलते बहुत-सी समानताएँ हाथ आयी जबकि जीवन स्थिति और घटक दोनों इतने अलग-अलग हैं। जाहिरा तौर पर फिराक़ के पास उच्च शिक्षा विशेषज्ञता, कवि पिता की विरासत, उच्च सरकारी ओहदा, स्वतन्त्रता आन्दोलन में शिरकत, जेल, अध्ययन, अध्यापन, सैकड़ों शागिर्दों को तैयार करने में लौटते हुए अपने प्रतिबिम्ब, क्षुब्ध वैवाहिक जीवन, साहित्य अकादमी, ज्ञानपीठ पुरस्कार, इलाहाबाद की रिहायश... इसके बावजूद एक गहरी तन्हाई और तिश्नगी का एहसास जो कविता में एक ब्रह्मांड को समेटने की कोशिश करता है। यहाँ यह प्रश्न जरूर उठता है कि क्या कवि की अलग से कोई उदासी होती है जो उसके 'बीइंग' और 'बिकमिंग' के बीच के फासले को ताउम्र खुले ज़ख्म की तरह रवाँ रखती है?

इसके ठीक विपरीत निराला का जीवन संघर्षमय और अवसादपूर्ण रहा। उन्नाव जिले के एक गाँव गढ़ाकोला के ब्राह्मण परिवार में उनका जन्म। पिता बंगाल के मेदिनीपुर के देशी राज्य महिषादल में सेवारत। बंगाली भाषा, संस्कार बचपन से आत्मसात् किये। पिता कठोर, उग्र, अनुशासनप्रिय। 3 साल की आयु में माँ की मृत्यु। 15 साल की उम्र में विवाह। एंट्रेस की परीक्षा में फेल हुए तो घर छोड़ना पड़ा। 23 वर्ष की आयु तक तो निराला के पिता, पत्नी, चाचा, भाई, भौजाई सब की मृत्यु हो चुकी थी तथा दो अपने बच्चे और चार चाचा के बच्चों का भरण पोषण उनपर था। 18 वर्षीय पुत्री का देहावसान, जिसकी परिणति उनकी प्रख्यात कविता : 'सरोज स्मृति' में हुई है। निराला के लिए साहित्य ही आजन्म वृत्ति और मुक्ति का साधन रहा। यहाँ भी एक प्रश्न उठेगा कि दुख की प्रत्यक्षता को निराला ने कविता की कथावस्तु जरूर बनाया; तब फिर क्या यह माना जाए कि रचना में अनुभव के रूपान्तरण में दुख के घटित की परिणति क्या सदा इसी रूप में होती है या हो सकती है?

यह एक बहुत ही कच्चा और मोटा-सा खाका है। इन दोनों के जीवन की समानताओं के भी अजीव संयोग हैं। पिछली शताब्दी के अन्त में दोनों कवि 1896 में जन्म लेते हैं। दोनों के जीवन का महत्त्वपूर्ण हिस्सा संगम तीर्थ व सांस्कृतिक केन्द्र इलाहाबाद में बीतता है। जीवनगत दुखों और अन्तश्चेतना पर पड़े प्रहारों की दोनों की रचना में भूमिका रही। दोनों की जीवन पद्धति में एक फक्कड़ मस्ती है। निराला

1. इन दोनों कवियों की शतवार्षिकी के समय यह लेख, भारतीय उच्च अध्ययन संस्थान शिमला के एक अध्येता की तरह रहते लिखा गया था। आवश्यक सन्दर्भ लेख में निहित और स्वप्रकाशित है।

में यह एक अशमित आन्तरिक तेज की बेपरवाही है, फिराक़ में जिन्दगी की तरंग से हुकुम की तामील करवा लेने की ताकत। दोनों अपनी संवेदना के उत्कर्ष में तुलसी और राम तक पहुँचते हैं; दूसरे शब्दों में भारतीयता की उस अन्तर्धारा में भीगते हैं जो जातीय जीवन के महानद की तरह सतत् बहती रहती है। जो कोई भी उसे पहचान पाये, अँजुरी भर ले। दोनों के मन में नयी पनपी खड़ी बोली के प्रति आक्रोश है, जबकि दोनों ही दूसरी भाषाओं से शब्दों के लिए और दिये जाने तथा निजीकरण के कायल हैं। दोनों इस देश की प्रमुख अभिव्यक्ति धाराओं—उर्दू और हिन्दी के प्रमुख वाहक हैं। दोनों साहित्य राजनीति, अध्यात्म, समाजशास्त्र, इतिहास, भाषा, दर्शन के सरोकारों से जूझते हैं। स्वतन्त्रता आन्दोलन और राष्ट्रीयता के प्रश्न दोनों के घेरों में पूरी-पूरी जगह लेते हैं। दोनों के अवदान में विराटता, विपुलता, नवीनता, नये भावोद्रेक, प्रवृत्ति बहुलता दिखाई देती है।

इतना सब कहने के बाद भी दोनों की सृजनात्मकता और रचनात्मकता की पहचान पूरी नहीं होती। सवाल यह उठता है कि जिस निराला को नन्ददुलारे बाजपेयी ने 'शताब्दी का कवि' कहा और उनकी कविता को 'शताब्दी का काव्य' कहकर परिभाषित किया। उसे एक परिचयात्मक टिप्पणी में समेटना कितना मुश्किल है। इसी तरह फिराक का बहुमुखी व्यक्तित्व है। उन्हें एक व्यक्ति नहीं एक संस्था कहलाये जाने का गौरव हासिल रहा क्योंकि उन्होंने चार संस्कृतियों की घुली-मिली विरासत पायी थी। घर की जुबान हिन्दी, सूर, तुलसी, कबीर की परम्परा में पालन पोषण, अरबी, फारसी संस्कृत का क्लासिकी साहित्य उनके अनुभव बोध का हिस्सा, और अंग्रेजी की अध्यापिकी के चलते उस परम्परा से जीवन्त परिचय। ऐसी शिक्षा द्वारा पायी परिष्कृति सहज ही सूफी कवियों, दार्शनिकों, वैदिक ऋषियों को भी अपने चिन्तन में सहज ही दाखिल कर लेती रही। दोनों संस्कृतियों की समृद्ध परम्पराएँ उनके कृतित्व में साथ-साथ चलती हैं।

निराला के प्रकाशित साहित्य में 13 काव्य संग्रह, 5 कहानी संग्रह, 10 उपन्यास, 6 आलोचना पुस्तकें, रामायण की अन्तर्कथाएँ, महाभारत, 5 संग्रह बाल साहित्य की पुस्तकें उपलब्ध हैं। अब डॉ. नन्द किशोर नवल के सम्पादन में निराला रचनावली के रूप में उनका साहित्य हमें आठ खंडों में उपलब्ध है।

फिराक के बारे में सोचते एक अजीब स्थिति दरपेश आयी, लगा पाठक के रूप में फिराक से कभी दूरी भी नहीं रही पर कवि के रचना विवेक से कभी नजदीकी भी नहीं हुई। इसका कुछ-कुछ कारण उर्दू कविता के मिजाज़ और लोक जीवन के उसके रिश्ते से है। उर्दू कविता, हिन्दी कविता में चल रहे किसी एक दौर की तरह, जन रुचि और सरोकार से कभी गायब नहीं हुई बल्कि रूप बदल-बदलकर लोगों के निकट आती रही और अभिव्यक्ति की निजी और सामाजिक जरूरतों को एक मिला जुला संस्कार देती रही। गजलें सदा गायी जाती हैं, शेर सदा सुने-सुनाये जाते

हैं। मौके-बेमौके अपने भावों को प्रस्तुत करने के लिए उनके सघन, सान्द्र छोटे आकार के चुस्त कथनों की तलाश की जाती है। स्मरण शक्ति पर उनका बोझ भी कम है और जिन्दगी जिन चीजों से रोज़ दर रोज़ टकराती है उनके सन्दर्भ भी वहाँ बहुल हैं, शायद इसीलिए उर्दू कविता सदा हमारे पास है पर पूरी तरह पास नहीं; उसकी गहराइयाँ, गम्भीरताएँ, रिश्ते, रूहानी प्रविष्टियाँ, रागबन्ध के सिद्धान्त, वक्त को लाँघ जाने के तेवर, लोकाचरण की जमीन के परे खड़े होकर ही समझे जा सकते हैं, क्योंकि उर्दू कविता की यह परम्परा सूफी परम्परा से चलकर आज तक का दौर अपने में समेटे हैं।

इस विधा और भाषा से नजदीकी बने रहने का एक और कारण यह भी रहा कि उर्दू से प्रेम रखने वाली और उसे बोलचाल की भाषा में पूरा संरक्षण देने वाली विभाजन के पहले की एक पीढ़ी अभी परिदृश्य पर मौजूद है, उर्दू, हिन्दी, पंजाबी भाषा उनके रक्त के रंग में घुले मिले हैं।

साहित्य की शायद ही कोई ऐसी विधा हो जो फिराक़ से अछूती रह गयी हो। उर्दू के काव्य साहित्य में गजलें, रूबाइयाँ, दोहे, तज़मीनें, आजाद नज़्म, उन्मुक्त छन्द, छन्दबद्ध कविताएँ लिखी गयीं और इनके अनुशासन को तोड़ा भी गया। ग़ज़ल की स्थित परम्परा में फिराक़ ज्यादा छूट नहीं लेते पर नज़्मों और रूबाइयों में वह मिश्रण की पूरी आजादी लेते हैं। मिश्रण के लिए उन्हें किन नुक्तों की और क्यों जरूरत होती है इसे फिराक ने प्रो. शमीम हनफ़ी से हुई बातचीत में स्पष्ट किया है। मेरा विश्वास है इस बारे में हनफ़ी साब स्वयं हमें समृद्ध करेंगे।[2]

फिराक के गद्य साहित्य में राजनीति, साहित्य, समाजशास्त्र, दर्शन, कविता पर गम्भीर चिन्तनपरक लेख हैं जिन्हें फिराक ने तीनों भाषाओं में लिखा है। वे अनुवाद कार्य में भी पूरी तरह प्रवृत हुए। उन्होंने टैगोर की गीतांजलि और उनकी सौ कविताओं और हैमलेट का अनुवाद उर्दू में और सारसेनियो का इतिहास और पहला शराबी हिन्दी में किया। समालोचनाएँ अंग्रेजी, उर्दू, हिन्दी तीनों भाषाओं में लिखीं। अंग्रेजी में फिराक के निबन्ध–A golden treasury of essays, a garden of essays, Readings and Reflections नाम से प्रकाशित हो चुके हैं। 'आदमी' शीर्षक से फिराक ने अर्नेस्ट डालर के जर्मनी भाषा के क्रान्तिकारी नाटक का हिन्दी अनुवाद भी किया। वह नाटक अंग्रेजी में Masses and men के नाम से छपा था।

जो बातें मैंने अब तक कहीं उससे दोनों कवियों की एक परिचयात्मक-सी तस्वीर जरूर तैयार हुई पर रचनाकर्म, रचना-प्रक्रिया और उनके ऐतिहासिक महत्त्व की बातें छूट गयीं जिन्हें किन्हीं पुस्तकों से बटोरकर इकट्ठा जरूर किया जा सकता

---

2. इस सेमीनार में उर्दू के बहुप्रतिष्ठित आलोचक डॉ. शमीम हनफ़ी भी हिस्सेदारी के लिए मौजूद थे।

था पर निराला के अवदान से खुद जूझने की मन में एक जिद सी रही। समय की कमी से वह जिद पूरी नहीं हुई पर उस प्रक्रिया में एक बात जरूर स्पष्ट हुई कि इन कवियों के बारे में कुछ मौलिक नतीजे निकालने के लिए एक पूरा समन्दर लाँघना पड़ता है जो शायद वर्षों की साधना से ही पार किया जा सकता है। यह भी एहसास हुआ कि यह सेमीनार उसकी शुरुआत जरूर है।

निराला को पढ़ते डॉ. राम विलास शर्मा की यह उक्ति बार-बार याद आती रही कि "निराला को जल्दी-जल्दी पढ़ना उनके साथ अन्याय करना है क्योंकि उनका यह यत्न रहता है कि वह लिखें थोड़ा और लोग समझें ज्यादा... भाषा को सहज रूप देने के लिए वह वाक्य रचना का ढंग जरूर बदल देते हैं पर उनकी सघनता, अर्थवक्रता, गूढ़ व्यंग्य और अलंकरण सौन्दर्य पाठ को एकाएक ग्रहण नहीं करने देते। निराला अपने विचारों, भाव बोधों से एक आतंककारी प्रभाव की सृष्टि करते हैं। उनमें एक निर्बाध प्रवाह, विशेषण बहुलता और बिम्ब पैदा करने की अद्भुत शक्ति है। वह किसी एक दृश्य में रमकर उसकी नादपूर्ण योजना पर बल देते हैं। संगीत को काव्य के निकट ले जाने की कोशिश करते हैं।"

तुलसीदास के बाद निराला जैसी प्रतिभा का दूसरा कवि नहीं हुआ। निराला ने परम्परा की शृंखलाएँ सबसे ज्यादा तोड़ीं पर परम्परा से जुड़ाव और उसके पुनर्जीवन का श्रेय भी निराला को ही जाता है। उनकी छवि एक विद्रोही रचनाकार की छवि है जिसमें पूरी परम्परा बोलती है। वह छन्द की मुक्ति के लिए जाने जाते हैं पर उनकी अधिकांश कालजयी कृतियाँ छन्दबद्ध हैं। वह छायावाद के खेप के कवि माने जाते हैं पर अपने काल का अतिक्रमण करने की क्षमता केवल निराला में ही दिखाई दी।

छायावाद के काव्य वैविध्य के दौर में निराला के यहाँ तीनों प्रवृत्तियाँ क्लासिकी, रोमांटिक और आधुनिक--एक साथ दिखाई दीं। निराला में इस प्रकार के अन्तर्विरोधों को लेकर जो परेशानी है वह बड़ी प्रतिभा की रचनात्मक क्षमता की ही परिचायक है। विरोधी तत्त्वों को एकत्व में बाँधने की सामर्थ्य किसी बड़े कवि के बूते ही सम्भव होती है और निराला तो इस बात को लेकर स्वयं स्पष्ट हैं। उनके हिसाब से "मुक्त छन्द तो वह है जो छन्द की भूमि में रहकर भी मुक्त रहे। मुक्त छन्द का समर्थक उसका प्रवाह है, वही उसे छन्द सिद्ध करता है।" यह कविता में आन्तरिक लय का समर्थन है।

इस वैचारिकी को देखते और निराला को स्वयं पढ़ते समय लगता है कि निराला के भाव बोध का बहुत-सा हिस्सा अभी अनुद्घाटित है। किसी मत विशेष को ध्यान में रखकर यदि पक्ष-विपक्ष की किसी दलील को हमने हथिया भी लिया तो इससे मात्र एक ही बात सिद्ध होती है कि हमारे सामने अपनी माँग या जरूरत का चेहरा ज्यादा साफ है, लेखक की मौलिक मंशा का नहीं। पता नहीं रचनाकार की नियति का यह

पक्ष अच्छा है या बुरा कि अनुभूति की जिस पूर्णता के लिए वह हर पल व्याकुल होकर जीता है वह खंड-खंड होकर हमारे हाथ लगती है वह भी अभिव्यक्ति के उपकरणों और अपनी जरूरतों की सीमाओं के बीच, शायद इसीलिए रचना अशेष है और बकौल निराला के 'आदर्श अजन्मा'।

आकलन की अपनी क्या बाध्यताएँ हो सकती हैं इन्हें आलोचक गण जानें पर आकलन की बाध्यता से मुक्त होकर कवि को पढ़ने से एक सिहरन-सी मन में दौड़ जाती है, क्योंकि वहाँ सीधे साक्षात्कार का अर्थ है उस अन्तरिक्ष में प्रवेश जहाँ निराला की सिरजी हुई आन्तरिक लय भारी भरकम शब्दों को अपने सिर पर बिठाये ऐसे दौड़ रही है जैसे नदी पर बहते पत्ते। विचारणीय यह है कि भाषा के विघ्न यहाँ किस चीज़ से हार रहे हैं? इस आन्तरिक लय की सिद्धि एक रचनाकार के मन में किस जुगत से हुई है? क्या उसके सामने कोई सिद्धान्त था, याकि आकलन की कोई प्रणाली?

मुझे तो लगता है, अनुभव की सत्ता जिन तत्त्वों को फालतू करके फेंक देती है, उन्हें पलटकर नहीं देखती जबतक कि फिर से उसमें किसी नये रचना रसायन की बुदबुदाहट शुरू न हो जाए। मेरी दृष्टि में इस उन्नत भावोद्रेक और तलछट के रचना-रसायन को निराला आजन्म पछारते रहे। इसी कौशल ने उन्हें 'राम की शक्ति पूजा' जैसा रत्न दिया और ढेरों कविताओं की अनन्यता। रचनाकर्म में वह कभी जमीन पर, कभी जमीन के ऊपर खड़े दिखाई देते हैं। निराला शक्ति और सरस्वती का संगम तीर्थ थे। जीवन को बहुत झेला फिर भी टूटे शक्ति की असाधारणता मनुष्य के लिए रक्षक और भक्षक दोनों है। यह तो अच्छा है कि निराला वृत्ति और प्रवृत्ति दोनों तरह से साहित्य में अपनी मुक्ति तलाशते रहे। इसी रूप में व्यक्त होते रहे। अपने जीवन के अन्त के निकट वह गंगा प्रसाद पाण्डेय को लिखते हैं–I have combined the contribution in terms of literary art to the philosophy of life. उनका दूसरा वाक्य था–I am making an example of playing the same card in life and literature.

ऐसे संकेतों को दरगुजर करने में लगता है कि हम पात्र की चिन्ता किये बिना पात्र में पकाया हुआ अन्न खाने की हड़बड़ी में है।

नरेश मेहता : चुनाव और चुनौती

नरेश मेहता को लेकर मुझे दो बातें विशेष उल्लेखनीय लगती हैं। यह नहीं कि दूसरी है नहीं पर उन पर काफी कुछ कहा जा चुका है। काफी कहे जाने का प्रमुख कारण उन प्रवृत्तियों की प्रत्यक्षता है जैसे कि उनके वैष्णव संस्कार, निष्णात भाषा, क्लासिकी शैली, धारणा और संवेदन की अद्वितीयता।

मेरी इन दो बातों में एक तो व्यक्ति के भीतर से उपलब्ध होते रचनाकार को लेकर है। दूसरी रचनाकार के भीतर से झाँकते व्यक्ति को लेकर। यह विभाजन व्याख्या की सुविधा के कारण है। मूलतः तो दृष्टि को उस उत्स तक पहुँचना है जिसके परिप्रेक्ष्य में केन्द्र-परिधि-व्यास सब कुछ एक साथ प्रकाशित हो सकते हैं।

जब भी नरेश जी से मिलना हुआ, लगा, एक रचनाकार में अनिवार्य रूप से दीखती अशमित बेचैनी उनमें गायब है। उनकी शान्त, शालीन, सौम्य, मुखमुद्रा का उस उदग्र, संशयी सन्नद्ध चेता से कोई सरोकार नहीं। प्रायः वह दूर-दूर तक देखते रहते हैं और सामने बैठने वाले को भी थोड़ा-थोड़ा उपलब्ध होते हैं। सृष्टि के ऐसा ही·हो रहे होने की घटना को वह चुपचाप देखते-से लगते हैं। रचनाकारों के बीच वह रचने में नहीं तो रचनावृत्त में होने की संसिक्ति के माध्यम से समझे जाएँ ऐसी कोई व्यग्रता उनमें दिखाई नहीं देती। रचने वाला जब बेचैनी से मुक्त दीखता है तो संशय होता है क्योंकि रचनात्मक क्षुधा, हड़बड़ाए हुए गति-बावरे जीवन के साथ ऐड़ियाँ जोड़कर चलने की विषमताओं के बीच सदा ही हलकान हुई रहती है।

इधर नरेश जी की काव्य सम्पदा से साक्षात्कार हुआ। एक उल्लेख यहाँ बहुत जरूरी है। यह मानना गलत होगा कि पुस्तकों को हाशिये पर रखकर व्यक्ति-दर्शन से ही मैं सिद्ध जैसे लगते परिणाम निकालने की कायल हूँ पर नरेश जी के रचना-मानस तक पहुँचना जिस क्रम में हुआ उसी क्रम में आगे चलने का यत्न कर रही हूँ।

पुस्तकों के साक्षात्कार ने यह एक बात तो स्पष्ट कर दी कि रचनें की बैचेनी, रचनाकर्म की आवश्यक सहकार नहीं है। उसका अपना व्योम है, अपने ऊर्जा केन्द्र जो अपनी तरह से संचालित होते हैं। उनका कोई सामान्य फार्मूला नहीं है। हर रचनाकार अपनी तरह से अपनी संवेदनाओं से मुठभेड़ करता है। दूसरी यह कि नरेश जी एक रचनाकार की तरह ऐसे ही क्यों दीखते हैं जैसे कि वह दीखते हैं—निरावेग,

संयत, निर्प्रहार। इस प्रतीति को पैदा करने के बहुत-से गहरे कारण मुझे उनके चुनावों, उनके जीवन-दर्शन में से उगते हुए लगे। ऐसे जीवन-दर्शन के रहते अस्तित्व की नगण्यता या नश्वरता में पूर्ण विश्वास होते हुए भी व्यक्ति अपने को असहाय, अछोर महसूस नहीं करता क्योंकि असीम से अपने बन्ध की माप, उसके मन में सुनिश्चित और विशेषीकृत रूप में होती है। 'पार' और 'अपार' के निहित अर्थों से जुड़ी होती है जिसके चलते चेतना में कई-कई स्तरों का निर्माण भी होता रहता है।. अपने गुणधर्म को चीन्हने के लिए व्यक्ति परम को देखता है जो असीम और अपार है। सापेक्षता का यह विधेय (पैर्टन) उसकी चेतना में दर्ज होता है।

इस सृष्टिक्रम में, व्यक्ति की सन्दर्भवत्ता, जब उसके भीतर के समुन्नत गुणकर्म के आधार और अनुपात में देखी जाती है तो ऐसा कुछ नहीं रहता जो भय, असुरक्षा, बेचैनी या दीनता उपजाए; बल्कि ऐसे में उसका अपने लिए सुलभ और सम्भव हो सकने वाले साधना-सोपानो की ओर ध्यान जाता है। 'जब कुछ नहीं था/ तब भी यह था' जैसी सनातनता और सातत्य के सामने अपने होने की प्रतीति तब एक विनयी और कृतज्ञतापूर्ण व्यक्ति की उभरती है; क्योंकि अपना होना चाहे एक छोटे-से-छोटे लम्हे जितना है फिर भी एक अपूर्व घटना की तरह है क्योंकि यह होना ही वह सचेत काँटा है जिसके उद्यम से इस अनभिव्यक्त चेतना प्रवाह में से रचना के सार्थक मुहूर्त को पकड़े जाना है।

नरेश जी का आत्मबोध और चेतनागत संस्कार विराट के स्पन्दन का स्नेहाश्रयी है अतः व्यक्ति की संघर्षशीलता के परिणाम को वे उसी चरम तक ले जाने की महेच्छा की तरह देखते हैं। उसी वृत्ति में वे उपार्जन और विसर्जन के आवश्यक आधार भी ढूँढ़ते हैं। उन्हें लगता है इस विराट के स्वरूप में (जिसे प्रकृति प्रकट कर रही है) एक सुविचारित प्रयोजन दृष्टि है, समरसता है। सन्तुलन है। यहाँ "विपुल की अत्यल्प से, विराट की लघुता से, प्रकाश की अन्धकार से, कठोर की कोमलता से पग-पग पर चूल बिठायी गयी है।" चट्टानों की पुंजीभूत जड़ता को तराशने के लिए जल की तरलता और मरुस्थली को समतल बनाने के लिए पारदर्शी हवाओं के संयोग हमें सहज ही उपलब्ध बने रहते हैं। इस सृष्टि में मानवीय सभ्यता की तरह आडम्बर, मिथ्याचार या प्रतिद्वन्द्विता कहीं नहीं है।

मेरी समझ में नरेश जी का इस सारी सम्बन्ध-शृंखला को इसी रूप में देखा समझा जाना ही उनसे समरस निरान्त भाव का मुख्य कारक है। यहाँ खड़े नरेश जी विनयी दिखते हैं क्योंकि विराट से ऐसा सम्बन्ध, मनुष्य की अहंमन्यता द्वारा फैलाये फालतूपन को, वैसे भी, झाड़ देता है। वहाँ अहं और स्वत्व की मात्र वही छवियाँ रह जाती हैं जिन्हें नरेश जी रचना-मानस के लिए आवश्यक समझते हैं। सृष्टि के क्रम, में तब हम एक अकेले रचनाकार होने का गुमान नहीं पाल सकते। एक की अनेकों

चिंत्तियाँ हैं, अनेकों अभिव्यक्तियाँ हैं। अभिव्यक्तियों के भी सैकड़ों दृश्य, अदृश्य संयोग हैं। एक विशिष्ट समय और संगति में उनके व्यक्त होने की आन्तरिक चमत्कारी अनिवार्यता भी है।

तिस पर नरेश जी के अनुसार कवि कवि नहीं प्रस्तोता भर है। इस अर्थ में कि जिस मनीषी व्यक्तित्व ने अनुभव से साक्षात किया था वह तब कवि नहीं था—अनुभवकर्ता था या दृष्टा था। कवि जब कवि की भूमिका में आता है तो भी वह कर्ता नहीं होता, उस एक सनातन अनाभिव्यक्त चेतना-प्रवाह को व्यक्त करने की चेष्टा भर कर रहा होता है। यह प्रबुद्धता भी उसे, उसी अनाभिव्यक्त सृष्टा के द्वारा मुहुर्त भर को मिली है।

ऐसे और इतने स्तरों और सोपानों पर आत्मरहित हो जाने की प्रक्रिया नरेश जी की चेतना को छान-कूटकर एक सुशान्त समायोजित भावसत्ता का अधिष्ठाता बना देती है। आत्मबोध और सृष्टिबोध के बीच बनी शृंखलाओं को वह एक गहरे मुग्ध, समर्पण भाव से देखते हैं और भगवत्कृपा के अछोर कवच के नीचे अपने निष्कवच हो जाने को एक परिणत प्रसाद की तरह भोगते हैं इसलिए आधुनिक रचनाकार का तीखा, हड़बड़या हुआ, बेचैन चेहरा उनके चेहरे पर नहीं चिपकता। अपने पूरे रचनाकर्म में वह एक ऐसी आस्था के सपुंजन का वहन करते हैं, जो अपने मूल से ही शाश्वत रही आयी है। उनके कवि में संशयी की बेचैनी, संवेदना में रूपान्तरित, और रूपायित होकर उतरती है और रचनापात्र की काया में प्रवेश करती है। इसी रूप में यह पर-दुख-कातरता का उदात्त भाव बनकर इतिहास को झेलती है। उनका आत्मभाव हर दशा में वैसा ही संस्कारवान एवं अक्षुण्ण बना रहता है।

ऐसी प्रतीति पैदा करने वाली दूसरी बात, जो अलग से ध्यान खींचती है वह है नरेशजी द्वारा लिखी लम्बी-लम्बी भूमिकाएँ और उनको लिखने की उनकी आभ्यान्तरिक बाध्यता का दबाव पाठक को महसूस होते रहना। 'अरण्या' और 'उत्सवा' दो काव्यसंग्रहों की भूमिकाओं पर ध्यान दें तो पता लगाता है कि यह भूमिकाएँ उनकी काव्याभिव्यक्ति की आश्रित या पूरक उतनी नहीं जितनी काव्य तत्त्व के बाहरी और भीतरी उपकरणों को समझने और एक विशिष्ट सिलसिले में उद्घाटित करने की कोशिश।

ये भूमिकाएँ बहुत गहरे मनन की अपेक्षा करती हैं क्योंकि उनमें काव्यार्थ के अमूर्तन को एक व्याख्या-प्रधान तेवर में खोला गया है। ये नरेश जी की मानसिकता का एक बड़ा भाग समेटती हैं और पाठक से एक विशिष्ट तैयारी की माँग भी करती हैं। आज की तात्कालिकता जो आत्मान्वेषण के लिए उतनी व्याकुल नहीं रही या विराट से अपने सम्बन्ध की सापेक्षता से विशेष लगाव महसूस नहीं करती इनकी तर्ज को ग्रहण करने में कठिनाई महसूस करेगी। हालाँकि नरेश जी को इस रवैये

से, भी ऐसी कोई बेचैनी नहीं होगी क्योंकि उनके लिए कविता एक सतत् प्रवाह के रूप में सर्वत्र विद्यमान है। इसीलिए हर कवि का उस कविता से भिन्न स्तर का साक्षात् ही सम्भव है। उनके अनुसार सब रचनाकार अपने गुण और स्वभाव के अनुसार अपने को व्यक्त करते हैं। अनुभव और रचना की गुणात्मक दूरी के बीच नरेश जी काव्य-साधना के एक जरूरी सेतु का होना भी मानते हैं। यह साधना, किसी को भी, जितनी दूरी तक कोई जाना चाहे ले जा सकती है। किसी को भी व्यक्तिगत और भाषागत सीमाओं के लंघन योग्य बना सकती है।

नरेश जी द्वारा लिखी इन भूमिकाओं के माध्यम से हमें कुछ ऐसी महीन, मौलिक और अर्थसघन उद्भावनाएँ अपलब्ध हुई हैं जो काव्यसत्ता के निर्दोष सनातन चरित्र को ही उद्घाटित नहीं करती बल्कि अव्यक्त से व्यक्त तक आ सकने के सारे अनुभाविक सोपानों को, देशकाल के सन्दर्भ सहित प्रकट भी करती है। इनकी समावेशिता और प्रयोजन दृष्टि काफी विशद है।

यह व्याख्याएँ एक बौद्धिक यात्रा-वर्तुल में अपने को इतना पूरा कर लेती हैं कि कालान्तर में नरेश जी के लिए कविताओं की कथावस्तु भी बन जाती हैं। 'अरण्या' की शुरू की अधिकांश कविताएँ 'उत्सवा' की भूमिका का विस्तार हैं। 'अरण्या' की कविताएँ पढ़ते इन दोनों छोरों के बीच जैसी अर्थसाम्यता मन में खुलती है वह इसी व्याख्यावृत्त को पूरा करती है। इन भूमिकाओं में व्यक्त, नरेश जी की आधारभूत धारणाओं का विस्तार, इन कविताओं में इतना बहुल है कि उनपर अलग से चर्चा करने की जरूरत बनी रहेगी। 'उल्लंघन' इस आशय की एक महत्त्वपूर्ण कविता है :

'जहाँ अर्थ तो शब्द का होता है
और कविता में शब्द—
सरोवर में डूबी सीढ़ी है
जहाँ हम समाप्त होते हैं
और सरोवर आरम्भ होता है'

ऐसी अनेकों पंक्तियाँ इन भूमिकाओं के साँझे आदान-प्रदान की जमीन पर से स्वतः उठ खड़ी होती हैं। 'फाल्गुनी' भी इसी आशय की एक मुखर कविता है।

कविताओं और भूमिकाओं से मिल-जुलकर बनी मनोभूमि प्रकट को अधिक प्रकट जरूर बनाती है और काव्यार्थ की प्रकृति और प्रवृत्ति के निकटतर भी ले जाती है पर नरेश जी के कवि को काफी कुछ आच्छादित भी करती है। अक्सर वह अपनी काव्य अभिव्यक्तियों में इन्हीं वर्तुलों में घूमते दिखाई देते हैं। इसका एक सार्थक वैपरीत्य उनके संग्रह 'आखिर समुद्र से तात्पर्य' में देखने में आता है। उसमें बहुत सी ऐसी कविताएँ हैं जो अपनी कथावस्तु के स्तर पर ऐसे आशयों से मुक्त हैं। इसी स्वायत्तता के कारण वे बहुत ताजी, सुघड़ और प्रभावी लगती हैं। ये रोज-रोज के

यथार्थ के निरीक्षण-परीक्षण से सिरजी गयी हैं।

इसी सन्दर्भ में 'आश्वासन' कविता गौर करने लायक है। वहाँ :

हवा और वृक्ष देर तक बतियाते रहे और
'हवा की हर बात पर
वृक्ष पेट पकड़कर हँसता रहा
और तभी
हवा को ध्यान आया अपनी यात्रा का'

यह कविता एक अद्वितीय चित्र-आभा पैदा करती है। ऐसे ही 'कृतज्ञता' कविता। याकि 'चन्द्रोदय', 'सोने दो', 'वृक्ष भी आकाश भी' आदि-आदि।

ऐसी और भी कई कविताएँ इस संग्रह में हैं जहाँ नरेश जी अपनी ऐसी समृद्ध आन्तरिकता के चलते, सामान्य सुपरिचित यथार्थ को एक नयी नवेली अर्थ-कौंध से प्रकाशित कर जाते हैं। मनोन्मेष को एक तुष्टिकारक काव्य-काया दे देते हैं। इन कविताओं की सादगी में जैसी गहरी चोट है, जैसी संवेदन प्रवणता है, जैसा विनोदी भाव है, वह खूब प्रीतिकर लगता है। जबकि नरेश जी की प्रवृत्तिगत कविताओं में ऐसा बोध नहीं होता। वहाँ एक स्थित किस्म की विशिष्टता बनी रहती है। एक ऐसी संस्कारबद्ध दीप्ति जो संवेदन की जड़ों को नये रूप-बन्धों से जोड़ना तो चाहती है पर सदैव ऐसा नहीं हो पाता। कहीं विचार, कविता को बनाने उठ खड़ा होता है तो कहीं कविता खुद सोचते हुए व्यक्ति के सामने आ खड़ी होती है।

चारों ओर से हमें घेरकर रखती प्रकृति के सौन्दर्य की सत्ता नरेश जी के मन में, उनके संस्कार में, उनकी बुनावट में अडिग है। वह उनकी सृजनात्मक चेतना की प्रेरक, उद्‌बोधक, समावेश के लिए बेचैन अनिवार्यता है। कहना चाहिए, यह उनके भीतर बनते यथार्थबोध की एक अविभाज्य संगति है, इसलिए जो भी, जैसा भी रचना-धरातल वह खोजते हैं इस समावेशिता और अविभाज्यता के एहसास के बीच में से खोजते हैं। उनकी कविताएँ ऐसे ही नव्यतर धरातलों की खोज और प्रसार की प्रस्तुतियाँ हैं। उनका आस्वाद एक विशिष्ट प्रकार के आह्वान, एक विशिष्ट प्रकार की व्याकुलता या विरही-भाव की सृष्टि जैसा है।

नरेश जी के काव्यकर्म में विराट से एकरस होने की अंखूट प्यास, और समर्पण भाव सदा विराजमान रहता है पर यह उदात्तता उनके भाषा वैभव के नीचे अक्सर चरमरा भी जाती है। मनोभाव तो पूरा हाथ लगता है। सृजक नरेश का उद्दिष्ट भी पूरा करता है, पर कविता कभी-कभी नाराज हो जाती है।

कविता के क्षेत्र में यह एक नये किस्म का संयोग है कि यथार्थबोध के नाम पर नरेश जी का सामना एक सनातन चेतन-प्रवाह की निर्प्रश्न निर्विकल्प सत्ता से है। अपने मनचीते क्षेत्र में वह सदा एक अपूर्व अनाभिव्यक्त विराट के रू-ब-रू हैं,

जबकि 'कवि-मनुष्य' के पास मनुष्य होने की सीमाएँ हैं, मर्यादाएँ हैं। शब्दों के पुल भी स्व-उपार्जित हैं। अपने ही मन की चित्तियाँ हैं और भावतीतता के सम्मोहन में पसरी आत्माश्वस्त समृद्ध चुप्पी, जो हो सकता है बोलना ही न चाहे।

नरेश जी के कवि की यह कठिनाई और चुनौती दोनों हैं कि उन्होंने जीवन का यथार्थ उकेरने के लिए इतनी विराट सृष्टि, ऐसी ब्रह्मांडीय चेतना अपने स्वत्व और व्यक्तित्व के सामने खड़ी की है। उसी में से वह अपनी रचना को उपार्जित करना चाहते हैं जिसके बारे में उन्हीं का मत है कि वह भाषाहीन अनिर्वचनीयता है।

प्रभाकर श्रोत्रिय : एक असमीक्षित समीक्षक

साहित्य जगत में कुछ ऐसा बनता गया है कि सम्पादन की बेजोड़ कुशलता के चलते और पत्रिकाओं के तुरत-फुरत प्रसारण के कारण डॉ. प्रभाकर श्रोत्रिय की एक सम्पादक पत्रकार जैसी छवि बनती गयी है; जो उनके सृजनात्मक ताप से बने प्रज्ञा लोक को परिदृश्य से ओझल करती रही है। यों विवेकपूर्ण सम्पादन भी कुछ ऐसा नगण्य काम नहीं है। वह अपने समय की विविधवर्णी वैचारिकी और सृजनात्मक क्षमताओं के बीच तालमेल बिठाते हुए मुख्य धारा प्रवाह में दृष्टिवान मापदंडों को बनाने पहचानने की श्रमसाध्य कोशिश है, बल्कि चुनौती है; और यह काम उन्होंने बड़े मनोयोग से किया भी। इधर के 8-10 वर्षों के सम्पादन-'साक्षात्कार', 'अक्षरा', 'वागर्थ' और अब 'नया ज्ञानोदय'—श्रम के द्वारा उन्होंने कई साहित्यिक पीढ़ियों की सत्त्वशील संवेदना को समेकित करके पाठक वर्ग में गहरी क्षुधा का एहसास भी जगाया और गहरी तृप्ति की अनुभूति भी उपलब्ध करायी। जाहिर है यह काम अपने को खपाए बिना नहीं हो सकता था।

बकौल उनके, *"बाजारवाद बलि लेता है, देता नहीं"* साहित्यिक पत्रकारिता का बाजारवाद तो और भी बीहड़ है क्योंकि वह तेज रफ्तार के बीच धीरज की; परिणाम के बीच गुण की, प्रारूप के समक्ष स्वरूप के उद्घाटन की एक साथ माँग करता है। दोनों छोरों पर यक्साँ परिणामवाची होना चाहता है। उन हाथों को अनदेखा करना चाहता है जो ऐसा विकट सन्तुलन साधने के श्रम में जख्मी होते रहते हैं और अपनी ही रचना-शीलता की आहुति देते रहते हैं। तिस पर पत्रकारिता अपनी कई कोटियों के बावजूद पत्रकारिता की तरह ही स्वीकारी जाती है यानी कि परिदृश्य में एक अस्थायी हस्तक्षेप की तरह। पत्रिकाओं में जिन लेखकों की रचनाएँ छपती हैं, वे भी पत्रिका को अपने रचनाकर्म के लिए एक मंच भर मानते हैं और सम्पादक के बृहत्तर योगदान की ओर से निरासक्त हो जाते हैं।

इन सब पहलुओं के बावजूद ऐसा तो हुआ ही कि डॉ. श्रोत्रिय ने सम्पादन कर्म का वरण किया। पिछले 8-10 सालों में उनका यही काम छाछ बिलोए मक्खन की तरह तैरकर सतह पर आता रहा और ऐसी सक्रियता उनके आत्मतोष का हिस्सा भी बनी। सम्पादन लेखन की आहुति लेता है, इस तथ्य को स्वीकारने के बावजूद उन्होंने दूसरों के रचना-कर्म को समन्वित करने के काम में अपने को झोंका। पर रचनाकार

का अन्तर्वाही चैतन्य शायद चुप नहीं बैठ सकता। अतः अपने को सम्पादन कार्य में लिप्त-विलुप्त रखने के बावजूद उन्होंने सम्पादकीयों के रूप में सामयिक विषयों पर ढेरों निबन्ध लिखे जिनसे निबन्धों की कई पुस्तकें तैयार हुईं जो सम्भवतः बिना लिखी रह जातीं। साथ ही इस कर्म के माध्यम से उन्होंने अपनी वैचारिकता के जिन नये आयामों का नये सिरे से अन्वेषण किया वह भी अनदेखे रह जाते। उन्होंने खुद कहीं लिखा है कि इन सम्पादकीयों ने मेरे आलोचक को यह आश्वस्ति दी कि *"आलोचना के लिए जो व्यापक जीवन पर्यटन, ज्ञान पर्यटन और चौकस निगाहों की जरूरत है उससे मैं वंचित नहीं था... यह मेरे साहित्यालोचन का ही आत्मृविस्मत पहल था।"*

इन सम्पादकीयों में वे साहित्य-समीक्षा की सरहद लाँघकर व्यापक संसार को सम्बोधित करते हैं। समाज पर, स्थितियों पर, राष्ट्रीय और वैश्विक मुद्दों पर बहुत तीखी और भेदक दृष्टि डालते हैं। अपने समय की नब्ज का पता देने वाली शायद ही कोई ऐसी घटना, उपघटना, व्यक्ति-व्यक्तित्व व्यक्त या अन्तर्निहित समस्या हो जिस पर उन्होंने लिखा न हो। स्थिति कोई भी हो, सबसे पहले उनके भीतर का चिन्तक-विश्लेषक जागता है। वृत्ति से वह स्थितियों के सम्यक् विश्लेषण की ओर उन्मुख होते हैं और केन्द्रीय घटना के साथ-साथ पूरे सांस्कृतिक परिवेश को समेटते हैं। उनका उद्वेलन सदा वैचारिक विवेक तक पहुँचना चाहता है जहाँ पहुँचकर वह धीर गम्भीर अनुत्तेजित ढंग से उन मुद्दों के नये और ऐसे तार्किक कोण तलाशते हैं जो आशय में दृष्टिवान और भविष्यदर्शी हों। यह एक तरह से उनकी सहज-स्वाभाविक, स्वचालित चिन्तन पद्धति है। इस माध्यम से बनती वैचारिकी को एकमुश्त देखते यह बात साफ-सी होने लगती है कि शोर पैदा करने वाले, उग्र, उतावले वितंडावाद को जन्म देने की बजाय वह समरस वातावरण की सृष्टि का प्रसार करने की ओर पूरा ध्यान देते हैं जिसके चलते मुद्दों की वैचारिकी विकसित हो पाने की सम्भावना बनती है और सृजक की सृजन-आकांक्षाएँ बृहत्तर दिशाओं में मुड़ने की आशा जगाती हैं। सम्पादन में यह वृत्ति समस्या को समय के इतिहास-भूगोल के ज्ञान की चुस्ती देने की तरह है।

असल में इन वैचारिक-लेखों को सम्पादकीय कहना ही गलत है। यह उनके उत्प्रेरित चैतन्य, संवेदनात्मक सजगता और वैचारिक-विवेक के परिशुद्ध और परिपक्व उदाहरण हैं। पाठकों की संवेदना को अपनी तर्कशक्ति से झकझोर सकने वाली इनकी प्रभविष्णुता के कई उदाहरण हमारे पास हैं। शिमला उच्च अध्ययन संस्थान को हथियाकर पाँच सितारा होटल में बदल देने की सरकारी योजना के विरुद्ध डॉ. श्रोत्रिय ने 'विद्या का विस्थापन' शीर्षक से जो सम्पादकीय लिखा था, उससे संस्थान में तो हलचल हुई ही, पाठकों के इतने विरोध-पत्र आये कि उससे मत-अभिमत बनाने में खासी सहायता मिली। उनके चुने हुए मुद्दे प्रायः अपनी

स्थानिकता से मुक्त होकर व्यापक सन्दर्भ ग्रहण करते हैं। शायद—सन्दर्भों की इसी बहुलता के बीच उनकी 'ज्ञान पर्यटन' की महत आकांक्षा पूरी होती है।

यह आलोचकीय विवेक और मीमांसक वृत्ति किसी विषय विशेष या किसी एक दिन की सिद्धि नहीं है। उनका गठन ही विश्लेषक आलोचक का है। इसके पीछे उनके आत्मशिक्षण और अपूर्व ग्रहणशीलता का लम्बा इतिहास है। वह भूसे में से दाना निकालने में भी, और मन-वचन-कर्म से भूसे का परित्याग कर पाने में सिद्धस्त हैं। इसी के चलते पत्रकारिता जैसे कर्म में भी सृजन-मनन की सुविधाओं का वातावरण बनाने की उनकी चेष्टाएँ उग्र रहीं। वह स्वयं भी सृजनरत रहे। यह चेष्टाएँ सोच की धमनियों में नये रक्त का संचार करने वाली हैं। उनकी वैचारिकी में व्यापकता के असीम को अधिकतम छोरों पर से छू सकने की अविचलित आकांक्षा हर पल दिखाई देती है।

ऐसा नहीं है कि डॉ. श्रोत्रिय को अपनी इस अन्तर्निहित मीमांसक वृत्ति और चिन्तनात्मक क्षमता का ज्ञान नहीं है। सम्पादन का काम अपने हाथ में लेने से पहले वे आलोचना की ढेरों किताबें लिख चुके थे (या वे प्रक्रिया में थीं) और एक प्रखर आलोचक की तरह जाने जा चुके थे। उनकी आलोचना वृत्ति में 'भारतीय और पश्चिमी दृष्टियों का सम्यक् उत्कर्ष' देखा जा रहा था। उनकी पुस्तक 'कविता की तीसरी आँख' ने चारों ओर से आश्चर्यजनक समर्थन पाया था यहाँ उनमें आलोचना के नये प्रतिमानों की स्थापना की आत्माश्वस्ति दिखाई दे रही थी और उनमें रामचन्द्र शुक्ल और आई.ए. रिचर्डस की लीक का आलोचक पहचाना जा रहा था। काव्य के सन्दर्भ से उस पुस्तक में बिम्ब, छन्द, रस, रूप की तात्त्विक मीमांसा तो है ही, भारतीय शास्त्रीयता और आधुनिक दृष्टि के सम-विषम तत्त्वों को साथ ही साथ विश्लेषित किया गया है। उनकी पुस्तकों से हिन्दी जगत ने अपनी परम्परा और भाषायी अस्मिता में से उठता हुआ नितान्त अपना मौलिक और प्रखर आलोचक पाया।

सैद्धान्तिकी की खूब गहरी समझ तो उनमें है ही, कहना चाहिए, वही उनके आलोचना कर्म की धुरी है, पर दृष्टि में प्रगति-पौरुष भी उतना ही है। आधुनिक विचार-सरणियों और नवसृजन की प्रेरणाओं, प्रश्नों, आकुलताओं के इतना प्रतिश्रुत होना या हो पाना सैद्धान्तिकी में उनके दृढ़ होने का लक्षण है। केन्द्रबद्ध मनीषा ही अपनी परिधि पर इतना मुक्त होकर घूम सकती है और मूल्य निर्धारण के स्तर पर ओरों की अपेक्षा ज्यादा स्पष्ट और निश्चयी होती है। यह निश्चयात्मकता उनके सम्पादन में भी झलकती है।

आलोचना की सैद्धान्तिकी से ही नही, आलोचना की रचनावृत्ति से उनका गहरा जुड़ाव उनके आलोचना कर्म को अलग तरह की कोमलता से दीप्त करता है। उनकी आलोचनावृत्ति इतनी व्यावहारिक भी नहीं कि आलोचना के मानक सत्यों को बिसार

दे और इतनी तटस्थ और कठोर भी नहीं कि रचना में खपे हुए सृजनात्मक आवेश को न समझ सके। उनके भीतर अपने ही सृजनात्मक ताप से उकसाया हुआ एक दृष्टिवान अन्वेषक बैठा है जो रचना के संवेदन में प्रवेश करने के लिए सजातीय संवेदन से काम लेता है और आलोचक की तटस्थता तक पहुँचने के लिए रचना और आलोचना के अन्तर्संघर्ष से उभरकर विवेचन-वक्तव्य के निर्माण तक पहुँचता है। सृजक की आहूति लेकर फलवती हुई उनकी आलोचना विवरण से नहीं, संवेदन की कलम से लिखी लगती है।

रचना का ताप और आलोचना का विवेक घुलमिलकर उनके गद्य में एक अलग किस्म की संवेदित और सन्तुलित द्युति पैदा करता है। उनकी आलोचना भी रचना जैसी उत्प्रेरित और दीप्त है। उसमें ज्ञान का बोझ नहीं, साहित्य की सरसता है। मौलिक किस्म का यह समन्वय उनके कम प्रकाशित जीवन के घटकों को खोलने की जिज्ञासा पैदा करता है। यों तो उनके जीवन-तथ्यों और घटकों के बारे में साहित्य जगत में कम ही जानकारी उपलब्ध है पर पिछले दिनों डॉ. ओम निश्चल को दिये गये साक्षात्कार में सिलसिलेवार कुछ महत्त्वपूर्ण बातें उजागर हुई हैं जिनसे पता लगता है कि वे इच्छा और प्रेरणा की प्राकृत दिशाओं में छिटककर अपने जीवन और कर्म के बीच किस तरह एक संकल्पित सेतु बनाने में सफल हुए हैं। कैसे जीवन के सन्तापी पड़ावों का अतिक्रमण उन्होंने किया और अपने द्वारा निर्धारित कर्म को ही अपना धर्म मान लिया। शायद इच्छा और कर्म को ही एक जगह रोप देने के संकल्प से जो ऊर्जा पैदा होती है उसे ही उनकी गतिशीलता का वाहक बनना था। यहाँ अधबीच रुककर यह सोचना भी संगत लग रहा है कि क्या प्रसाद जी के रचनावृत्तों की ओर डॉ. श्रोत्रिय का झुकाव प्रसाद जी के जीवनदर्शन के कारण था—यानी कि इच्छा, ज्ञान और क्रिया का एकीकरण, जो 'कामायनी' में काव्यरूप में चित्रित हुआ है।

उन्हें जन्मनः काव्यमन मिला था। वह कविता लिखते और मंच पर सुनाते भी थे पर जीवन की कठिन स्थितियों ने काव्य-रस में रमे रहने की उन्हें छूट नहीं दी और वे गद्य की ओर मुड़े। इस एक तथ्य का उद्‌घाटन उनकी कितनी ही अन्तर्वृत्तियों को उजागर कर देता है। हम जान पाते हैं कि क्यों उनका आलोचनात्मक गद्य भी सृजनात्मक गद्य जैसा है—लालित्य से भरा, संरचना और अवधारणा की मौलिकता से भरपूर, छोटी से छोटी आहट को सुनने में चौकन्ना। क्यों वह रचना की आलोचना ऐसे करना चाहते हैं, जैसे "एक सर्जक जीवन की आलोचना करता है" क्यों वह आलोचक की भूमिका में रहते 'रचना एक यातना है' जैसी किताब लिखते हैं? 'मेघदूत-एक अन्तर्यात्रा', शमशेर, प्रसाद और नरेश मेहता पर इतनी सृजनात्मक किताबों की सृष्टि करते हैं। इन पुस्तकों में उनका ज्ञान और संवेदना विस्मयकारी समवायों में अभिव्यक्ति पाता है। क्यों उन्हें नये या युवा रचनाकार को छूते हुए

'ताजा फूल या पंखुरी छूने' का एहसास होता है? प्रतिभा दिखाई दे तो अति प्रशंसा और कम प्रशंसा की अतियों से उसे बचाते हुए उसकी रचना के प्रति अपनी अपेक्षा और उत्सुकता के भाव को जगाए रखते हैं। क्यों उनका मानना है कि आलोचक यदि सचमुच आलोचक है तो वह *"सृजनात्मक अन्तर्वृत्ति के लिए लिखता है, आलोचनात्मक दुष्टता के लिए नहीं।"* इस तरह वह आलोचनात्मक कर्म में एक बेहद सुथरा, संयत, समावेशी दृष्टिवान गद्य रचते हैं।

डॉ. श्रोत्रिय की प्रज्ञा से मेरी भिड़न्त ऐसे की किसी अयाचित क्षण में हुई। उनकी आलोचना पुस्तक 'संवाद' के माध्यम से। वह भी अपने सृजन के सघन तल्लीन एकान्त के बीचोंबीच। कुछ-कुछ ऐसे मौके पर जब लिखने वाले को अपने क्रियेटिव स्वत्व के साक्षात्कार के अतिरिक्त कुछ भी स्वीकार्य नहीं होता—आलोचना की पुस्तक तो कतई नहीं। पर वस्तुतः ऐसा हुआ था। लगातार लिखने से पैदा हुई थकावट और पस्ती से पार पाने के लिए, कोई हलकी फुलकी दूसरी पुस्तक उस एकान्तवास में मुझे उपलब्ध नहीं हो पायी थी। जैसे तैसे कहीं से डॉ. श्रोत्रिय की 'संवाद' पुस्तक हाथ लगी थी। उनके सृजक/आलोचक से यह मेरा पहला साक्षात्कार था। यह अनुभव इतना रोमांचक हो सकता है, नहीं जानती थी। एक ही बैठक में सारी पुस्तक को मैंने एक सरस रचना की तरह पढ़ा सो पढ़ा, मेरे इस विश्वास को भी झटका लगा कि अपनी रचना के तल्लीन समय में आलोचना की कोई भारी भरकम पुस्तक पढ़ी नहीं जा सकती। बल्कि लगा लेखक जब अपने सृजनकर्म की सघनता में होता है, तो शायद उसी सघनता की कोई पुस्तक उसके स्वीकार-वृत्त में घुसपैठ कर सकती है। शायद इसका कारण यह हो कि ऐसे में पाठक-लेखक को स्तर का स्थानान्तरण नहीं करना पड़ता। उस समय मैं पहली बार सृजनात्मक आलोचना के मर्म को समझ पायी।

पुस्तक की परिकल्पना ने भी कुछ अचम्भे में डाला। 'संवाद' पुस्तक में मुक्ति-बोध, अज्ञेय, शमशेर, वीरेन्द्र कुमार जैन, भवानी प्रसाद मिश्र, कुँवर नारायण, धर्मवीर भारती, हरिनारायण व्यास, दुष्यन्त कुमार शामिल किये गये थे। इन सब कवियों पर काव्यालोचित लेख थे। इस पुस्तक की अवधारणा में एक किस्म की चुनौती थी क्योंकि यह पुस्तक कवियों की विषेषताओं के एकतरफापन को ध्वस्त करते हुए बनी थी। जिन-जिन कवियों पर यह लेख थे उन्हीं को टिप्पणी करने के लिए खुले इम्तहान की तरह उन्हीं के पास भेज दिये गये थे। इस क्रिया से कवियों पर एक पलटवार जिम्मेवारी लाद दी गयी थी जो क्रमशः हर कवि को निभानी पड़ी थी। अपने पर लिखे लेखों में व्यक्त विचारों की सम्यकता पर स्वयं टिप्पणी करनी पड़ी थी। मुझे लगा था आलोचक की ओर से यह एक निर्भीक और आत्मविश्वासी कदम है जो लेखक के आत्मप्रत्यय के मजबूत रेशों की पहचान देता था। भूमिका में उन्होंने लिखा भी कि "मैं यह नहीं मान पाता कि अगर रचना आलोचना के लिए

खुली हुई है तो आलोचना रचना पर कोई ऐसी टिप्पणी है जिसे रचनाकार की ओर से कोई चुनौती नहीं दी जा सकती या नहीं दी जानी चाहिए।"

एक इसी आधार के चलते अन्य पुस्तकें खखोलनी हुईं। अन्य पुस्तकों में 'कविता की तीसरी आँख', 'कालयात्री है कविता', 'रचना एक यातना है', 'प्रसाद की प्रासंगिकता' और 'मेघदूत एक अन्तर्यात्रा' सविशेष लगी थी। इन्हें पढ़ना एक अनूठे स्वाद की सृष्टि तो करता ही है, कुछ-कुछ ऐसी समझ भी विकसित करता है कि दोनों ओर से देख पाना मुद्दों को साफ ही नहीं करता, पाठक के मन में तीसरे आयाम की सृष्टि भी करता है। यह पाठक की उपलब्धि मानी जायेगी।

शुद्ध रचना की तरह डॉ. श्रोत्रिय ने अलग किस्म के तीन नाटकों की रचना भी की है जिसमें 'इला' जैसी क्लासिकल कृति भी शामिल है। प्रसाद जी के नाटकों के बाद वैसा आस्वाद केवल इसी नाटक में उपलब्ध हुआ। महाभारत में से सुद्युम्न इला का प्रसंग उठाकर आधुनिक युग के समूचे स्त्री चिन्तन को लपेटती उन्होंने एक ऐसी दर्दनाक तस्वीर खींची है जिसका कोई घाव बाहर दिखाई नहीं देता पर मुख्य पात्रों की मंशा भर के वाचन से अन्तःकरण का बित्ता-बित्ता छिलने लगता है। स्त्री के अस्तित्व को वस्तु में बदलने वाले और राज न्याय के नाम पर उसे पराये निर्णयों की आग में झुलसा देने की विडम्बना पाठक/प्रेक्षक को बेतरह घायल और प्रश्नाहत करती है। यह लेखक के अन्तर्वाही संवेदन का परिणाम तो है ही, अपने समय की धाराओं के प्रति चौकन्नापन भी है, जिसे रचनाकर्म की पूरी जटिलता और संश्लिष्टता के साथ प्रासंगिक, समयोचित बनाकर पेश किया गया है। यह नाटक क्लासिकल और अधुनातन का विस्मयकारी रचना-योग है।

इन पुस्तकों के वाचन से लगता है कि जिस प्रकार की डॉ. श्रोत्रिय की मनीषा है, जैसा संवेदित विवेक है, रचना-आलोचना, संवेदन-विवेचन, परम्परा-आधुनिकता का जैसा संयोजन उनकी दृष्टि में हैं, उसका आकलन होना जरूरी है। यह अपने बीजों और स्रोतों की पड़ताल की तरह है। देसीवाद की प्रस्तावित विचार-पद्धतियाँ जो बौद्धिक जगत में क्रियाशील होने के लिए इतनी आतुर-अधीर है उन्हें अपने फलागम के लिए और कौन-से सूत्र और अभिकल्प की तलाश है? कौन-से चिन्तक की प्रतीक्षा है? उनकी यह उक्ति विचारणीय है कि–

"इतिहास की आवृत्ति से हम आसानी से जान सकते हैं कि आध्यात्मिकता की बद्ध चेतना के कारण हम भले ही एक संस्कृति के रूप में जीवित रह सके लेकिन इसी वजह से हम सर्वदलित, सर्वआक्रान्त और सर्वहारा हुए। क्या ऐसा नहीं हो सकता कि हम संस्कृति के रूप में जिन्दा भी रहें, पूरी तरह विकसित भी हों और हीनता ग्रन्थि से मुक्त हों" (संवाद 54)

'कालयात्री है कविता' उनकी गुणधर्म युक्त आलोचक-वृत्ति के उत्कर्ष का जरूरी पड़ाव है जिसमें उन्होंने हिन्दी कविता के लगभग सभी युगों को स्पर्श किया है तथा

साहित्यिक युगों और काव्य की अन्तवृत्तियों में से "उन तत्त्वों और अभिप्रायों को रेखांकित करने की कोशिश की है जिन्हें प्रायः उपेक्षित कर दिया जाता है जबकि उनकी 'सरस्वती' जैसी अन्तर्वाही भूमिका होती है।" साहित्यिक या राष्ट्रीय परम्परा की निरन्तरता में जहाँ-जहाँ फाँक थी वहीं-वहीं उनकी अन्वेषणशीलता ने डेरा डाला।

इस पुस्तक में संकलित लेख 'भारतीय प्रगतिशील की अवधारणा और हिन्दी काव्य' को अनदेखा करना अपने समय की समूची समझ को खारिज करना है जो प्राचीनतम वांङ्मय से नव्यतम के बीच एक सुसंगत आवयविक सम्बन्ध को अन्वेषित करता है। अन्वेषण का क्षेत्र बकौल डॉ. श्रोत्रिय *"निरपेक्ष होता है जिसे विचार नहीं तथ्य निर्धारित करते हैं।"* इसी दृष्टि से तर्कसिद्ध, इस लेख में दर्शन, इतिहास, संस्कृति, साहित्य तथा युगीन प्रवृत्तियों की ऐसी समन्वित, सुस्पष्ट और विश्वसनीय समझ का प्रसार चकित करता है। ऐसा विवेचन एक आत्मसम्पन्न मेधा की ग्रहणशील क्षमता का लक्षण है। कहना चाहिए कि यह विवेचन वैदिककाल से आज तक के समूचे बौद्धिक, आध्यात्मिक, आर्थिक, राजनीतिक, सांस्कृतिक लक्षणों का विशद और विश्वसनीय लेखा-जोखा है याकि अपनी जातीयता, राष्ट्रीयता का आत्मचेतस इतिहास है। 1993 में लिखे इन लेखों को आज के सन्दर्भ में जाँचते भविष्यदर्शी कहा जा सकता है। इनमें अपने देश के समाजदर्शन की रचना हुई है, जो संस्कृति की अन्तर्वाही चेतना की पहचान के बिना नहीं हो सकती। गागर में सागर का दर्जा पाने वाले इन लेखों में 'छायावाद का चौथा आयाम', 'हालावाद की शव-परीक्षा', 'भीतरी नदी', 'भक्ति युग में रीतियुग' आदि में नये दृष्टिकोण प्रस्तावित हैं जैसे कि—छायावाद में निहित अतिरिक्त बहुवचनीयता के मर्म को उजागर करना। प्रगतिवादी वामपन्थी सोच जिस कारण से दृश्य-प्रमुख हुआ उसके निहित खतरों की ओर संकेत करना जिसके चलते उसका आत्मसातीकरण अधूरा बना रहा। परम्परा किस कारण से समृद्ध कही गयी, फिर भी उसके जड़ीभूत हो जाने के कारण खोजना। अग्रसरता जिस कारण से अतिवेगवान है उसके व्याधि-दोष पर अँगुली रखना। यह सब उन्होंने साहित्य, संस्कृति के आधारों के बीच से विकसित किया और अग्रसर मानसिकता के आलोक में इन्हें सप्रमाण सिद्ध भी किया। यह देश की सामाजिक-सांस्कृतिक अस्मिता के दस्तावेज हैं जिसका कोई भी हिस्सा पक्षधर या अपरीक्षणीय नहीं है। यह सन्ताप का विषय है कि इन आशयों के मूल में बसे बीजाश्रय, चिन्तन के इतिहास में अभी तक अनदेखे हैं।

क्या इसका कारण सम्पादन कर्म में उनकी सतत् उपस्थिति को ही उनका पूरा अस्तित्व मान लिया जाना है याकि पत्रकारिता के अपने स्वभाव में प्रत्यक्षता और स्फीति का जो फेन है उसके तले असली सतह का कारुणिक रूप से गायब होते जाना है? असल में डॉ. श्रोत्रिय स्वभावतः जिस जमीन पर खड़े होते हैं, उसे ही अपूर्व और अर्थवान बनाने में जी-जान से जुट जाते हैं। इसमें सन्देह नहीं कि सम्पादन

कर्म ने भी उनकी फलवती ऊर्जा का खासा हिस्सा हथियाया है। हो सकता है यह भी एक प्रकार की आलोचकीय माँग ही हो। इस कर्म में उन्हें सन्तोष मिलता हो क्योंकि बनती रचनाओं से गहरी संलग्नता अपने समय में से ही गुजरने का जबरदस्त एहसास पैदा करती है। इतने रचनाकारों के रचनात्मक उद्यम से सम्पादक का सान्निध्य बना रहता है और इतनी रचनाओं के चुनाव की जरूरतों के चलते विवेचनवृत्ति भी सक्रिय रहती है। साथ ही सभी विधाओं से ऐसी सुलभ सन्निकटता आलोचना कर्म को प्रदीप्त कर सकती है। बकौल उनके *"आलोचना मार्ग-दर्शन कर सकती है रचना नहीं, क्योंकि रचना मनोजगत की उपज है इसलिए अन्तिम या निर्णय-प्रवृत्त नहीं हो सकती।"* कहना न होगा कि उनकी ऐसी पहल से अगली पीढ़ी लाभान्वित होती है क्योंकि उनकी आलोचना विधायक तत्त्वों से सम्पन्न और दृष्टिवान है इसलिए सर्जक के लिए मार्गदर्शक। लेखक चाहे तो इस किस्म के सकारण विवेचन से अपने रचनाकर्म का नियमन कर सकता है।

डॉ. श्रोत्रिय की रचनायात्रा को देखें तो उनकी इस शुद्ध आलोचनावृत्ति में बार-बार रचनावृत्ति की ताक-झाँक और तटस्थ बौद्धिकता का अतिक्रमण कर जाने की बाध्यता दिखाई देती है। इधर प्रकाशित 'मेघदूत एक अन्तर्यात्रा' की रचना अन्तर्प्रेरणा के विस्फोट को स्वर देने के रचनात्मक दबाव में सम्भव हुई लगती है। एक ऐसी आन्तरिक बाध्यता जिसे वह स्वयं भी टाल नहीं सके हैं। दृष्टि के चुम्बक ने जहाँ-तहाँ जड़ पड़े स्वर्ण कणों की स्वयं ही उर्जस्वित करके स्वरूपबद्ध कर लिया है। फिर हाल ही में शमशेरजी और नरेशजी पर लिखी पुस्तकें भी इसी त्वरित तल्लीन प्रक्रिया की साक्षी है। इनमें दिपदिपाता रचनात्मक ताप हमें डॉ. श्रोत्रिय के रचना-व्यक्तित्व के दूसरे आयामों को खखोलने की चुनौती देता है। कैसे वह अनायास ही एक वृत्ति से दूसरी वृत्ति में तैर जाते हैं। कैसे उनका सृजनात्मक टेम्पर अपने पदचिह्नों को स्वयं ही मिटाता चलता है। उन्होंने कहीं लिखा भी है कि *"आत्मभंजन की क्रूरता और अपूर्णता का अनुभव ही लेखक को सृजक बनाता है।"* ऐसे में यह तय करना मुश्किल हो जाता है कि उनके व्यक्ति-व्यक्तित्व-कर्म में उसरता कौन-सा हिस्सा खाद है, कौन-सा फलोत्पादी; जबकि फलों के बारे में यह तय है कि जो फसल लगाते हैं वे फल नहीं खाते। यह भाग्य अगली पीढ़ियों का होता है।

रचना-आलोचना की इस ताक-झाँक और सतत् रूपान्तरण को डॉ. श्रोत्रिय बेशक 'रूपायन के शिल्प में परिवर्तन' का नाम देते हैं, पर सच तो यह है कि एक आलोचक की तरह किसी भी रचना की आन्तरिकता तक पहुँचने के लिए उनका काव्य-विवेक ही सदा उनके साथ रहा। हर किसी लेखक की रचनात्मकता की पड़ताल उन्होंने काव्य के स्पन्दित और पैने उपकरणों से की। सूक्ष्मदर्शी काव्य चेतना के रहते उनके सरोकार और चुनाव भी पूरी तरह काव्य-संलग्न ही रहे। 'कविता की

तीसरी आँख' में काव्य के मर्म को उन्होंने जिस संवेदित सघनता और सूक्ष्मता से परखा है, वह उनकी काव्यदृष्टि के वितान और तापमान को दर्शाती है। यहाँ वह उद्धृत कवियों के साँझीदार ज्यादा लगते हैं, कुछ-कुछ वैसे ही रचनात्मक ताप से भरे। कहने को यह उनका शोधग्रन्थ है, पर यहाँ उन्होंने शोधार्थीवृत्ति की सब सीमाएँ तोड़ते हुए पश्चिमी और पूर्वी चिन्तन पद्धतियों को खखोलकर आलोचनाकर्म को मौलिक ढंग से परिनिष्ठित किया बल्कि कविता का सौन्दर्यशास्त्र रचा। इस पुस्तक में वह आई.ए. रिचर्ड्स की मनीषा के समकक्ष माने गये।

मौलिकता के प्रति उनका इतना आग्रह भी इसी काव्य-प्रतिभा का लक्षण है। इसे उन्होंने अपनी पुस्तकों की अन्तर्वस्तु का केन्द्र चुनने में तो प्रयुक्त किया ही, अपनी सम्पादन दृष्टि का विस्तार करने में भी इस आग्रह का भरपूर इस्तेमाल किया। 'वागर्थ' के दौर में कितने ही स्तम्भों की नव्यतर पहल इसकी साक्षी है। आलोचना भी उन्होंने रचना के मूल संवेदन तक पहुँचने की प्रक्रिया में डूबते उतराते लिखी, —रचना की यातना की तरह, बल्कि 'रचना एक यातना है' उनकी व्यावहारिक आलोचना की एक पुस्तक है जिसे यदि उनके ही शब्द उधार लें तो वहाँ *"सर्जक की यातना भीतर पैठी हुई थी जो आलोचनात्मक लेखन में भी उस संघर्ष का अनुभव कर रहा था जो रचना और आलोचना दोनों में यक्साँ होती है।"*

नयी पीढ़ी को उनके ममत्व का बहुत बड़ा भाग मिला। उन्हें आगे लाने में उनका उत्साह, आग्रह और दायित्वबोध देखकर लगता है कि उनकी ऐसी सहवेदना अपना बचपन और कविता के इस तरह इतनी जल्दी खो जाने का ही नतीजा रहा होगा कि आलोचना में वह "एक नये या युवा रचनाकार को छूते हुए वह ताजा फूल या पंखुरी छूने का अनुभव" करते हैं और आलोचना में लालित्य की स्थापना करते हैं।

इसी अन्तर्वृत्ति ने उन्हें कथा-लेखकों की नयी पीढ़ी की ओर उन्मुख किया। इस ओर तब उनका ध्यान गया जब काव्यालोचन को लेकर उनके बारे में यह राय बन चुकी थी कि "उन्होंने रचना को प्रतिभा का आतंक दिखाने के बजाय अपनी सहृदयता दिखायी है।" 'वागर्थ' का जिम्मा लेने से पहले 'अक्षरा' के सम्पादन का जो खुला-सा खेप था उसमें एक विचार उन्हें लगातार मथता रहा था कि नये कथाकारों में विकासशील प्रवृत्तियों की जैसे उठान, गम्भीरता और परिपक्वता नजर आती है, वह समय-परिवर्तन की पदचापों के साक्षी रूप में हर तरह से उल्लेखनीय है, पर नये को हम अपना स्वीकार और प्रीतिभाव देने में कभी पहल नहीं करते। यह पहल उनके जिस दृष्टिकोण के तहत हुई, वह बहुत ही मार्मिक और उल्लेखनीय है। उन्होंने लिखा—*''नयी धारा और नये लेखक से इनकार का सिलसिला नया नहीं है। उगते ही पौधा बड़ा तो नहीं हो जाएगा लेकिन उसकी बाढ़ से यह अन्दाजा तो लगाया जा सकता है कि उसके विकास की क्या सम्भावनाएँ हैं! अगर समकालीन आलोचना यह भी न कर सके और पुराने दिग्गज लेखकों से ही नये को तौलती रहे तो उसके*

समकालीन होने का क्या मतलब है... पिछली प्रतिभाओं की तुलना में बड़ी प्रतिभाएँ भी वह प्रतिष्ठा और गौरव कहाँ पाती हैं जो उन लोगों को सहज ही मिल जाता था। आज किसी भी अतीत से बेहतर लिखा जा रहा है... एक तीखा सवाल पूछता हूँ कि इनके (नयी पीढ़ी के) प्रारम्भ को प्रेमचन्द की 'प्रेमा', 'रूठी रानी' (कहानी) या सोज़े वतन (संग्रह) वगैरह के या प्रसाद के 'छाया', 'प्रतिध्वनि' (संग्रह) आदि के प्रारम्भ के तौलने पर कौन-सा प्रारम्भ अधिक दीप्त और सम्भावनापूर्ण लगते हैं। आज तो प्रोत्साहन का वैसा युग रहा भी नहीं। पाठक भी उतना उदार नहीं रहा कि दमदार रचना के बिना नये लेखक को सह पाये। शुकदेव की तरह जवान पैदा हुए बिना नये लेखक की कोई नियति बन नहीं सकती। प्रारम्भिक यात्रा के अनगढ़ अटपटे कदमों और तुतलाती जुबान के प्रति वात्सल्य से भर जाने का युग नहीं रहा।"

इसी मंशा के तहत उन्होंने नये कथाकारों पर कथालोचन की एक शृंखला तैयार करने की सोची। कुछ लेखकों पर लेख भी लिखे। कथा-रचना को लेकर कुछ मुद्दे रेखांकित भी किये। उनके सुझाव विधायक, कोमल और दूरदर्शी थे, पर दृष्टिवान और बेबाक। यह काम अधबीच छूट गया। बाद में 'वागर्थ' के सम्पादन काल में उनकी इस महेच्छा ने नया रूप लिया। 'कथा समय' और 'कविता समय' स्तम्भों की रचना हुई। रचनाओं के आमन्त्रण के साथ-साथ रचनाकारों को भेजी जाती प्रश्नावलियों के प्रश्न इतने भेदक थे कि रचनाकार को आत्मान्वेषण के रास्ते अपनी कला और अपने समय को एक साथ देख पाने की बाध्यता की ओर धकेल सकें। इस प्रक्रिया से स्वयं लेखकों द्वारा न केवल निजी, पर साहित्य के पूरे परिदृश्य की पड़ताल सम्भव हुई। चूँकि सब पीढ़ियों के लेखक इसमें छपे थे इसलिए सम्पादकीय दृष्टि की श्रेणीबद्धता भी साथ-साथ उजागर होती दिखी। हर निर्णय की सकारणता के प्रति उन्होंने अपने को जवाबदेह माना।

फिलहाल यदि पत्रकारिता उनका चुनाव है तो कहना जरूरी है कि उस चुनाव का मूल्य 'दृष्टि' के सम्पादन के कारण है क्योंकि असली देखने को 'दृष्टि' सम्भव बनाती है। साहित्य की पत्रकारिता का संचालन एक तरह से बाजारवाद की भाषा में बाजारवाद का विरोध है जिसके चलते लगता है, पत्रकारिता ने अपने ही भीतर प्रतिकार की आत्मचेतना पैदा करने की जमीन तैयार कर ली है, नहीं तो कुछ कविताओं, कथाओं, लेखों के जमघट को जिल्दबन्द सुघड़ता में रख पाना सम्पादन के काम को निश्चय ही पूरा नहीं करता। साहित्य में हमें भाषा, व्यवहार और भाषा के फलित के पार जाकर देखना होता है, जहाँ जीवनोपयोगी मूल्यबोध के प्रसार को ठोस आधार मिलता हो। उनकी दृष्टि सदा जनधर्मी चेतना को सम्बोधित रही है पर रचना की गुणवत्ता की कीमत पर नहीं। इन दो ध्रुवों को खींचकर निकट लाने में वह आज तक अपना पुरुषार्थ खपाते आ रहे हैं।

अपने को खपाने की यह प्रक्रिया लगातार उनके साथ चलती आ रही है। उनके

जैसे कृति-समर्थ व्यक्ति साधारणतः अपनी क्षमताओं को इच्छित और वांछित दिशाओं में प्रवाहित करते हैं, पर डॉ. श्रोत्रिय हर काम आत्माहुति की तरह करते हैं; यह कहते/सोचते हुए कि *"किसी की आहुति से अच्छा कुछ बच जाए तो हर्ज़ क्या है।"* उनकी ऐसी तत्परता का कारण शायद हर चुनौती से टकराने की उनकी अन्तर्भूत 'अर्ज' या ज़िद है जो उदात्त अर्थ में संकल्पवानता की ऊर्जा बन जाती है और हाथ में लिए काम को उत्तमतम स्तर तक लाकर सम्पन्न करना चाहती है। इसका शुभ पक्ष यही रहा कि उनकी दृष्टि पूर्वाग्रह रहित, लोकोन्मुख, तुष्टिकरण या चापलूसी की व्याधि से मुक्त रही। सम्बन्ध की पीठ पर कभी उन्होंने रचना को नहीं लादा। इसमें सन्देह नहीं कि इसका लाभ आने वाली साहित्यिक पीढ़ियों को जमकर मिलेगा पर यह अनुमान लगाना मुश्किल होगा कि हम क्या खोकर क्या पा रहे हैं। अन्ततः कौन-सी उपलब्धि हमारे लिए मूल्यवान होगी।

यहाँ रुककर यह कहना भी जरूरी लग रहा है कि जो साहित्यिक पीढ़ी इधर के सालों में वयस्क हुई और मात्र उनके सम्पादन कर्म की विधायक सोच और परिष्कृत रुचि के ही रू-ब-रू रही, उसने उनकी मूल प्रतिभा को समय के इस शेषांश में ही सीमित कर दिया। ठीक उस समय जब उनके अवदान की उत्तरोत्तरता साहित्य के क्षेत्र में गहरी पहचानी जाती, वह सम्पादन के क्षेत्र में उतर गये और उतने तक सीमित करार कर दिये गये। उनके मौलिक योगदान की गुणवत्ता अप्रसारित ही रही। हमारा समय वैसे भी अजीब तरह से त्वरित, वर्तमानवादी और स्मृतिक्षयता का शिकार है। परिप्रेक्ष्य देने-पाने वाले तथ्यों को ओझल किये रहना इसका खास लक्षण है, क्योंकि परिप्रेक्ष्य उत्खनन और धीरज की माँग करता है और वह आज के कला-संस्कार से दिनोंदिन गायब होता जा रहा है पर आगे के समय को इसकी कीमत चुकानी ही होगी।

मन्नू भंडारी : इन्तज़ार में मन्नू भंडारी

इन्तजार उनके जीवन का बहुत बड़ा रूपक है। स्थितियों के सँभलने का इन्तजार। सेहतमन्द होने का इन्तजार। ध्वस्त आत्मविश्वास से उबरने का इन्तजार, लिखने तक पहुँचने का इन्तजार।

मुझे लगता है उनके मन में खास, एक अपनी तरह के जीवनक्रम की प्रतीति है। भीतर कहीं एकदम स्पष्ट है कि वह जीवन में क्या चाहती हैं, कैसा जीवन जीना चाहती हैं या चाहती रहीं, किस तरह का लेखन करना चाहती हैं। किस तरह की कथावस्तु से टकराना चाहती हैं। पढ़ने के चुनावों में वह किन कुछ मुद्दों, विषयों या लोगों को ध्यान से पढ़ती-जाँचती हैं, और उसी हिसाब से अपनी चेतना को लैस करती हैं। अपने विकल्प तक पहुँचने से पहले वह किसी भी तरह के लेखन में अपनी सृजनात्मकता को जोत देने में विश्वास नहीं करतीं, आजमायश के लिए भी नहीं। आज़मायश हो भी तो उसे उन्हीं के द्वारा निर्धारित दिशाओं में जाना होगा। यह अपनी क्षमताओं-सीमाओं का एक बहुत बड़े पैमाने पर स्वीकार है, जो अन्ततोगत्वा फलदायी ही साबित होता रहा है।

यह सब एक वयस्क किस्म की समझ के लक्षण हैं। यह समझ किसी भी व्यक्ति में गहरे-आत्मविश्वास और आत्मप्रत्यय की मजबूती के बिना पनप नहीं सकती। जीवन के पूर्वार्द्ध में उनकी परिस्थितियों और उनसे टकराव ने यह भरोसा उनके भीतर रोपा होगा। उनके विद्रोही और स्वतन्त्रचेता व्यक्तित्व को भाई-बहिनों और परिवारजन के प्रगाढ़ स्नेह सम्बन्धों ने सींचा होगा। ऐसे रोपने-सींचने से मन में एक 'आदर्श', एक स्वप्न की सृष्टि हो जाना स्वाभाविक है। यह तो सभी जानते हैं आदर्श या स्वप्न को भीतर जगह मिल जाने से हमारी सभी क्रियाएँ, हमारी सारी ऊर्जा दिशावान हो उठती है। उधर ही प्रवाहित होने लगती है। मेरी समझ में मन्नू जी मूलतः इसी धातु की बनी हुई हैं। अनुर्वरता और ध्वस्त आत्मविश्वास उनकी वास्तविकता नहीं है। मात्र लिखना ही—या उस हवाले से कोई भी कर्म या वृत्ति—किसी की भी पूरी वास्तविकता नहीं हो सकती। जीवन, अपने सारे प्रस्फुटनों और सम्भावनाओं सहित उससे बड़ी और अननुमानित सम्भावना है।

वस्तुतः उनके अन्दर एक अलग किस्म की निर्णायक मजबूती है, जिसके चेहरे को वे लगातार अपने विकल्पों के पोंछे से साफ करती रहती हैं। इसका प्रमाण उनके

जीवन के बहुत से संकटासन्न निर्णय हैं—पिता के इतने विरोध के बाद भी राजेन्द्र जी से विवाह का फैसला, फिर 35 वर्ष के लम्बे जीवनयापन के बाद भी विलगाव का फैसला, 'आपका बंटी' जैसे भावप्रवण उपन्यास के बाद 'महाभोज' जैसे राजनीतिक मंशाओं के खोट को उजागर करने वाले उपन्यास लेखन का फैसला। 'आपका बंटी' की अप्रत्याशित सफलता ने उन्हें उसी प्रारूप में ढलने नहीं दिया। ऐसे ब्यौरे उनके रोज के जीवन में बहुतेरे मिल जाएँगे, मैंने कुछ महत्त्वसिद्ध ही गिनाये हैं।

वह बाहर से अटपटायी जरूर रहती हैं, पर उनकी निकटता में रहने वाले लोग जानते हैं कि उनके संकल्प दिशावान और स्पष्ट हैं। उनके मन में स्वीकार्य-अस्वीकार्य की चेतना भी सुस्पष्ट है, चाहे वह अपने को लेकर हो या अन्यों को लेकर या जीवनयापन के किसी दूसरे पक्ष से सम्बन्धित। इसके चलते जो सुथरापन जीवन में आता है वह उनके लेखन और जीवन दोनों को उद्घाटित करता है। वह साफ सोचती हैं और अपनी मूल्यसंहिता के अनुसार आचरण करती और उसी तरह की आचरण परकता की वकालत भी करती हैं।

अगर उनके संसर्ग में रहना हो, जैसी कि मेरी स्थिति-नियति है, और अधिकांशतः उनकी प्रगल्भता (मेरी भी) के दरपेश होना होता रहे तो वे बेहद क्षुब्ध, अपने से अप्रसन्न, सन्त्रास और सन्ताप से विचलित इंसान लगेंगी, बेशक इसका मुख्य कारण होगा उनका स्वास्थ्य और इतने लम्बे समय तक लेखन से विलगाव की पीड़ा। उनका तथाकथित अन्तिम रचनात्मक प्रयास 'महाभोज' 1979 में छपा था, उसके बाद पुस्तकों के इतने संस्करण, देशी-विदेशी भाषाओं में अनगिनत अनुवाद, कथा समग्र, पटकथाएँ, नाट्य-रूपान्तरण तथा फिल्में बनीं पर यह सब होना उन्हें होना नहीं लगता। वह जहाँ पहुँचना चाहती रहीं, वहाँ नहीं पहुँचीं तो अपने मतानुसार कहीं नहीं पहुँचीं। यह विकीर्णता शायद उन्हें नहीं भायी। अपने से लड़ाई सतत् जारी रही अब तक है। इस दिशा में अपेक्षा रखने वाले पाठक समाज का दोष भी कुछ कम नहीं, जिसे वही और वैसी ही निर्मितियाँ चाहिए जिसे लेखक गढ़-बनाकर आगे जा चुका है। सफलतापूर्वक रास्ता पार कर चुका है, पर उन्हें लेखक से उसी तेवर और मुद्रा में लौटने की माँग और अपेक्षा है। अपेक्षा की यह घुमड़न किस तरह का तूमार बाँधती है, इससे लेखक समाज अपरिचित नहीं है। मन्नू जी की चित्ति में यह अपेक्षा किस दूरी तक दाखिल है, मेरे लिए जान पाना कठिन है, पर अपने से उनका जवाब-तलब सतत् जारी है। यह क्या कि लेखन इतने बड़े-बड़े उत्सर्ग तो माँगे पर इच्छित को देने से बिदक जाये।

उनकी स्थिति में कोई भी होता तो उसे इच्छित-आकांक्षित से यह दूरी असह्य लगती जबकि उन्होंने तो एक स्वर्णिम युग देखा है। उनके मन में उनका अपना ही अतीत हिलोरें लेता है, जिसमें वह बैठे-ठाले, भागते-दौड़ते, सोते-जागते गृहस्थ हाथों

से सब कुछ सम्भव कर लेती थीं। नौकरी, गिरस्ती, बच्ची, परिवार, मेल-जोल के बावजूद फिर भी लिख लेती थीं अनायास। एक बेहद किस्म की निरायसता। अँखुए फूटे रहते थे मन में। जो लिख लेती थीं उसे दरकिनार करती थीं, जो गूँजता रहता था, उसे डायरी में थीम की तरह नोट कर लेती थीं—फिर कभी लिखने के लिए। लिखे-छपे की गूँजें-प्रतिगूँजें उन तक लौट-लौटकर आती थीं, रिझाती थीं। एक रिश्ता बनता था। पाठक-लेखक के बीच एक उष्ण जमीन बिछी थी तिस पर 'एक इंच मुस्कान' जैसी प्रयोगशील कृतियाँ। राजेन्द्र, कमलेश्वर, मोहन राकेश जैसों के बीच होने की स्निग्ध सम्भव प्रतीति। भरपूर आदान-प्रदान, आत्मीयता, निकटता, फिर भी आश्चर्य हो सकता है वह वहाँ रहकर भी एक तरह से अछूती ही रहीं। इतिहास में लिखे जाने की उन लोगों की योजनागत सक्रियताओं और प्राथमिकताओं से विलग रहीं। उन अवसरों का अभ्यान्तरीकरण नहीं किया। अपनी तरह के जीने-लिखने को प्रश्रय दिया। यहाँ भी उनकी चयनधर्मिता और स्वायत्त-चेतना प्रमुख रही। वे जहाँ से जितना भर चाहती हैं, उतना ही लेती हैं। लालच उन्हें नहीं व्यापता। यह मानसिकता उनमें सहज है—स्वभावगत। इस स्वभावगत विशिष्टता के बहुत से निजी-अनिजी पहलू हैं जिसे उनके साथ रहते हजारों प्रस्फुटनों में देखा जा सकता है। यह सविकल्प मानसिकता उन्हें अवसरवादिता की कीच से परे रखती है। एक स्वतन्त्रचेता होने की भूमिका में अवस्थित करती है।

इस सिलसिले में एक बात याद आती है। जनवादी लेखक संघ की किसी सभा में मैं उनके साथ गयी थी—राजेन्द्र जी, मन्नू जी और मैं। वहाँ हॉल में प्रवेश से पहले सदस्यता (याकि उसके नवीकरण?) का फार्म भरवाया गया जो मैंने नहीं भरा। मन्नू जी ने भरा या नहीं, मुझे याद नहीं। मीटिंग में बहुत-से भाषण हुए। समय और साहित्य को नाथने के मुद्दों पर बहुत-सी बातचीत हुई। राजेन्द्री जी पहले से स्टेज पर थे, मैं और मन्नू जी पहली पंक्ति में बैठे थे। सत्र समाप्त हो जाने पर राजेन्द्र जी को जनवादी लेखक संघ का सचिव (याकि महासचिव) घोषित किया गया। राजेन्द्र जी ने अनुग्रह आभार सहित स्वीकारा। देर तक तालियाँ बजीं। राजेन्द्र जी ने अपनी दिशादृष्टि स्पष्ट करता भाषण दिया। फिर बधाई-अभिनन्दन चला। उसी समय मन्नू जी से कुछ कहने के लिए कहा गया। वह तपाक से उठीं, स्टेज पर गयीं। शुरू की औपचारिकताओं के बाद बोलीं, "मैं लेखन के मामले में अपने को स्वतन्त्र मानती हूँ। मुझे इस संघ का सदस्य न माना जाये। मैं किसी वाद के दायरे में बँधना नहीं चाहती। मैं पूरी तरह स्वतन्त्र हूँ।" शायद उनसे ऐसी अपेक्षा नहीं रही होगी इसलिए सन्नाटा छा गया, याकि इतने शोर-शराबे के बाद सन्नाटा गहरा लगा। तब से अब तक वह अपने विश्वास में अडिग हैं।

निजी स्तर पर यह चेतना कुछ दूसरा रूप लेती है। तब वे सामने वाली पंक्ति में होती हैं। इसका प्रमुख उदाहरण उनका अपनी एकमात्र सन्तान के प्रति रवैया है,

जहाँ सम्बन्ध की निजता जकड़न बन सकती है। (उनकी यन्त्रणापूर्ण स्थितियों में तो और भी ज्यादा) अपनी किन्हीं असहमतियों के बावजूद उन्होंने टिंकू (बेटी) के चुनावों का आदर ही किया है। अपनी अधीर-कातर जीवनस्थितियों में भी वह उन भावात्मक आधारों का सहारा नहीं लेतीं। शायद इसीलिए किन्हीं चुनिन्दा मित्रों के पास-दूर रहती हैं, जहाँ चुनाव-विलगाव की जीवनशैली सम्भव बनी रह सके। जहाँ सब कुछ ऐच्छिक और मनोनीत हो। बहुत प्रगाढ़ रागबन्धों वाले अपने पितृ परिवार से उष्णता, नेहशीलता, सम्पोषण तो दिया-पाया पर उन्हें बन्धन नहीं बनाया। त्रासदी यह कि बन्धन की जहाँ चाहत थी, जहाँ से सब कुछ चाहिए था, वही छोर उन्हें निर्बन्ध मिला और इस एहसास को भीतर उतारते भी उन्हें सालों लगे। उनके भीतर एक मजबूत स्वत्व साँस लेता है जो बेशक किन्हीं जीवनस्थितियों के चलते विलाप-सन्ताप की चीकट से लिसलिसाया रहता है। इतना कि अपना मौलिक, मुक्त, अपनापा भी उन्हें भूल-सा जाता है। मैं उन्हें गहरे आदरभाव व अदम्य उत्सुकता से ताका करती हूँ। मेरा उगना साहित्य में तब हुआ जब वह एक जमी-जमायी चौकी पर आसीन थीं। स्नेह-स्वीकृति का हाथ बढ़ाने की उनकी उदारता ने कुछ ऐसी पीठ ठोंकी कि यह रिश्ता अभी तक कायम है (चश्मे बद्दूर) किसी प्रकार का लेन-देन, लाभ-हानि का गणित न होने ने स्थायित्व की जमीन साफ रखी। कहना अच्छा लग रहा है कि सम्बन्ध की प्रगाढ़ता के बावजूद मुक्त हवा हमारे बीच आती जाती है।

कई बार मुझे उनकी आत्मीय मित्र होने पर अफसोस होता है। ऐसी मित्र जिसे वह सब कुछ सारे दुख-सुख कह सकती रहीं। यह जानी हुई बात है कि जिस किसी सम्बन्ध में कह सकने की छूट हो वहाँ दुख ही दुख कहे जाए जाने की स्थिति बन आती है। दुख को पिघलने, बिछने के लिए कोई मुकाम तो चाहिए। उनके कष्ट बहुपरती हैं—सृजन की नदी में निर्भीक पैर न डाल पाने का दुख, असाध्य और पीड़क रोग के शिकंजे में आँखों और स्नायुतन्त्र के जकड़े जाने का दुख, अकेले रहने से लगातार प्रबन्धन प्रपंच (बिजली, पानी, फोन; टूट-फूट, रंग-रोगन, वाहन आदि-आदि) में फँसे रहने के दुख, हालाँकि वे इन्हें दुख नहीं कहतीं। काल के जबड़े में अपने हिस्से के समय का ग्रास बन जाना कहती हैं या ऐसा समझती हैं। विरक्त वह नहीं हैं सृजन से, गहरे स्तर पर निराश-हताश भी नहीं हैं। वह हारती हैं, असहाय महसूस करती हैं मर्मान्तक पीड़ा वाले रोग के अप्रत्याशित हमलों से, लगातार की इस लड़ाई से, रोग की ईंटों से बनी सुरंग के अँधेरे में लगातार चलते रहने से। उनका दुर्दमनीय आत्म उनके अपने ही हाथों घायल होता रहता है। नहीं तो एक कथाकार बखूबी जानता है कि कहानियाँ, स्थितियाँ, प्रसंग, पात्र चारों ओर पग-पग पर बिखरे पड़े हैं। कोई चाहे तो दिन में 4-4 कहानियों की परिकल्पना को कथा-रस में बाँधने का आश्वासन अपने को दे सकता है। कथाकार के लिए तो सामने पसरे जीवन में

साक्षात् बुलावे का माहौल है, वह भी मन्नू भंडारी जैसी कथाकार जो साधारणता में से कथा-रस निचोड़ लेने में माहिर हैं, परन्तु जैसा कि मैंने पहले कहा, उनकी परिपक्वता एक खास तरह के बुलावे और इन्तजार में तल्लीन रहना चाहती है। वह कुछ भी, कैसा भी लिखकर किनारा नहीं कर लेना चाहतीं। किसी रचना के पूरे प्रतिरूप को मानसिक रूप से आद्यन्त देख लेने से पहले वह कदम नहीं उठातीं। तब तक वह अपने को लैस करती हैं। शायद इसीलिए रचना पर उनकी पकड़ जमी हुई और निश्चित प्रभाव वाली होती है। अनिश्चयों के बीच आवाजाही करना शायद मेरे जैसे लेखकों के जिम्मे हैं।

देश के सूरतेहाल, राजनीतिक पक्षधरताएँ, सत्ता के असन्तुलन, राष्ट्रीय मुद्दों की हर काट, क्रिकेट के खेल तक में उनकी गहरी रुचि है। यह सब उन्हें विरासत में भी मिला है यह एक दीगर बात है। मुझे लगता है वह अपनी ऐसी रुचियों-रुझानों में से ही अपना रचनात्मक सत्य खोजना चाहती हैं। जिस खोज का एक पुष्ट प्रमाण उनकी रचनात्मक परिणति 'महाभोज' है। उनके जीवनयापन, उनकी बातचीन, उनकी मृदुलता, विनम्रता, सादगी किन्हीं क्रूशल बातों पर खामोशी के चलते यह अन्दाज लगाना मुश्किल होता है कि उनकी 'तीसरी आँख' कहाँ देख रही है या क्या देखना चाहती है। कौन जाने रेत के ढेर में से कब सोने के कण उछर आएँ। वह भीतर से कितनी सतर्क, निर्भय, सचेत, उत्सुक और जिज्ञासु हैं, इसका अन्दाजा उनसे बहुत बार बल्कि कई-कई बार मिलकर ही लगाया जा सकता है।

अपनी लेखक पीढ़ी में वह सबसे अधिक पढ़ी और पढ़ायी जाने वाली लेखक रही हैं। बेशक इसका कारण कथावस्तु के प्रोजेक्शन की उनकी विधि, पठनीयता और बेहद सादा-सा दीखता मुहावरा और भाषा-व्यवहार है। इसी सादगी को पाने के लिए वह कितनी सचेत हैं, यह ध्यान देने की बात है। पाठ की समरस तटस्थता को पाना शायद उनकी संरचनात्मक वरीयता है। भावावेग को वह भावुकता के हवाले नहीं करतीं। उनकी तैयार भाषा पर ध्यान दें तो कहीं से भी जरा-सा लचरपन, ढिलाव, कोई सुराख किसी प्रकार की दुर्बोधता या अर्थहानि दिखाई नहीं पड़ेगी। हर शब्द अपने अर्थ की चौकी पर स्थिर होकर बैठा है। इस अर्थ में उनकी टेक्स्ट की सादगी भ्रामक है। यह सादगी किसी भाषिक मर्यादा के कारण नहीं, पर भाषा और संवेदना के गठजोड़ में पाठ के ऐसा ही होने देने में विश्वास का प्रतिफल है। अक्सर मेरे या अर्चना वर्मा के रचित-पाठ की जटिलता से वे ऊबती-उलझती हैं। उसकी एक-एक अर्थध्वनि को जानना चाहती हैं (जानने की उनकी क्षुधा तीखी है) पर पाठ के रंग-रूप से खिसियाकर, आत्मीयता के चलते थोड़ा गाली-गलौज के बाद हम दोनों से छुट्टी पा लेती हैं। वह जिन चीजों के बारे में लिखती हैं, उनकी प्रामाणिकता को पाने के लिए वे ख़ासी दूरगामी खोजबीन में लगती हैं। जरूरत के आत्यन्तिक दबाव के बावजूद वह जल्दबाजी में तथ्यों को आगे खिसकाना-सरकाना नहीं चाहतीं, अटकी

रहती हैं जब तक पूरे तथ्य हाथ नहीं लग जाते। 'एक कहानी यह भी' लिखते समय किन्हीं (पूरे पाठ में शायद दो प्रतिशत) तथ्यों की प्रामाणिकता को पाने के लिए उनका धैर्य, पड़ताल, ईमानदारी, वस्तुपरकता मुझे एक हठ की तरह दिखाई पड़ती रही थी।

एक व्यक्ति या लेखक की तरह उनकी नैतिक चेतना मजबूत रेशों वाली है। नैतिकता प्रत्यय निरपेक्ष रूप से क्या है, इस पर निरपेक्ष रूप से प्रश्न उठाना मुझे बेजा लगता है। व्यक्ति के सन्दर्भ में नैतिक को उसके निर्धारित मूल्यबोध की सीध में देखना पड़ेगा। वहीं कहीं, उसके निर्धारित और प्रतिफलित, कथनी और करनी के बीच फासले की जमीन पर बहुत कुछ तय होता है। सवाल इस बात का उठता है कि किसी के निर्धारित मूल्य क्या हैं, और वह उन्हें कितनी गम्भीरता से लेता है। करनी और कथनी को किस दूरी तक एक ही केन्द्र में समाहित करने का यत्न करता है। मन्नू जी इस बारे में स्पष्ट हैं। बकौल उनके "वह जिन मूल्यों, आदर्शों की बातें करता है, चारों ओर फैले प्रलोभनों को ठुकराकर खुद उस पर दृढ़ता से खड़ा रहे।"

अपने तईं बेशक वह आत्मसंशयी और आत्मालोचक हैं। अपने पर कोसने, फेंकते रहना, अपने को घायल करना, कटघरे में खड़े रखना उनकी सामान्य वृत्ति है। यह वृत्ति भी अपने से अपनी अपेक्षाओं पर खरा उतर सकने की कराह है। वे वही होने को आकुल हैं जो वह अपने से चाहती रही हैं। यह बात अलग है कि यह आत्मालोचक रवैया एक स्तर पर आत्मरक्षात्मक सिद्ध होता है। अपने को स्वयं चोभता-छेदता, नमी नरमायी में चलने वाला व्यक्ति सामने वाले को एकदम निरस्त्र कर देता है। उसकी हिंसक वृत्ति स्वतः शमित हो जाती है। मन्नू जी तो सदा अतिकथन, अतिशयोक्ति, आत्मगुग्धता से वैसे ही कोसों दूर हैं, बल्कि उनकी वास्तविकता तक पहुँचने के लिए आत्मभर्त्सना के जंगल काटकर उस स्थल तक जाना पड़ता है जहाँ उनका आत्मन जीवट और जिजीविषा से दीप्त है।

यों आत्मभर्त्सना में इस कदर लिप्त रहने की यह स्थिति भी केवल उन लोगों तक प्रकट है जो उनकी आत्मीयता के घेरे में हैं, नहीं तो लेखन में उनकी कीर्ति पाठकों के मन में अक्षुण्ण है। वह सदा से खूब पढ़ी और पढ़ायी जाने वाली लेखक हैं। अनुवादों के जरिये विदेशों का परिदृश्य भी उनके महत्त्व और महिमागाथा से शून्य नहीं है। जानकारी जुटायी जाए तो पता लगे कि 'महाभोज' महज एक किताब थी पर उसके नाट्य-रूपान्तर के अब तक सौ से ज्यादा शो हो चुके हैं। 'यही सच है' कहानी पर 'रजनीगन्धा' नाम से बनी फिल्म सिल्वर जुबली तक पहुँची थी। 'स्वामी' फिल्म अभी तक लोगों की स्मृति में टिकी है। पटकथा लेखन उनके हाथों एक वैज्ञानिक दीक्षा का दरजा पा चुका है। उसे विश्वविद्यालयों में कोर्स की तरह पढ़ाया जा रहा है। मराठी साहित्यकार उन्हें अपनी भाषा का लेखक मानते हैं। ऐसे ही अन्य देशी-विदेशी भाषाओं में उनके अनुवाद उन्हें विश्वव्यापी लेखक का दरजा देते हैं।

रचनापाठ, संवेदनतन्त्र और बृहत मानवता से संसिक्त जैसे अनिवार्य और अपूर्व गुण उनकी रचनाओं में होते होंगे, तभी तो उनके लेखकीय प्रसार की प्रक्रिया इस रफ्तार से चली है, नहीं तो गृहीता संसार खासा निर्मम है। एक ऐसे समय में जब वे इतनी सफलताओं के बावजूद, एक बेराहत भटकन, बेचैनी और लाचारगी की शिकार हैं, बल्कि अपनी खाल पर अपने ही नख घोंपते रहने पर उतारू हैं। क्या उन्हें ऐसा कुछ बताया जा सकता है कि यह क्यों जरूरी है कि कोई भी लेखक अपने जीवन और जीवन-परिस्थितियों के दबाव-तनाव को तरजीह न देकर सदा साहित्यसेवा में जुटा रहे, और लोकापवाद और लोगों की अपेक्षा जैसी वृत्तियाँ उसकी नियति का फैसला करने को बजिद रहे। एक ऐच्छिक कर्म को लेखक की स्वेच्छा पर क्यों न छोड़ा जाए। गुणवत्ता को छोड़कर निरन्तरता को मापदंड क्यों बनाया जाए।

मन्नूजी के बारे में तो शायद यह बात सर्वज्ञात न भी हो कि उनकी लाचारी, बस्तुतः इच्छा, प्रेरणा या चेतना के अवरोध की नहीं है, लाचारी है बरसों से उन्हें जकड़कर रखे पीड़क और असाध्य रोग न्यूरॉल्जिया की, आँखों में (फिर से असाध्य) ज्योतिक्षीणता की जिसके चलते लिखना-पढ़ना ही नहीं, जीना भी दूभर हो रहा है। न्यूरॉल्जिया के चलते बरसों से उनके संक्रमित हिस्से को बार-बार संज्ञाशून्य करने के लिए अल्पावधि शल्यक्रियाएँ की जाती हैं, फिर मुट्ठी-मुट्ठीभर दवाओं से शरीर की यह स्थिति कायम रखी जाती है। सुन्न करने की यह स्थिति उनकी चेतना को भी सुन्न करती है। उसके बाद आते हैं नींद के दिन-दिन भर लम्बे खेप। ऐसी घनघोर नींद से जागना उनके लिए दूसरी तरह की पीड़ा का कारण बन जाता है। अपने सामने देखते समय और मानसिकता का ऐसे खून होते रहना, और इस हत्यापराध में फिर से अपने को ही हर बार अक्षम्य पाना—स्थूल से सूक्ष्य तक का ऐसा साम्राज्य, जिसमें पीड़ा ही पीड़ा प्रजापति है। इस स्थिति का अन्तिम उपचार ब्रेन की शल्यक्रिया ही है, जहाँ तक वह अन्ततः आन पहुँची है। ऑपरेशन तो अब होना ही है परिणाम फिर चाहे जो भी हो।

यह सब कहने में लगना उनके लिए दया-अनुकम्पा बटोरना या उनका बचाव करना नहीं है, उन अन्यों को परिचित कराना है जो उनकी ऐसी लाचारी की गम्भीरता नहीं जानते और उन्हें अनुर्वरता के अभिशाप में धँसा हुआ समझते हैं। मुझे रह-रहकर लगता है मौजूदा हालात में उन पर मौखिक साक्षात्कार की विधा थोपी जानी चाहिए। प्रकाशकों (जो उनकी लोकप्रियता और बहुपठनीयता की कमाई खा रहे हैं) और पत्रिकाओं को इस दिशा में अपना दायित्व निभाना चाहिए। देह-राग-रोग के भीतर बैठी एक दीप्त आत्मा की महेच्छा अनसुनी क्यों रहे।

उनके सिवा शायद कोई नहीं जानता होगा कि वे कब से उस उपन्यास (अगर अन्य अधूरी कृतियों की बात छोड़ भी दें तो) को पूरा करने के लिए बेचैन हैं जो एक बृहत प्रश्न की तरह उनके दिमाग में जड़ जमाए बैठा है कि कैसे एक समय

में बेहद सचेत, सक्रिय लेखक पीढ़ी (बैकग्राउंड में कमलेश्वर, राकेश, राजेन्द्र) अपने उत्कर्ष तक पहुँचती है और क्योंकर 'डि-रेल' या विघटित हो जाती है। इसके पीछे कौन-कौन-से—व्यक्तिगत, राजनीतिक, सामाजिक, सांस्कृतिक—कारण रहे होंगे।

इस बीच उन्होंने एक आत्मकथात्मक पुस्तक 'एक कहानी यह भी' जैसे-तैसे पूरी की है। कई बहसतलब मुद्दों के चलते इस कृति ने अपने ही केन्द्र से उठता एक शोर रच दिया है जिसकी प्रामाणिकता भी उसी दायरे में सिद्ध-असिद्ध होने को अभिशप्त है। उस कृति का एक हिस्सा लेखकीय तटस्थता को पाने के श्रम में कुछ-कुछ निरावेग-सा हो गया है, दूसरा सक्रियता के आवेग में से नहीं, प्रतिक्रिया के आवेग में से सिरजा लगता है। कहते कुछ संकोच होता है कि आत्मकथात्मक होने के बावजूद यह कृति लेखकीय युक्तियों का इस्तेमाल तो करती है पर उनके समूचे स्वत्व का प्रतिनिधित्व नहीं करती। किसी भी रचना की तरह यहाँ भी उनकी चुनावधर्मिता प्रमुख रही है। उनके (लेखक के) लेखकीय स्वभाव के चलते कृति अभावुक, तटस्थ, प्रामाणिक और सत्यकथन में प्रवृत्त हुई लगती है। एक अर्थ में यह कृति मन्नू जी की कमायी हुई पूँजी को एक प्रश्नोत्पादी बढ़त में स्थापित करती है। यह बात प्रीति कर नहीं लगती कि पाठकों के मन में इस कृति के वही हिस्से छूटेंगे जो उनके निजी जीवन की त्रासदियों के गवाह हैं और दो लेखकों के बीच की तिक्त और आक्रामक जमीन पर खड़े रहने को बजिद हैं। ऐसा होना, करना गृहीता समाज की स्वाभाविक वृत्ति है। वह सदा सनसनी और रोमांच का भूखा है।

डॉ. प्रमोद द्विवेदी को दिये साक्षात्कार में उनके द्वारा कही जाती बहुत-सी बातें विचारणीय तो हैं ही, बीजगर्भित भी हैं। भावात्मक रूप से समृद्ध अपने व्यक्तित्व को वे सामाजिक चेतना की उड़ान और पंख देना चाहती हैं क्योंकि वह मानती हैं कि 'विद्रोह की निरन्तरता में मेरा अटूट विश्वास है।' शायद अपने चाहे हुए, निर्धारित, संकल्पित चुनावों के कृति में बुने जाने और उसके सफलतम होने में उनका पूरा विश्वास है और यह विश्वास थोथा भी नहीं है। वैसे भी उनको लेकर स्फीति का प्रश्न नहीं उठता, इसलिए उनकी खामोशी को हतविश्वास का लक्षण क्यों माना जाये। वे भीतर से सचेत, देश-दुनिया की समस्याओं के प्रति खुली हुई, उत्सुक और मानसिक रूप में संलग्न हैं। अनुकूलता पाएँ तो इन सब स्थितियों के बारे में जरूर लिखें पर उनकी हर आकांक्षा बीमारी के हमलों द्वारा दबोच ली जाती है, और किसी नयी रचना को उपार्जित-प्रकाशित न कर पाने की विकलता, अनुर्वरता (चुक गयीं) के खाते में डाल दी जाती है। यह स्थिति दुखद है।

उनकी पहली ही कहानी 'मैं हार गयी' पढ़कर मैं बेतरह चौंकी थी। इस कहानी-पाठ ने मेरे भीतर अजब रोमांच पैदा किया। लेखक नाम के जीव में एक खब्त होती है। किसी की, किसी भी रचना को पढ़ते समय संरचना में प्रयुक्त लेखकीय युक्तियों पर वह ध्यान दिये बिना नहीं रहता। मेरे साथ भी कुछ-कुछ ऐसा ही हुआ।

अपने वक्तव्य में उन्होंने इस कहानी को शुरुआत की बचकाना कहानी जरूर कहा पर मुझे इस कहानी में तीन स्तरों पर एकसाथ चलती बहुपरती जटिलता, अद्भुत कल्पनाशीलता और बुनावट देखकर घोर आश्चर्य हुआ। उन पर लगाया जाता सपाट सादगी का ठप्पा अन्यायपूर्ण लगा। पहले भी कह चुकी हूँ, उनकी रचनापाठ की सादगी भ्रामक है। वह अपने अर्थ पर बिठाये हर शब्द के साथ अविच्छिन्न हैं।

इस कहानी में तीन स्तर एक साथ दौड़ते चलते हैं और उनकी आगे की लेखन-यात्रा के बीज-पुंज कहे जा सकते हैं। काया-प्रवेश की क्षमता, कल्पनाशीलता की उड़ान, पाठ में उपार्जित तटस्थता, छिपे व्यंग्य की अन्तर्धारा और सर्वोपरि नाटकीयता तत्त्व का प्रतिपादन। अपनी पहली ही कृति में वह नाटकमयी हो गयी हैं, कुछ-कुछ ऐसी ही प्रतीति उनका नाटक 'बिना दीवारों का घर' देखकर हुई थी। इन मुख्य तत्त्वों के अतिरिक्त नैतिक सचेतता का एहसास, नेता का आचरण भाई-भतीजावाद तक के जिक्र के छींटे। यह सब तत्त्व उनकी बाद की लेखन-यात्रा में बखूबी पनपे हैं। कह सकती हूँ इस कहानी को पढ़ना मेरे लिए, (उनको लेकर) एक शिक्षण का अवसर सिद्ध हुआ।

अन्ततः, उनके आत्मकथनों का सहारा लें, उनके देह-धर्म को सामने रखें, साहित्यिक परिदृश्य पर उनकी मौजूदगी को देखें तो वे एक पस्त हौसला, अनुपस्थित इंसान लगेंगी जबकि सच्चाई इसके विपरीत है। मेरी समझ में अपने को छोटा कहकर अवचेतन रूप से वह अपने गिर्द एक कवच तैयार कर लेती हैं, जो उन्हें आघात की शिद्दत से बचा ले जा सकता है। यहाँ तक तो ठीक है पर उनकी कुछ चीजें उबाती भी हैं, लगातार अपने को कोसना, नकारात्मक कथनों का घोल पिलाते रहना। ऐसा कहते-सुनते वह जिस तरह की यन्त्रणा से गुजर रही होती हैं, उस समय बेदर्द होकर या मसीहाई मुद्रा में उन पर झिड़कती-सी जुमलेबाजी तारी करना गलत हो सकता है नहीं तो उन्हें कहने की इच्छा होती है कि जिस मिट्टी की आप बनी हैं उसे पोंछ-चमकाकर तो देखिए। नकारात्मक सोच की परत-दर-परत आवृत्तियों की अवहेलना करके तो दखिए, जो किया, वह बाखूबी किया, जो नहीं हुआ, उसे होना नहीं था। अधूरेपन, अतृप्ति की अनुभूति रचनाकार की नियति है, जो बहुत कुछ हो जाने के बाद भी होती ही होती है, सतत् बनी रहती है। हम सब अभिव्यक्ति के सातत्य की, शृंखला की एक कड़ी हैं उसे इसी दृष्टिकोण से देखना स्वस्तिकर होगा। यों मैं उतना ठीक से नहीं जानती कि जो कुछ वह लिखना चाहती हैं, वह क्या है—अधूरे को पूरा करना या नये गलियारों में से दृष्टिवान होकर गुजरना। स्थिति कोई भी हो, असमर्थता के एहसास के साथ किसी भी स्थिति में से गुजरना दमघोटू हो सकता है, इसे समझा जा सकता है।

उनके बारे में बहुत कुछ जानती हूँ फिर भी नहीं जानती—इतना जानती हूँ कि उनके आसपास का कोई भी क्षण मृत्युबोध से डरा हुआ नहीं है, जिजीविषा और

प्राणवत्ता का हिमायती है। जिस तटस्थ भाव से वह अपनी विरासत (बेटी) को देखती हैं वह इस अनकहे रहस्य को उजागर करता है। उनकी करुणा-कृपालुता के घेरे में कई लोग हैं—कई स्कूल, कई बच्चे, कई जरूरतमन्द इंसान जिनका नाम-पता मुझे मालूम नहीं है। ऐसी बातें, यों ही अचानक प्रसंगवश मेरी जानकारी में आ जाती हैं। कभी बताया-जताया नहीं गया। एक चादर की तरह ओढ़ाया जाता ओढ़न मुझे दिखाई देता है।

एक लम्बी आसंगता के बावजूद हम लोगों के अपने-अपने वजूद, अपना स्पेस, अपनी वरीयताएँ, अपनी निजता पूरी तरह सुरक्षित है। निकटता ने उसे ध्वस्त नहीं किया है। उनका वश चले और देह-दर्द के पीड़न से रत्तीभर भी मुक्त हों तो वह मुझसे एक ही बारे में बात करना चाहेंगी। एक ही छोर पर सम्पृक्त होना चाहेंगी—वह छोर है साहित्य। वह चाहती हैं ऐसे प्रसारी आलोक से वह अत्याचारी शून्य भरा जाए जिसमें उनकी आकांक्षाओं, अपेक्षाओं की तेजस्विता जाग रही हो, उस तनाव की नहीं जो हर घड़ी परनाला बनकर बहने के लिए तैयार हो जाता है। उनकी इच्छा-अपेक्षा की रागिनी ही परिव्याप्त रहे, चाहे अतृप्ति की उदास लय भी साथ ही बजती रहे। यह महत् इच्छा भी कुछ कमतर तो नहीं। यह तृषा भी दिशावानता का ही दूसरा छोर है जो जिन्दगी की धड़कन में विश्वास का पर्याय है। इस जीवेष्णा में वे स्थापित हैं, रहेंगी भी, सदा रहें, यह मेरी कामना ही नहीं, उनकी वास्तविकता भी उतनी ही है।

शैलेश मटियानी : महाप्राण नायक

शैलेश जी पर लिखने के लिए प्रस्तुत होते ही पहले तो अपनी असमर्थता का एहसास हुआ फिर आश्चर्य हाथ लगा। उनसे अपने सम्पर्क के बिन्दुओं की तलाश में पीछे जाते, समय की लम्बाई में से औपचारिकता-व्यावहारिकता के समय को घटाते, कुल जमा 10-12 घण्टे ही हाथ लगे जिन्हें किसी तरह से सचेत या स्मरणीय कहा जा सके। लगा, तब फिर लिखने का आधार क्या बनेगा—जहाँ तहाँ कुछ मुलाकातें, कुछ पत्रों का आदान-प्रदान, 'विकल्प' के सम्पादक का रचना आग्रह, एक नये लेखक को अपने शुरुआती दौर में एक अनुभवी लेखक द्वारा दिये जाते सदाशयी चुटीले निर्देश।

मैंने जब लिखना शुरू किया था शैलेश जी अपने उत्कर्ष पर थे, अपने संघर्ष के बीचों-बीच पूरी-तरह परिदृश्य पर विराजमान। उनकी उपस्थिति एक जबरदस्त उपस्थिति थी। उनकी अचूक ऊर्जावानता देखने वाले को इतना हिलाती थी कि उस शक्ति स्रोत की जड़ तक देख आने के लिए मन ललकता रहता था जैसे कि वहीं कहीं उस नैसर्गिक शक्तिमता और सृजनात्मक अक्षयता का सार छिपा हो। वह किन परिस्थितियों में जी रहे हैं यह बात जगजाहिर थी। लग रहा था जिन परिस्थितियों में कोई टूटता है वही स्थितियाँ उनकी सृजनात्मकता को बल दे रही हैं। उनकी लिखी 'लेखक की हैसियत से' पुस्तक को पढ़ना तो मेरे लिए एक अपूर्व अनुभव ही था। मुझे लगा था किसी लेखक को व्यक्तिगत रूप से जानना उतना अर्थ नहीं रखता, जितना यह जानना कि वह अपनी रचनात्मकता को लेकर किन आस्थाओं, निष्ठाओं, प्रयासों, प्रश्नों को व्यक्त करने के लिए, अपने चैतन्य रूप में हमारे बीच उपस्थित है। शायद वही असली बात है। सम्पर्क या परिचय की दलील वहाँ कुछ अर्थ नहीं रखती। जीवन और लेखन के चौड़े पाट पर खतरनाक तरीके से तानी जाती संकल्पबद्धता और मसिजीवी की निष्ठा के साथ शैलेश जी साहित्य में सदा उपस्थित जैसे हैं। इतने उपन्यास, इतने कहानी संग्रह, इतना साहित्यिक, सामयिक, आत्मपरक लेखन, अन्ततः उतना ही ब्रह्म-चिन्तन। उनको लेकर कुछ ऐसी प्रतीति कि दिमाग के रन्ध्र खुल जाने के बाद भी अचेत की दरारों के बीच खड़े होकर लिखा जा सकता है। शायद उनके जीवन में यह अचम्भा आत्मशिक्षण की पाठशाला में आजन्म अपने को जोते रखने के कारण सम्भव हुआ।

आत्मशिक्षण उनके जीवन का उतना ही अपूर्व और उतना ही आतंककारी पक्ष रहा। नीचे लिखी पंक्तियाँ श्लाघा से ज्यादा थरथराहट पैदा करती हैं, जिनकी रोशनी में जीवन-यापन से पाया ऐसा विवेक चकित करता है:-

"अपनी परिस्थिति में—बकरी की खाल उतारते, बोटियाँ काटते या कीमा कूटते हुए, अपनी संवेदना और चैतन्य में से लेखक होने का निर्णय लेना...मेरे लिए मनुष्य होने का प्रारम्भ था। तब से यह दर्प मेरे भीतर मौजूद रहा कि 'मैं क्या हूँ' और मुझे क्या करना चाहिए; यह निर्णय या तो मैं अपने हाथ में रखूँगा या सिर्फ उसके जिसके निर्णय से मैं मनुष्य हुआ हूँ। मैं रचा गया हूँ। मेरी दृष्टि में माता-पिता के मैथुन की परिणति के आगे अपने होने के कारण को अनुभव न करा पाना...अन्धता है।"

यह अन्तर्निहित ऊर्जा उनके स्वत्व में निहित न होती तो बिना किसी औपचारिक शिक्षा के अपनी साधनहीन अनगढ़ता को रचनात्मक उद्यम से रेशा-रेशा काटकर वह वहाँ तक नहीं पहुँच सकते थे; जहाँ और जिस तरह वह हमारे बीच स्थापित थे। जिन्होंने 'खराद पर जीवन' शीर्षक से लिखे जाते उनके जीवनवृत को पढ़ा है और उनकी रचना-सृष्टि को देखा है वह जीवन के पूर्वार्द्ध और उत्तरार्द्ध के फलागम पर चकित ही हो सकते हैं। शैलेश जी का जीवन विखंडित बचपन और सृजनाकुल वयस्कता के बीच किसी तर्कसंगत अन्विति को सिद्ध करने के लिए हमारे लिए सदा चुनौती बना रहा और रहेगा। उनमें विसंगतियाँ और उपलब्धियाँ, उन्मुक्तता की इच्छा और बन्धनों की वास्तविकता, रचनात्मक परिष्कार या याचक की गलाजत एकसाथ, एक ही समय और देशकाल में साथ-साथ भिड़ती रहीं। सच तो यह है कि उनके जीवन के केन्द्र में ही एक ट्रेजेडी निहित थी क्योंकि उनकी चेतना में एक विकट किस्म के आत्मसंघर्ष की मंशा जाग रही थी। वे सब विषमताएँ और विसंगतियाँ जो उनकी जीवनस्थिति से मेल नहीं खाती थीं, वहीं, उनके संकल्पों, जिदों, इरादों की बीहड़ विकल्पहीनता को बार-बार रेखांकित करती थीं। आजन्म मसिजीवी रहने के संकल्प का अर्थ था—दैन्यता की गलाजत में से चेतना के उत्कर्ष तक पहुँचने का साहस रखना। इसका यह भी अर्थ था—निहायत सामान्य व्यक्ति होने में से पहले तो लेखक हो सकने के आत्मसंघर्ष को झेलना, फिर लेखन द्वारा मनुष्यता के मर्म को छू सकने के संघर्ष में खुद को झोंकना। इन दो ध्रुवान्तों के बीच की खतरनाक लम्बाई को समझे बिना उनके जीवन-दर्शन को नहीं समझा जा सकता।

याद आता है कि बरसों पहले उपन्यासकार पानू खोलिया ('सत्तर पार के शिखर' के लेखक) से पत्राचार के दौरान शैलेश जी को लेकर यह मुद्दा एकाएक संवाद के केन्द्र में आ गया था कि वह क्या है जो जीवन के इतना लहूलुहान होने के बाद भी किसी को जूझते रहने और अपने रास्ते पर कायम रहने की ताकत देता है। नतीजा जो निकला था वह कोई नया या आश्चर्यजनक नहीं था पर शैलेश जी के

पूरे जीवनक्रम पर रोशनी डालने वाला जरूर था। वह यह कि साहित्य उन्हें जो सार्थकताबोध दे रहा था वह उनकी जीवनस्थिति में, कही और से नहीं मिल सकता था, इसीलिए साहित्य ही उनका शरण्य, वही उनकी कर्मभूमि, और उसी ओर दौड़ती उनकी सारी ऊर्जा, उनकी वृत्ति—प्रवृत्ति। यहीं इसी बिन्दु पर खड़े होकर उनके जुझारूपन, उनकी एकान्तनिष्ठा और दिन-प्रतिदिन जिद में बदलती जाती संकल्पशीलता को रेखांकित किया जा सकता है। वह इस आशय को बार-बार दोहराते रहे थे कि—

"मैं चाहता हूँ मृत्यु के अतिरिक्त कोई मेरी जिद को समाप्त न कर सके। मेरी जिद यही है कि मैं अपने निकट वही रहूँ जो मैं होना चाहता रहा हूँ।"

'होना चाहने' को लेकर जिद जिन्दगी से बहुत बड़ी माँग है; फिर लेखन-कर्म तो अपने आप से उससे भी बड़ी माँग, क्योंकि लेखन हमारा एक ही हिस्सा नहीं माँगता, हमारी पूरी मनस्विता, हमारा पूरा स्वत्व, हमारा पूरा अस्तित्व ही माँगता है। इतना ही नहीं लिखने वाली चेतना—अतीत, वर्तमान, भविष्य—तीनों कालों में हाथ डालती हुई कालातीत भी होना चाहती है। लेखन-कर्म और जीवन यापन वैसे भी एक कठिन समीकरण में एक दूसरे के रू-ब-रू खड़े होते हैं; तिस पर शैलेश जी जैसा साधनविपन्न जीवन। चाहे वह लगातार इस बात को कहते रहे कि विपन्नता ही जीवन को नहीं तोड़ती, सम्पन्नता भी व्यक्ति को कुन्द करती है। यों तटस्थ दृष्टि से देखा जाय तो सम्पन्नता और कुछ न भी कर सके तो लेखक को ज्यादा आजादी, ज्यादा स्पेस तो देती ही है, पर शैलेश जी के हिसाब से—

"लेखक यदि लेखकीय आचरण और विवेक में रहे तो कठिनाइयों को भी अनुभवों में बदल लेता है, समृद्ध होता है... संघर्ष करने की यातनाओं से पलायन करना—विपन्नता या सम्पन्नता—दोनों स्थितियों में कलावंचना में झोंकता है।"

आजन्म दोहराये जाते यह शब्द शैलेश जी के लिए कभी शब्द मात्र नहीं रहे, सतत् आजमाये जाने की चुनौती बने रहे।

हमारे इस युग में पता नहीं कितने ऐसे होंगे जो उनकी कमाई के इस सत्य के मर्म और उसकी सूक्ष्मता को समझ सकने की इच्छा रखते होंगे जिसे वह दोहरा-दोहरा कर कहते रहे कि—

"लेखक हो पाने का एहसास यदि कला को पा सकने से पहले ही आ जाता है तो लेखक को ले डूबता है।"

यहाँ ये सब बातें यानी कि—'लेखक' के और 'कला' के अपने अर्थ और इन दोनों के बीच की जमीन को चुनौती देता फासला, सभी विचारणीय बातें हैं। शैलेश जी के लेखन की निरन्तरता इन दोनों ध्रुवों के बीच एक उर्वर मनोयोग में दौड़ती रही थी। इस प्रक्रिया में लेखन को कला में परिणत करने के जितने भी उपकरण थे—अनुभव, भाषा, अभिव्यक्ति क्षमता, सृजन प्रक्रिया—इन सब मुद्दों पर उन्होंने सोचा। उन्हें चीर-फाड़कर कसौटियों पर परख-परखकर देखा। दृष्टान्त जो दिये वह

उनके जीवन की भट्टी में तपे हुए थे। वह कुर्सी पर बैठे का वाग्विलास नहीं था। इतना भोगने और सहने के बाद भी उनकी सृजनशीलता यदि कायम रही तो वह उनकी आस्था और मंशा के स्रोतों की अक्षयता को प्रमाणित करती है। शुरू से आखिर तक उनका एक भी कथन ऐसा नहीं मिलता जिसके बीजसूत्र उनके आरम्भिक चिन्तन में मौजूद न रहे हों। आत्मशिक्षण के सहारे उस ऊँचाई तक जाता व्यक्ति जीवन-विवेक के सारांश को सहज ही उद्घाटित करता चलता है। लेखकीय निष्ठा के सवाल पर उनके देहमन में कोई फाँक नहीं थी। सृजनशीलता के आचरण और व्यवहार को लेकर उनमें किसी प्रकार का दुचित्तापन नहीं था। उनका चिन्तन शुरू से आज तक बिना किसी दुविधा या विचलन के एक सीध में जाता दिखाई देता है—आस्था, आस्तिकता, निष्ठा, संकल्पवानता और सहनशीलता। जैसे-जैसे समय बीतता गया, शाखाओं-प्रशाखाओं में फलता फूलता, व्यापकतर होता उनका चिन्तन देखकर लगने लगा था कि अभी तक तो उनका पैरहन बोल रहा था अब उनका 'अस्तर' बोल रहा है। जीवन के उतरार्द्ध में महाकार लेती उनकी धार्मिक आस्थाएँ भी उनकी चेतना में सदा से मौजूद थीं। सन् 1974 में वे लिख रहे थे—

"सारे जगत को सियाराममय जानना ही मनुष्यमात्र पर अपने विश्वास को पाना और जीवन की तमाम यन्त्रणाओं के बावजूद अपनी आस्था की अगाधता में रहने की कला को पा सकना है।"

अर्थात्, जो कुछ उनके भीतर न्यस्त था, वही गाहे-बेगाहे शब्द बदल-बदलकर बाहर आ रहा था। अपनी जो पहिचान उन्होंने पानी चाही, वह पायी तो जरूर, पर उसकी पूरी कीमत भी उन्हें चुकानी हुई। सब जानते हैं उनका जीवन बहुत से अर्थों में मानवीय नहीं, नारकीय था। उनके अपने जीवट के अलावा वहाँ कुछ भी समतल नहीं था। सबकुछ विषम ही विषम था। लेखन भी साधन जुटाने की बदहवासी के तनाव-दबाव में ही लिखा जाता रहा। इस बदहवासी में भी यदि उनकी पुस्तकें साहित्यिक मापदंडों पर कमतर नहीं रहीं तो उनका सीधा सम्बन्ध आत्मिक और हार्दिक स्रोतों से था जो सदा ही उनके भीतर अविचलित और निर्विकल्प रहे होंगे। जीवन और साहित्य—इन दो ध्रुवों के बीच खिंचे तनाव में एक खतरनाक सन्तुलन में खड़े रहने की परीक्षा थी जिसे शैलेश जी ने आजन्म ढोया। तो फिर क्या उनके पास कोई दूसरा विकल्प था? पहले कह चुकी हूँ कि दूसरे किसी विकल्प की शरण में जाने का उनके भीतर एक जबरदस्त इनकार था, अपनी स्थितियों की दारुणता के बावजूद! 1974 में वह अपने एक सदाशयी मित्र को लिख रहे थे—

"मेरा जीना एक विचित्र ट्रेजेडी है। पतनशील और अस्तित्वग्रासी परिस्थितियों के बीच रहते हुए भी मैंने कभी यह अनुभव नहीं किया कि लेखक होना मेरा दुर्भाग्य है। अपनी पारिवारिक कठिनाइयों को सुलझाने में परेशान और विक्षुब्ध हो जाने को छोड़, मैं अपने आपको अत्यन्त सौभाग्यशाली व्यक्तियों में ही गिनना चाहूँगा। लेखक

होने के संघर्ष में फजीहतें और यातनाएँ चाहे जितनी भुगतनी पड़ी हों लेकिन मुझे यही अनुभव होता है कि इस लेखक हो सकने के संघर्ष ने ही मनुष्य को एक व्यापक और गहरे धरातल पर जान सकने का अवसर मुझे दिया। इस स्तर पर मुझे अपना अतीत ईश्वरीय कृपा ही लगता है।"

फिर कुछ आगे जाकर वह लिखते हैं–

"आज के वातावरण में इस तरह की भावुकता हास्यास्पद लग सकती है पर बाहरी दवाबों की चपेट में आकर सर्वथा आस्थाविहीन हो जाना भी कम हास्यास्पद नहीं होता। पहली स्थिति में हम सिर्फ दूसरों के लिए हास्यास्पद होते हैं, लेकिन दूसरी स्थिति में आदमी स्वयं अपनी ही दृष्टि में हास्यास्पद हो जाता है।"

जिस दैन्यता विपन्नता से वह आजन्म लड़े, अपने को पतनशील मानने की आत्मस्वीकृति और जवाबदेही को भी उसी नैतिक साहस से झेला। उसे उनकी विचलनशीलता की पहचान मान लेना और स्थितियों से ऊपर उठ सकने की शक्ति को तरजीह न देना उनका अपमान करना होगा। हमारे समय में ऐसे लेखक विरले होंगे जो भिखारियों की पाँत से उठकर देश के रचनात्मक योगफल का प्रतिनिधित्व कर सके हों। अपनी ही चमड़ी उधेड़कर अपने ही हाथों को अपने ही मर्म तक ले जाना और उसे रचना के उत्कर्ष में सजाकर दूसरों को दिखाना आसान काम नहीं है। आश्चर्य अगर है तो इस बात का कि जिस तरह की दारुणता व्यक्ति को चिथड़े-चिथड़े कर देती है उसी के सातत्य में से उन्होंने सोच और अनुभव के पैटर्न बनाये। चिन्तन-मनन किया। सिरजा। अपने समय की हर लड़ाई लड़ी।

सबसे बड़ी लड़ाई तो दीन-हीन हुए बिना चैतन्य के साम्राज्य से जुड़ने की थी। लेखकों का जीना ऐसी ही स्थितियों में होता है इस कथन को एक युनिवर्सल मॉडल की तरह पेश करके शैलेश जी की परिभाषा करना उनका अपमान करना है। वस्तुतः उनकी नियति का सीधा अर्थ तो यह निकलता है कि वे अपने एक निहायत अलग किस्म के जीवन को लेखकीय चैतन्य में पा सकने की वांछा के चलते एकनिष्ठ आस्था के जोखम से बँधे रहे। यह बँधना मरते दम तक एक खतरनाक नियमन में जीने जैसा रहा। दैन्य के अथाह में मछली की तरह प्राणवायु पाने के लिए उन्होंने अपना सिर निकाले रखा। नियतिगत विवशता और वांछित चैतन्य में घनघोर फासला बनाए रखा। अपने बावजूद उनके पास लेखकों के लिए पूरी आचार संहिता का खाका मौजूद रहा। उनकी चिन्तनपरक पुस्तकों में लेखकों के लिए अचूक निर्देश रहे जिनको पंक्तिबद्ध करना उनका आजीवन सरोकार रहा। हो सकता है वह उस सृजन-स्रोतस्विनी को अपनी आत्मरक्षा के लिए तलाशते रहे हों। उन अवस्थाओं में भी जहाँ आत्म के कई रन्ध्र खुल जाते हैं और विभाजक रेखाएँ टूट जाती हैं, उन्होंने अपनी अन्तिम दो कहानियाँ 'अकार', और 'हंस' पत्रिकाओं को दी।

उनको लेकर दूसरा आश्चर्य यह भी है कि जीवन भर उन्होंने दलितों, वंचितों,

विपन्न लोगों के बारे में लिखा पर अपने चैतन्य को किसी वाद के हवाले नहीं किया। पूरी निर्भीकता से कहा कि–

"एक लेखक की हैसियत से इस प्रखर जनतावाद के दौर में भी, मैंने यह कहने की छूट ली है कि मैं जनता का लेखक नहीं होना चाहता। मैं सामान्यजन का सहयात्री होने का ढोंग नहीं करना चाहता। मैं लेखक होने को एक असामान्य बात मानता हूँ और यदि मेरे वश में होता तो मैं एक बहुत बड़ा लेखक ही होना चाहता, क्योंकि मैंने यही अनुभव किया है कि सिर्फ बड़ा लेखक ही छोटे से छोटे मनुष्य के साथ मानवीय साझेदारी कर पाता है... दूसरों के अस्तित्व, दूसरों की स्मृति से जुड़ सकने का संघर्ष बड़ा लेखक ही कर सकता है... मैंने अभी उस आत्मप्रज्ञा, उस आलोक को पाया नहीं है... अन्यथा अपनी आकांक्षा के लिए संघर्ष करता मैं विचलित नहीं होता।"

यह सच है कि उनका आकलन नहीं हो पाया। आकलन हो सकने की सैकड़ों कठिनाइयाँ हैं। एक ऐसा रचनाकार जो बहुत लिखता है वह एक अलग तरह की अवहेलना का शिकार बनता है। लेखकीय संसार का एक अजीब चलन है–किसी लेखक की शुरू की रचनाएँ तो उत्सुकता से पढ़ी जाती हैं, फिर एक कच्चे-पक्के इम्प्रेशन में उसे हमेशा के लिए स्थित-स्थगित कर दिया जाता है। यह स्थिति और भी जड़ हो जाती है यदि लेखक अपनी धाराणाओं में जिद्दी और पक्का हो। उस दशा में उसकी हर अगली उक्ति पहले का समर्थन मान ली जाती है। लेखकीय अन्तरालों, सोपानों की विकसनशीलता पर ध्यान नहीं दिया जाता। शैलेश जी के अनुभव-बहुल जीवन और अनुभव को सारतत्त्व मानने वाले लेखन और उसी के जरिये चैतन्य को बाँधने की कोशिश एक विरल कोशिश है। बहुलता में विरलता को उकेरने के लिए हर लेखक को नये पैमाने गढ़ने पड़ते हैं। जो पैमाने लेखकीय मंशा और फलितार्थ के बीच के अन्तरालों में खड़े होते हैं उसके लिए किसी रचनाकार को पंक्ति दर पंवित देखना होता है। वैसा धीरज तत्कालीनता के पास नहीं होता और शोधार्थियों के पास तो कभी नहीं होता। किसी लेखक को उसकी केन्द्रीय आस्था और मंशा से विच्छिन्न करके उसके शब्दों को मथते रहने से कोई अर्थ सिद्ध नहीं होता। बकौल शैलेश जी के–

"सृजनशीलता से गुजरने के बाद भी शब्द यदि ठीक वही अर्थ दें, जितना रचना के बाहर या शब्दकोश में हैं तो मानना होगा कि शब्द रचे नहीं गये मात्र लिपिबद्ध किये गये हैं। एक सृजनशील व्यक्ति के सन्दर्भ में उसका 'रचाव' में समर्थ होना ही सारी विपरीत और त्रासद परिस्थिति में उसके बचाव में समर्थ होना है।"

गोविन्द मिश्र : एक खिड़की यह भी

गोविन्द मिश्र का आत्मपक्ष, यानी कि रचनाकार की ओर खुलती खिड़की नहीं, दूसरी खिड़की। उन्हें वहाँ से दिखाने की माँग... निहायत दुष्कर काम। वह भी किसी रचनाकार का 'आत्म' जो हर समय हमारे सामने होता है पर नहीं होता। जो हर रचना में बार-बार खुलता है, बँटता है फिर भी अपने आप को साफ बचाकर निकल जाता है। लोगों की उत्सुकताएँ, जिज्ञासाएँ, उसकी इबारतों के बीच, आगे या पीछे, उसके 'आत्म' को लगातार ढूँढ़ने में लगी रहती हैं। बिना जाने कि उसकी लेखकीय मंशा तो अपने को छिपाने और अपनी कला को उजागर करने की सरहद पर पहुँचकर ही साँस लेगी।

कहूँ कि गोविन्द मिश्र को लेकर मेरी जिज्ञासाएँ भी कुछ कम तीखी नहीं रहीं तो गलत नहीं होगा। कैसे ऐसे खुरदरे कुटिल क्लेशी संसार में गोविन्द जैसी सरलता, सहजता, अकृत्रिमता को कायम पाना। ऐसे बोझल कार्यकारी तनाव और ऐसा समयखाऊ शौक। रचना की निरन्तरता में बने रहने की जिद। कुछ जानी हुई, कुछ अनजानी यातनाओं के अम्बार और जीवन का ऐसा उत्पादक सुथरा प्रबन्धन। वह लोगों से थककर प्रकृति के पास जाते हैं या प्रकृति की नैसर्गिकता को जीवन में लौटा लाने के लिए वापिस आते हैं, मैं नहीं जानती। नहीं जानती क्योंकि मेरा रिश्ता उनसे अन्तरंग नहीं, परस्परता के कई तन्तुओं से बुना हुआ रहा।

उनसे जहाँ-तहाँ, यदा-कदा, आगे-पीछे मिलना होता रहा। ऐसा होने के कितने ही कारण सोच पा रही हूँ। पहली तो लेखक सहकर्मी की भूमिकाएँ... किताबों, चर्चाओं में से गुजरते होना... औपचारिक या स्वभाववश उनका स्नेह सद्भाव... वादियों-प्रतिबद्धतावादियों के प्रति कुछ-कुछ एक-सा मनोभाव... निर्अहंकार, सादगी... उनके दार्शनिक परममित्र वल्लभ सिद्धार्थ से थोड़ी परस्परता... और उनका और मेरे पति का एक ही महकमे में काम करते होना, जैसे कई सेतु। इस जमीन से बटोरा ज्ञान मुझे कुछ-कुछ इस अचम्भे में डालता रहा कि एक ओर वित्त विभाग के उच्चतम दरजे तक पहुँची हुई मेधा का इस्तेमाल और दूसरी तरफ रचना-कर्म में अनुभव से सटकर लिखने और बहते रहने की जिद। उनको लेकर ऐसी कितनी ही जिज्ञासाओं ने मुझे विचारगत रखा। इतना कि मुझे लगने लगा कि जैसे सड़क के किनारे खड़े पावर हाउस में तारों का इतना विराट और बीहड़ संजाल देखकर यह अनुमान लगाना

मुश्किल हो जाता है कि यह सारा तार-जंजाल किसी एक स्विच या बटन दबाने से क्रियाशील हो जाएगा। सड़कों, घरों, बिजलीघरों को एकदम आलोकित करेगा, ऐसी ही हर कलाकार की विशेषज्ञता को कोई न कोई ऐसा सूत्र अवश्य होता होगा जिसका केन्द्रीय अभिप्राय समझ में आ जाने पर सब कुछ समझ में आने लग सकता है। एक में सिमटी सारी भिन्नताएँ, एक ही सीध में खुलती चली जाती हैं। कुछ-कुछ ऐसी लगी गोविन्द मिश्र की निजी और लेखकीय व्यक्तित्व की संगति। एक पूरी तस्वीर बनाती हुई।

गोविन्द मिश्र बेहद सरल, तरल, सहज जैसे लगते हैं। ऐसे व्यक्ति पर लिखना उतना ही असहज हो सकता है, इसका अनुमान नहीं था। सरलता को कमाना जितना मुश्किल है, उसको कहने में बाँधना और भी मुश्किल। वह ऐसे सहज, सरल दिखते हैं, पर गोविन्द को खोलना सरलता सहजता के मर्म को खोलने में सफल होना है। उनकी किताबों, विश्वासों को देखते लगता है यह उनकी एक संकल्पित मुद्रा है—आत्मनिर्णय का एक प्रतिपादित रूप। वह इसे ओढ़ते नहीं पर अपने विश्वासों और दिशाओं को एक ही जगह पर खींचकर लाना चाहने की कोशिश में इस संगति को फलीभूत जरूर कर लेते हैं। इतनी भूमिकाओं में बँटे हुए व्यक्ति के लिए यह एक श्रमसाध्य रास्ता है—सरल और दुर्गम के भेद-विभेद के मर्म-छेदन की तरह। दुर्गम अपनी परतदार जटिलता में संचित रह सकता है क्योंकि उसे अपने आत्मसंचय को बिन माँगे कहीं पहुँचाना नहीं होता, दूसरे तक जाना नहीं होता। सहजता, सरलता इसलिए दुर्गम है क्योंकि उसे घुलने-मिलने, पिघलने की यात्रा तय करते हुए सतह पर आना होता है। तरल होकर हर छिद्र, हर दरार, हर मनुष्य में प्रवेश पाना होता है। यहाँ दूसरे का अकृत्रिम स्वीकार है, एक तरह का आत्मविस्तार, एक तरह से इन्तजार। लगता है गोविन्द ने इस सगुणता को आत्मानुशासन की सोद्देश्यता से पाया है, मनुष्यता की झलकियों को रुक-रुककर देखते-सुनते। ऐसे प्रवाहीपन को पाने के लिए तयशुदा रास्तों की अड़चनों को फलाँगते हुए।

'बहना' क्रिया गोविन्द के जीवन की और रचना की परिभाषा है। उनका सारांश प्रवाही निरन्तरता में बने रहने की उनकी आस्था में है। वह जीवनगत भी है और रचनागत भी। निरन्तरता को वह साधकर रखते हैं। अपने विश्वासों से अपने को घेरे रखते हैं। इन विश्वासों और आत्मप्रत्ययों से मिलती सम्पोषित शक्ति को वह अपने से परे नहीं जाने देते। यथाशक्ति, यथासम्भव उसे अपनी जीवनेच्छा के दायरे में शामिल करते हैं।

उन्हें जिन्दगी से बहुत कुछ चाहिए। औघड़ फकीरी भी, मस्तमौला चाल भी। वह प्राणवन्त धड़कनों को पूरमपूर अपनी बाँहों में भरना चाहते हैं। रूप, रस, गन्ध के झरने, ध्वनियाँ, छवियाँ, संकेत, प्रकृति की नेमतें, सतत् चलते हुए पैर, अथक यात्राएँ, खोजा-खोदा हुआ एकान्त, स्निग्धता, तृष्णा, ताप सब का सब हर सम्भव

समय ऊब और अवसाद की चीकट से उन्हें डर लगता है (यह नहीं कि वह होती नहीं)। उन्हें लगता है कहीं ऐसा न हो कि यह चीकट, उनके आसपास जमा हो जाए, जड़ता में बदल जाए, अवरुद्ध करे, इसलिए चलते रहना चाहिए। बहते रहना चाहिए। बहने में होना उनकी चाहत और मर्म का सारांश है, उनका जीवन-आशय। बहने का हर रंग-रूप उनके जीवन अभिप्राय में शामिल है। रचनाकर्म में भी वह इसी तरह चलते हैं। इसीलिए डटकर लिखते हैं। अनुभव के निकट से निकट सटकर रहते हैं। अनुभव के संग्रहण को तरजीह नहीं देते। किसी एक अनुभव और उससे जुड़ी वीथियों में से गुजर चुकने के बाद अपने को जिज्ञासु अबोधता के फैलाव में छोड़ देते हैं। उसी में डूबते-उतराते वह नयी किताब, नया अनुभवखंड, नये राग-बन्ध की भूमिका तय करते हैं और उस अनुभव के पाठ को अन्तरंग प्रकाशकों को सौंपकर स्वयं निवृत्त हो लेते हैं। मैंने गोविन्द को सदा ऐसी ही निरन्तरता में देखा-जाना है। यही उनका जीवन जीने का, अपने 'स्व' में होने का सहज-स्वाभाविक रवैया है। जहाँ तक मेरी जानकारी है, इन रास्तों पर कठिनाइयों, अवरोधों, आघातों के जो थपेड़े आते रहे, उनका सामना भी उन्होंने इसी तरह किया है। रचना से अपनी अक्षत मित्रता को समर्पित होते हुए उस अकेले मित्र के साहचर्य में चलते-चलते अपना उद्धार और परिष्कार करते हुए। अपनी इस वृत्ति के चलते उन्होंने साहित्य को बहुत-सी मार्मिक और यादगार कहानियाँ दी हैं, जिनकी आवाज रुदन की नहीं, उदात्तीकरण की है। दुख का मैल धो देने जैसी, स्वच्छ और स्मरणीय। इन्हें पढ़ते गोविन्द के जीवनयापन के रवैये की सघनता का एहसास होता है। किशोर बेटे की अकाल मृत्यु पर लिखी उनकी कहानी 'वरणांजलि' को याद किया जा सकता है।

गोविन्द ने लम्बा विविधताभरा जीवन जिया है। विपन्नता, सम्पन्नता के घोल को अपनी रक्तवाहिनी धमनियों में समभाव से प्रवाहित होने दिया है। आघातों, गाँठों, कुंठाओं को पतले से पतला किया है। अपने से पहले की और अपने से बाद वाली पीढ़ी से जुड़े संकटों का निपटारा उन्होंने उन्हीं के युगबोध और मूल्यबोध को सामने रखकर किया है—एक लचकीली कमान में निहित तनाव की सम्भावना की तरह। ऐसे अनुभवों को रचना में उड़ेलकर, अपने अँधेरों को काटते हुए वह निपट-निपटाकर बाहर निकलते हैं। अचानक फिर से दिखाई देने लगते हैं। दोस्तों को वह खोना नहीं चाहते। दिल्ली अगर राह गुजर हो तो जरूर फोन करेंगे, जरूर मिलने आना चाहेंगे। स्निग्धता, उष्णता कुछ ऐसी घुली-मिली कि मुलाकाती को अपने निरुत्साही होने पर ग्लानि होने लगे। यानी कि हर भेंट चाक-चौबन्द। कुछ टटके-से सवाल, कुछ-कुछ दिल्ली की आबोहवा का जिक्र। वाद-विवाद वालों को लेकर थोड़ी मखौलबाजी। स्वास्थ्य की पूछ-ताछ। खाना जो जैसा (खिचड़ी, अचार, रोटी तक) नसीब हो उसमें परम सन्तुष्टि, हर मुद्रा में से झाँकता हुआ एक ही सवाल कि क्या और कितना लिखा जा रहा है। उत्साहभरा, सकारात्मक उत्तर न मिले तो अवर्ण उतरे हुए चेहरे

पर ऐसी छाप जैसे नुकसान जो हो रहा है, उनका ही हो रहा है। उसके बिना कोई जीवित कैसे रह रहा है। क्योंकि उन्होंने अपने को जीवित रखने की कुछ ऐसी ही शर्तें मान रखी हैं। 'मान रखी हैं' कह रही हूँ क्योंकि यही गोविन्द का चुनाव है, उनकी बाध्यता, उनका स्थूलता से ऊपर उठने का ढंग।

परिवेश की स्थूलता भी गोविन्द ने बहुत देखी है—फकीरी भी, सजीली सुसज्जित कुर्सी वाली भी। उर्मिला शिरीष ने उन पर एक किताब सम्पादित की थी जिसमें उनके जीवन के ब्यौरे दर्ज थे। बेझिझक साफगोई से, अलिप्त तटस्थता से अपनी पृष्ठभूमि को रेखांकित करते हुए। सामान्यता, साधारणता को लेकर गोविनद अकुंठ हैं। कुंठा को अपने आसपास की हवा में फटकने नहीं देते। उसे कूट-पीसकर, रस्साकशी की तरकीब से अपने को मुक्त कर लेते हैं। ठोस को प्रवाही बना लेते हैं, इतना तरल जैसे किसी काली भुतैली चट्टान पर लगातार अविरल रूप से पानी बहता रहता हो—कभी पारदर्शी कभी अपारदर्शी। गोविन्द की रचनाओं में यह गुण कभी निष्पन्न होता है, कभी प्रश्नाकुलता में स्थित बना रहता है। यहाँ तक पहुँचने के लिए गोविन्द बहुत मेहनत करते हैं, अपने को सँजोकर रखते हैं। जीवन दुसँह्य हो जाए तो यात्राओं पर निकल पड़ते हैं (क्योंकि निकल सकते हैं)। यात्रा उनके लिए एक स्वास्थ्य-लाभ का जरिया है। कह चुकी हूँ, वह काई जमने से डरते हैं। जिज्ञासाओं, उत्सुकताओं को पोषित करने के नये, ताजे ठिकाने तलाशना उन्हें रास आता है। जीवन की व्यापकता के प्रति आस्थावान बनाता है।

यह अकारण नहीं कि गोविन्द ने साहित्य अकादमी के लिए जैनेन्द्र जी पर लिखे मोनोग्राफ का नाम—'मुझ में बहते हुए जैनेन्द्र' रखा है। गोविन्द, सारे लेखकों को बरतरफ करते हुए जैनेन्द्र जी के घुटनों से लगकर बैठना चाहते रहे। उनके प्रति भक्तिभाव से भरे हुए। उत्सुक चंचु खोले, उन्हें आशंसा, प्रशंसा से ताकते हुए। गोविन्द को शायद यह नहीं मालूम था कि जैनेन्द्र जी सादे दिखते हैं, पर हैं नहीं। वह हमारे हिन्दी के जटिलतम लेखक हैं क्योंकि उनमें आत्मबोध के रास्ते चलता जीवन-भोग, नियति, अतिक्रमित पराशक्ति, मननशीलता, भेदक दृष्टिवानता, नैतिक-अनैतिक के द्वन्द्व में पक्षधरता के साहस का अद्भुत संयोग है। दो कौड़ी के भाव से वह किसी के हाथ नहीं लगते, नहीं लग सकते थे क्योंकि हमारी इस सदी की जरूरत के लिए पैदा होती भविष्य की आँख को जैनेन्द्र जी जैसे चैतन्य की जरूरत है। मेरा मानना है कि हमारे आज के समय में जब भी हमें साहित्य के माध्यम से चेतना-विज्ञान (Science of consciousness) को, प्रमाणित करने की जरूरत पड़ेगी, जैनेन्द्र जी पूरे साहित्यजगत के बचाव में विमर्श प्रस्तुत करते दिखेंगे। जैनेन्द्र जी की सहजता कितनी मथी हुई, छनी हुई, कितनी अल्पभाषी और अपूर्व है, इसे अभी जानना बाकी है। शायद गोविन्द की आसक्ति उनके सहज, सरल, उत्सुक, पर्युत्सुक दिखने वाले तेवर के प्रति है।

'दर्शन' से गोविन्द को जबरदस्त परहेज है। कहना चाहिए दर्शन से नहीं, दर्शन प्रत्यय के साथ जुड़ी सच-झूठ भ्रान्तियों के बोझ से परहेज है। गोविन्द शायद स्वयं नहीं जानते कि अपनी रचनाओं में वह एक अन्तर्धारा की तरह दर्शन का भरपूर इस्तेमाल करते हैं। शीर्षक बदल-बदलकर, उसे जीवन-दर्शन, जीवनानुभव का नाम देकर सामने रखते हैं। पात्रों, स्थितियों, नैतिक-अनैतिक के द्वन्द्वों से जुड़े धुआँधार प्रश्नों की गवेषणा में वह दर्शन की प्रक्रियाओं का सहारा लेते हैं। तार्किक निष्पन्नता का कौशल उनके रचनाकार्य में बिंधा है। सादगी उनके बोध की सम्पन्नता को नष्ट नहीं करती। सादगी में लौटना उनका चुनाव है, मर्यादा नहीं। गोविन्द अपने को छलते हैं, छल पाते हैं क्योंकि उन्होंने दर्शन की व्याप्तियों से सायास मानसिक दूरी रखी है। कैसे बताया जाए कि दर्शन किसी वस्तु, किसी क्षेत्र, किसी परम, किसी सृष्टि, किसी ब्रह्माण्ड, किसी अपरिमेय वितान का नाम नहीं, दर्शन मूल्यों के भेद-विभेद परक अन्वेषण की बौद्धिक प्रक्रिया का नाम है। दर्शन यानी देखना, यानी कि देखने की प्रक्रिया। तल तक देखने की दीक्षा। प्रमाणों को पाने की तार्किकता में निमर्म हो उठने का दुस्साहस। बस्तुपरकता, तटस्थता को पाने के लिए प्रतिबद्ध कठोरतम मानसिक अनुशासन। उसकी व्याप्ति ग्लोबल है क्योंकि उसकी अन्तर्धारा के बिना चिन्तन-मनन आगे नहीं चलता। उसका अस्तित्व हमारी मनीषा और मेधा की सक्रियता में है, उससे कोई कैसे बच सकता है।

हो सकता है इस भारी-भरकम प्रत्यय की छाया में उन्हें अपने 'प्रवाहीपन' का मोह बलि चढ़ता दिखाई देता हो। नहीं तो वह कौन-सी दृष्टि है जो उनकी रचनाओं में प्रश्नों पर प्रश्नों की लड़ियाँ बुनती जाती है। स्थिति के हर मुकाम पर वह प्रश्नाहत दिखाई देते हैं। दर्द को हथेली पर रखकर देखने का दुस्साहस भी कर लेते हैं क्योंकि अनुभव की सम्पदा का उनमें भरपूर स्वीकार है। वह अनुभव से सटकर चलते हैं। रचना में भाव-रस के उपार्जन के आग्रही हैं। ऐसे में अकसर जीवन विवेक की टीपें बैकग्राउंड में चली जाती हैं। पढ़ने वाला अपने जीवनानुभव की सजातीयता के काँटे से उन्हें ढूँढ़ निकालता है। हम गोविन्द के साथ बहते चलने को तैयार हो जाते हैं। बहना—बहने की प्रक्रिया उनके जीवन का बहुत बड़ा रूपक है। बौद्धिकता के वह खिलाफ हैं, पर चिन्तनशीलता के खिलाफ क्या कोई लेखक हो सकता है? रचना को क्रम और तारतम्य देना क्या बौद्धिक क्रिया नहीं है? अनुभूति की गरमाहट को वह जीवन में भी, रचना में भी जरूरी मानते हैं। विचार के प्रवेश को लेकर विरत होते हैं पर यह घोषणा भ्रामक लगती है। रचनाकर्म परिणति की कला है। वहाँ हम अनुभव को विचार में, विचार को अनुभव में परिणत करने की, संलग्नता को तटस्थता में या तटस्थता को संलग्नता में बदल सकने की प्रवीणता हासिल कर रहे होते हैं। रचना की समग्रता का प्रभाव इन्हीं शर्तों पर सधता है। कला का अर्थ—साधारण और विशेष—दोनों को आत्मसात् करना भी है। संसार असंसार की सरहदों का डूबना।

ऐसा नहीं हो सकता कि केन्द्र में मनुष्य हो और मनुष्य का अस्तित्व, उसकी नश्वरता अनश्वरता, उसके साधन और साध्य के सवाल सिर उठाये खड़े न हों। वह अनुभव की तरलता में खड़ा तो हो पर जीवन के जटिल जंजाल को देखता न हो। ऐसे बहुत-से अन्तर्विरोध गोविन्द के जीवन और रचना में उभर उभर कर आते हैं।

अपने अन्तर्विरोधों को वह किस उल्लेखनीय निपुणता से सँभालते होंगे इसका एक लम्बा उदाहरण मेरे पास है। शायद वही गोविन्द से मेरे सम्बन्ध की शृंखला भी—उनका कार्यकारी जीवन। वह और मेरे पति एक ही महकमे में काम करते रहे। आयकर विभाग जैसा बेहद संवेदनशील, आरोप-प्रमुख महकमा, विभाग की बाध्यताएँ, तनाव, दबाव, सावधानियाँ, निर्णयों के मापदंड, लोकमत, केन्द्र में होने और तटस्थ बने रहने के तनावों का अहसास, अप्रत्यक्ष ही सही, मुझे भी रहा। गोविन्द ने तो अपनी विभागीय हैसियत का उच्चतम पद भी सँभाला। चेयरमैन की कुर्सी तक पहुँचे जिस पर सारे वित्त मन्त्रालय सम्बन्धी सभी राष्ट्रीय योजनाओं और नीतियों के नियमन का पूरा भार आता है क्योंकि वहाँ राष्ट्रीय नीतियाँ निर्धारित होती हैं। गोविन्द वहाँ ऐसे रहे जैसे अगाध पर तैरता एक पत्ता। चौकन्ने पर असम्पृक्त, दायित्व-भाव पूरा पर अछूते। पृथक्करण की ऐसी क्षमता मनोविज्ञान के क्षेत्र में भावात्मक परिपक्वता का लक्षण मानी जाती है। शायद घर आकर वह घर हो जाते हैं। प्रशासकीय लबादे को दफ्तर में ही उतारकर फेंक आते हैं। मैंने उन्हें कभी पद-पदवी की मुग्धता में लिप्त नहीं देखा, द्रव्य-धन के संसार में खेलते, इठलाते प्रलोभन पर कभी लार टपकाते भी नहीं देखा। उनका प्रशासकीय जीवन हर तरह से स्वच्छ, निअर्भियोग रहा। यह उनके अचानक दुर्घटना से बच गये होने का सवाल नहीं, मूल्यों में आस्था का सवाल है। उनके मूल्य हमेशा मनुष्यता के पक्ष में ही बने रहे। नमी, करुणा, भाव-प्रवणता को ही ढूँढ़ते रहे। यथार्थवादी हुए बिना उन्होंने प्रत्यक्ष तथा सामयिक यथार्थ को अपने उपन्यासों में खूब फेंटा, खूब मथा, हिंसा, शोषण, क्रूरता, अन्याय के मूर्तिमान चरित्र भी दिये—पर खोज एक ही रही—उनके अपने व्यक्तित्व जैसी नमी, कोमलता, द्रवणशीलता कहाँ-कहाँ बची हुई है। कहाँ-कहाँ हम मनुष्य में प्रेम का पौधा बो सकने की जमीन पा सकते हैं।

यह सकारण है कि गोविन्द के जीवन में 'प्रेम' की इतनी बुभुक्षित चाहत है। खुरदरे जीवन की ऊबड़-खाबड़ जमीन पर वही जगह उन्हें छाया और नमी देती लगती है। प्रेमभाव के विपरीत जो कुछ पड़ता है उसका स्वीकार गोविन्द में नहीं है। 'अक्षरा' के सम्पादन काल में उन्होंने प्रेम पर एक अंक निकाला था। आज की सौदागिरी के जमाने में इस अनुभूति के रूप, स्वरूप, महत्त्व और स्थान को जानना चाहा था। रचनाएँ आमन्त्रित की थीं। आमन्त्रण के आग्रह में एक खास तरह की अपेक्षा की, अदृश्य गन्ध भी मुझे मौजूद लगी थी, जैसे कि वह इस भाव-भूमि की दिशा भी इंगित कर रहे हों पर अनुभववृत्त, आत्मबोध तो हर लेखक का अपना-अपना होता है। अपने

समय के आत्मसातीकरण का रवैया भी अपना-अपना। मेरी समझ में यदि वह वर्तमान के साथ-साथ आगत की आहटों को भी दरज नहीं करता तो एकांगी है। आज के उपस्थित परिवेश में प्रेम की जो आत्मरत, कैल्क्यूलेटिव स्थिति है वह प्रेम के मूलाधारों को नष्ट करने वाली है। उस अंक में, इस आशय को इंगित करती, मेरी प्रविष्टि (एक लम्बे पत्र रूप में) गोविन्द को नहीं भायी थी। शायद पाठकों को भी नहीं, पर मेरी समझ में समय, जीवन सत्य और भावमयता के बदले हुए स्वरूप पर ध्यान न देना समय की रफ्तार से पिछड़ जाना है। 'तुम्हारी रोशनी में' उपन्यास में उन्होंने इस भावमयता को सवालों के दायरे में खड़ा किया था, जैसे 'फूल इमारतें और बन्दर' में विभागीय जीवन के कचरे से अपने को रिक्त किया था। कह चुकी हूँ, अनुभव के संग्रह में गोविन्द का विश्वास नहीं। उन्हें अपना सिस्टम रिक्त और तैयार चाहिए। यह भी निरन्तरता में बने रहने की एक स्वभावगत बाध्यता है।

रचनाकर्म की निरन्तरता के पक्ष में गोविन्द के रोल-मॉडल शैलेश मटियानी हैं। शैलेश मटियानी अगर हैं तो निरन्तरता निरन्तर है। लेखक होकर लेखक की तरह जीने, सहने, निरखने, कायम रहने, मरने का हमारे इस अकृतज्ञ हिन्दी संसार में शैलेश मटियानी जैसा दूसरा व्यक्ति नहीं है। उतने तेजस्वी क्रोध और उतनी उर्वरता धारण करने वाला कोई दूसरा उदाहरण भी हमारे पास नहीं है। गोविन्द के सम्पादन में निकला 'अक्षरा' का शैलेश मटियानी अंक संग्रहणीय है।

वस्तुतः 'प्रेम' का प्रत्यय गोविन्द के मन में एक आदर्शीकृत उपस्थिति है—एक ललक, आत्म-स्वातन्त्र्य का पर्याय, जीवन के खुरदरेपन से बच गयी कोमलता, द्रवण-शीलता में अटूट आस्था की अभिव्यक्ति। गोविन्द उस पौढ़ेपन तक पहुँचना नहीं चाहते जहाँ आदमी अकेला खड़ा होने के लिए तैयार हो चुका हो। जहाँ तितलियों की पकड़ में चुटकियों पर छूटे पंखों के रंग विलीन हो जाते हैं। पता नहीं भोग से या योग से मुक्ति की बयार को भेंटते हुए। अपने आप के लिए साँस लेते हुए। यह बात विरोधाभासी लग सकती है पर सच है कि गोविन्द की अवधारणात्मक शक्ति स्थित, स्थिर और सचेत है जिसके चलते रचना के क्षेत्र में वह चुनावधर्मी है। जीवन के क्षेत्र में विकल्पधर्मी। वह जीवन के क्षेत्र में अपने विकल्प चुनते हैं। व्यक्तियों से न बने तो पेड़ों, पहाड़ों, नदियों, यात्राओं के प्रवाहीपन से रिश्ता गाँठते हैं। उन्हें सम्बन्धता चाहिए। निस्सम्बन्ध होना उनके अस्तित्व को रास नहीं आता। सम्बद्धता को वह चाहें तो जीवन में प्रतिफलित करें, या सोच में, खोज में, या अपेक्षा में रेशम के एक कोमल तार की तरह इसे साथ लिए-लिए घूमें।

गोविन्द की चर्चा में उनके एकमेव अभिन्नतम मित्र बल्लभ सिद्धार्थ को छोड़ देना जानकारी के अधूरेपन को नये सिरे से रेखांकित करना है। बरसों पहले राधाकृष्ण प्रकाशन से 'संवाद अनायास' (शायद 1993 में) नाम की एक किताब छपी थी। उसमें वल्लभ के गोविन्द के नाम पत्र और पत्रों के प्रभाव की गोविन्द द्वारा

आत्मगत व्याख्या साथ-साथ दरज की गयी थी। बल्लभ के पत्रों की रोशनी में अपने को आत्मान्वेषण की सूली पर चढ़ाए गोविन्द यहाँ एकदम दार्शनिक, मननशील, प्रश्नाहत, मनुष्य की स्थिति और नियति के सवालों पर मुक्त रूप से पंख फड़फड़ाते दिखते हैं। इस दोस्ती में निहित समानताएँ और वैपरीत्य बड़ा रोचक और गोविन्द की आन्तरिकता को खोलने वाला है। अभिव्यक्ति को इस तरह व्यक्त करने का यह फैसला भी अपनी तरह अपूर्व और विलक्षण हैं लेखक की अन्तर्वृत्तियों को आलोकित करने जैसा।

वल्लभ-गोविन्द के एकमेव मित्र। खामोश, पोशीदा, गहरे, दृष्टिवान, सौ टका दार्शनिक। जीवन के अन्तस्तत्त्व को तल तक पहचान पाने के लिए अभेद्य अँधेरे में आँखें खोले समाधि में बैठे हैं, कि कब वह मिले और 'युरेका-युरेका' कहते वह दौड़ पड़े। क्या यह अजूबा नहीं कि वे दोनों अभिन्न मित्र हैं। तुष्टिकरण के दबावों से मुक्त। एक-दूसरे को घूरते हुए, एक-दूसरे के कला-कर्म के विपरीत जाते हुए। सोल्जेनित्सिन-स्वयंसाक्षात, वल्लभ में जीते हैं। गोविन्द उसकी व्याख्या विवेचन में। दोनों अकसर एक ही तख्ते पर खड़े अलग-अलग मनोभावों को साथ लिए नाचते हैं। वल्लभ हर चीज को सोखना चाहते हैं। गोविन्द रस लेकर फालतू को फेंक देना चाहते हैं। स्थिति में निहित ऐसी विपरीतताओं के बावजूद गोविन्द का वल्लभ पर अखंड विश्वास है। ऐसा क्यों है, किस कारण से है, यह गोविन्द के स्वत्व के परिप्रेक्ष्य में एक खुला प्रश्न है।

गोविन्द, वल्लभ, शैलेश मटियानी और जैनेन्द्र इन सबकी अन्तर्वृत्तियों के नजदीक खड़े रहकर गोविन्द के आत्मवृत्त का एक कोलाज-सा बनता है। यह वक्तव्य मोटा या स्थूल जरूर लगता है पर इनकी सम्भावनाएँ, सघनताएँ, आस्थाएँ अपने प्रातिनिधिक रूप से उल्लेखनीय और अन्वेषणीय हैं। उनसे जुड़ाव के माध्यम से गोविन्द का अन्तरंग खुलता है। अहंकार गोविन्द में नहीं है, इसलिए परिपूर्णता के सम्मुख वह आसानी से नमित हो लेते हैं। व्यक्तिगत रूप से मुझे गोविन्द की आत्मगत पुस्तकें, यात्रा-वर्णन, रचनाप्रक्रिया की खूँद वाली किताबें ज्यादा अच्छी लगती हैं। हो सकता है लेखक होने के नाते मैं उनकी कहानियों, उपन्यासों में प्रयुक्त लेखकीय युक्तियों का पोस्टमार्टम करने से बच जाती हूँ। लेखों को मैं रचनाकार की तरह नहीं व्यक्ति के अन्तरंग की तरह पढ़ती हूँ—आत्मस्वीकृतियों की रोशनी में—वहाँ गोवन्द मुझे अलैस और अकृत्रिम दिखते हैं, शायद इसलिए उन पर लिखने का जिम्मा लेने का दुस्साहस किया।

यह सब लिखते मैं अच्छी तरह जान रही हूँ कि यह गोविन्द के जीवन के आत्मपक्ष की पूरी तस्वीर नहीं है क्योंकि उनको लेकर मेरी जानकारी अधूरी है। प्रवाही मुलाकातें, सम्पर्क-बिन्दु कैजुअल, गहरा साक्षात्कार एक भी नहीं। रिश्ता यों तो औपचारिक, पर स्नेह सद्भाव, कोमलता, स्निग्धता के फैलाव में ठहरा हुआ। जीवन

और जीवनदर्शन अलग-अलग, लेखन और लेखन के चुनाव-बिन्दु अलग-अलग। इसके बावजूद यदि गोविन्द आस-पास बने रहते हैं तो इसका श्रेय उनको है। वह सबको अपनी रचनात्मकता में प्रफुल्ल देखना चाहते हैं, इस बात को न जानते हुए कि उनके चाहने का दखल उनकी अपनी ही वृत्तियों को प्रकाशित करता है। सबके लिए अपनी भाषा बोलता है। कह सकती हूँ कि इतना निर्विकार होना आसान नहीं। कठिनाई को आसानी में पलट देने की क्रिया में गोविन्द खुद माहिर हैं। एक अर्थ में, रचना-अनुभव के उपार्जन के बाद की तलछट को फेंट पाने में भी। उससे आगे कोई जाए तो मनीषा के चैतन्य की सिद्धि हो। फिलहाल यह बातें अवान्तर हैं। आस्था उनके मन में है। वह प्रेम को, प्रकृति को, कोमलता को, मनुष्यता को प्रमाणित नहीं करना चाहते, इन्हें स्वीकार करते हैं। एक तरह से मुक्त होते हैं।

गोविन्द की कृतियों, उनको प्रमाणित करते उद्धरणों को, इस लेख में शामिल न करने का मैंने जोखिम उठाया है। वस्तुतः गोविन्द के बारे में मैं अपनी समझ को ही चेताना चाहती थी, क्योंकि उस दायरे में खड़े गोविन्द को मुझे अपनी दृष्टि के काँटे से उठाना था। उनके व्यक्त रूप की प्रतिध्वनियों से नहीं। इस तरह शायद उनकी कुछ प्रवृत्तियाँ, व्यक्ति और रचना के बीच बनते सेतु पकड़ में आये हों। खुद लेखक होकर लेखक पर लिखने से गोविन्द का रचनारूप और उसको उकेरती मनःस्थितियाँ ही ध्यान में आती हैं। पर ऐसा लिखना शायद मेरी अपनी दृष्टि का सच हो जिससे दूसरा सहमत नहीं भी हो सकता। गोविन्द ने बहुत लिखा, इसलिए 'अच्छा', 'कम-अच्छा', 'बहुत-अच्छा' नाम की सभी कोटियाँ वहाँ मौजूद हैं। उसे ऐसा ही होना था क्योंकि गोविन्द होने का अर्थ रचनाकर्म की सतत् सक्रियता में बँधे रहने की जिद है। शायद यही एक अकेला विकल्प हो जिसे उन्होंने अपने जीवन के अन्त तक साथ रहने की साक्षी और समतोलन के लिए चुन रखा हो।

अपने अनुभव से, सृजन से, सृजन की प्रस्तुति में, जीवनभोग और जीवन-दर्शन से गोविन्द का वही एक गतिमान रिश्ता है–प्रवाही... बहना... बहने को होने देना। ऐसा होने देने के लिए इतना उत्कंठित होना कि अनुभव के रचनात्मक संचालन में विचार की सत्ता भूमिगत होने के लिए तैयार हो जाए। गोविन्द ने बहुत लिखा, पर मैंने उन्हें इसी एक केन्द्रीय तत्त्व की तलाश में पढ़ा। मुझे सदा लगा कि यह तत्त्व उनके सारे 'बीइंग' को उजागर कर सकता है।

देवेन्द्र इस्सर : एक निर्वासित का विराट

साहित्य एक निजी उपक्रम है... व्यक्तित्व उससे भी निजी कर्म है, उसमें दूसरों की पैठ तो हो भी सकती है पर बहुधा वह घुसपैठ ही होती है।

रघुवीर सहाय ने अपनी पुस्तक 'लिखने का कारण' में अज्ञेय पर लिखने के अवसर पर यह लिखा। आगे चलकर उन्होंने लोगों की दो कोटियाँ गिनायीं। एक जो अज्ञेय को बहुत अच्छी तरह जानने का दावा करते हैं, दूसरे जो शिकायती लहजे में उन्हें कम जानने की बात करते हैं। अपने लिए रघुवीर सहाय कहते हैं:-

"मैं वह नहीं हूँ। दरअसल, अज्ञेय को बहुत ज्यादा जानना जरूरी नहीं है—मेरे लिए खास तौर से नहीं, क्योंकि जितना मैं जानता हूँ वह मेरे और अज्ञेय के बीच इस अलिखित समझौते की उपज है कि बहुत अधिक जानने का प्रयास नहीं किया जाएगा। दूसरे के जीवन में इस प्रकार की दिलचस्पी लेना कि उसके पास कुछ बच ही न रहे, मैंने नहीं सीखा—अज्ञेय से नहीं सीखा—और यहीं पर यह भी कह दूँ कि मैंने अज्ञेय से बहुत कुछ सीखा है। इस निजी उल्लेख को यहीं खत्म करना हो तो मैं कहूँगा कि जो कुछ सीखा है उसका सारांश यही है—दूसरों की अपनी यथार्थता को उसके सभी दायित्वों सहित उन्हीं के पास रहने देना।"

किसी दूसरे का सहारा लेकर अपनी बात कहने का उपक्रम करना किसी बीज पड़ चुके विचार के बासीपन को ओढ़ने जैसा है पर देवेन्द्र इस्सर पर लिखने की कोशिश में यह बयान हर दृष्टिकोण से स्थिति के इतना नजदीक और इतना माकूल बैठता है कि मेरा इससे बचकर निकलने का इरादा नहीं बन पाया। साथ ही यह अहसास भी तेजी से हुआ कि अज्ञेय और रघुवीर सहाय तो समकालीन लेखक थे मित्र भी पर मैं? मेरे सामने तो स्थिति खासी विकट है। मैं तो देवेन्द्र इस्सर के चार दशक बाद उगी लेखक हूँ। उन्होंने 1944 में लिखना शुरू कर दिया था और मैंने 1975 में। मेरा दिल्ली आना 1977 में हुआ और पहली बार उनकी जो पुस्तक (बल्कि पुस्तक के कुछ अंश) हाथ लगी, वह 1985 में छपी थी। उसके कुछ अंश किसी साधारण-सी पत्रिका में छपे थे। उस समय तेज बुखार में तपते पत्रिका मैंने गर्मी और ज्वरग्रस्तता के आतंक से बचने के लिए उठायी थी पर पढ़ने के बाद चौकन्ने और बेचैन होकर बिस्तर पर बैठ जाना पड़ा। पुस्तक थी—'खुशबू बनकर लौटेंगे'। वह बेतरह मुझ पर हावी हो गयी थी—बिल्कुल अलग किस्म का स्पन्दन

संवेदन, अलग किस्म की संरचना, अलग किस्म की भाषा, अलग किस्म का उद्दाम भावावेश, अलग किस्म की उत्कट तीक्ष्णता (इंटेसिटी) पुस्तक में पाठक के प्रवेश का द्वार वही उत्कट आवेग। दर्द के किसी निशान के बना भी दर्दनाक। इंटेसिटी तत्त्व किस तरह किसी पुस्तक में खुदबखुद विवरण और विस्तार की कमी की भरपाई कर लेता है, किस तरह उस तीखी चौंध में कितना कुछ हम देखते भर ही नहीं, मुख्य पाठ के अन्तरालों, पार्श्वों, अनुमानों में जज्ब हुआ भी समझ पाते हैं, यह उस समय जाना।

कुछ-कुछ ऐसा ही था इस उपन्यास कही जाती कृति का पाठ और व्यवहार। इसे इस्सर जी का एकमेव उपन्यास कहा गया था पर उपन्यास के नाम पर सामने थी—जिन्दगी के दर्द और दानिशमन्दी की छोटे में लिखी गयी एक बड़ी इबारत। खंडों में, असम्बद्ध, अधखुली, ललकारती हुई, चुनौती देती हुई, मन्त्रबिद्ध। इसे क्या कहा जाए? क्या नाम दिया जाए?... आत्मकथा? संस्मरण? डायरी? कथा? निबन्ध? लम्बी कविता?... पर कहा ही क्यों जाए जब लेखक ही सिलसिले को, ढाँचे को खुद तोड़ रहा है। परिभाषा और विधा के बन्धन से किनारा कर रहा है। भूमिकानुमा इबारत में इब्ने इंशा के उद्धरण-*'फर्ज़ करो यह जी की विपदा/ जी से जोड़ सुनायी हो/ फर्ज़ करो अभी और हो इतनी/ आधी हमने छुपायी हो'*, को खुल्लमखुल्ला हमारी हथेली पर रख रहा है तो हम कौन होते हैं उसके मानसिक-आत्मिक वजूद के गिर्द रस्सियाँ लपेटने वाले। यह तो अच्छा ही था कि रचने वाले ने इसे 'फ्री ऑटो राइटिंग' का नाम दिया था। 'फ्री' का अर्थ ही हुआ सिलसिले को, निर्धारित ढाँचे को तोड़ना, मौलिक होने के अधिकार को अपने हाथ में रखना, अपनी मरजी से छिपाना उधाड़ना, चाहे 'आत्म' की कथा कहने वाला अपने को जगह-जगह वैसे ही छोड़ता गया हो, जैसे जटायु, निर्देश देने के लिए सीता माता के आभूषण रास्ते में गिराता गया था।

कैसे कहा जाए कि छोटे-छोटे खंडों में 90 पृष्ठों में बिछी इस पुस्तक की शिद्दत से जैसी प्यास जागती है, वह लेखक का अभीष्ट था या शायद नहीं भी था। यही शिद्दत उनके रचनाकर्म के दूसरे ठिकानों तक पाठक को खींचती ले जाती है। यह अहसास तो, उनसे सम्पर्क संवाद के बाद जाकर हुआ कि गोपन-अगोपन, प्रकट प्रच्छन्न की धूप-छाँह में से गुजरते होना उनके रचनाकर्म की ही नहीं, उनके जीवन-यापन की भी सरगम है। अंहकारी समझे जाने की हद तक वह अपनी निजता की घेराबन्दी करते हैं। जिस एकान्तवास का उन्होंने जीवन में चुनाव किया होगा वह मुझे सामाजिकता के ओढ़न के बिना, अकेले में भी 'एकान्त' को पा सकने की निष्ठा लगी। दुनियावी अर्थ में स्वाभिमानी होने की आमूलसिद्ध जिद जैसी।

बाद के वर्षों में जहाँ-तहाँ पढ़ी उनकी कहानियाँ इसी आत्मपरक अहसास का विस्तार करती लगीं। परिचित यथार्थ के ढाँचे तोड़ती हुई, जिन्दगी को खुशबुओं, स्वप्नों, परछाइयों, परिन्दों के गिर्द टटोलती हुई, जंगलों, यात्राओं, सन्नाटों, दुःस्वप्नों

के बीच ले जाती हुई। ये कहानियाँ ऐसी कल्पनाओं के हिंडोलों में झुलाती जरूर लगी थीं पर इतनी नहीं कि दर्द के नाखूनों से आपकी रूह को लहूलुहान करने से चूक जाएँ। एक प्रकार की यन्त्रणा, उद्दामता, एक प्रकार का जुनून, स्मृतियों के झटके, दुस्वप्नों के चंगुल, अँधेरों के साये, सन्नाटों के पलटवार दौर, अधबीच गायब होते लोग, 'अहसास' और 'तलाश' एक ही साँस में एक साथ, अजनबी प्रतीकों की भीड़, पहाड़, बादल, धुआँ, जंगल जैसा कितना कुछ, पर इस दर्द और दुश्वारी के माहौल में जीवनेच्छा की लौ वैसी ही अकम्प जागती हुई। दावा कुछ *ऐसा कि इन्तिहा कोई भी हो–चाहे कितना बेबस निस्सहाय और शक्तिहीन क्यों न हो जाऊँ,* चेतना, *संवेदना छीन लेने की भगवान से प्रार्थना करने लगूँ,* चाहे *मृत्यु* माँगू पर मुझे *आत्महत्या पसन्द नहीं... न ही घास-फूस बनकर मैं जीवित रहना* चाहता हूँ। न नींद *की गोलियाँ खाकर... न आग में झुलसकर, न पानी में डूबकर... न फाँसी का फन्दा... ऐसा होता तो भगत सिंह (के रास्ते) का अनुसरण करता।... पर जब मरना ही होगा तो इच्छा पूर्ति (कार लेकर) और इच्छामृत्यु (किसी एक फूल का नाम लेकर चट्टान से टकराने) के बीच फासला खत्म करते हुए, लहूलुहान अवस्था में अपनी जुबान की नोक से अपने खून को चखना चाहूँगा ""क उसमें वह हरारत है या नहीं, जिसकी तमन्ना मैंने जिन्दगी भर की।"* यह थी उनकी जिजीविषा के दम-खम की परमावस्था और 'हार्ड-कोर-रोमांटिक' की अपूर्व कथा। (सन्दर्भ 'खुशबू बनकर...')

उनके साहित्य के आलोचकों और उनके समकालीनों ने भी उन्हें इसी तरह जाना-समझा। यदि उन सबके आशयों की तालिका बनायी जाए तो वह भी कुछ-कुछ ऐसी ही होगी कि वे घोर स्वप्नजीवी, परछाइयों के पीछे भागने वाले, अपने पात्रों को कथा के बीचोबीच से गायब कर देने वाले, अँधेरों, अन्तरालों, संकेतों, असामान्य क्रियाओं, अनिर्णित दिशाओं, अमूर्त के आयामों, रूहानी उड़ानों, आजाद-खयाली के हर अहसास को पक्षियों, बादलों, खुशबुओं तक में से पकड़ लेने का हौसला रखने वाले व्यक्ति/ लेखक हैं। इसमें सन्देह नहीं कि 'खुशबू' उनका आकांक्षित रूपक है- "उच्चियाँ कंदाँ/ ढक न सक्कन/ फुलाँ दी खुशबू'। इसमें 'खुशबू' के साथ 'स्वप्न' शब्द भी जोड़ देना होगा जो उनके व्यक्तित्व और संवेदन में हर पल आवाजाही करता रहता है। फिर से कहना होगा कि यह छवि एक घोर रोमांटिक की छवि है, और इस छवि को लेकर न तो वह क्षमायाचक हैं, न क्षुब्ध बल्कि अप्रभावित ढंग से, अधबनी मुस्कुराहट के साथ, अपने ऐसा ही होने देने की इच्छा को सदा महास्वीकृति दे रहे लगते हैं। बकौल उनके "पर्सनल (ही है) जो मुझे हमेशा नॉन-पर्सन होने से बचाता रहा है।"

प्रो. साजिदा जैदी (सन्दर्भ लेख-'अव्यक्त मनःस्थितियों की कहानियाँ') को एक बार बातचीत में उन्होंने कहा था कि *"मैं पिछले पच्चीस-तीस साल से एक ही कहानी*

लिख रहा हूँ।" निश्चय ही यह उस पूरे माहौल, पूरे वायुमंडल की कैफियत है जिसमें उनकी कहानियों का अहसास तैरता है।

इस बात ने प्रो. जैदी को चौंकाया था, क्योंकि इस्सर साब जैसे व्यक्ति जो एक छोर पर क्रियेटिव कल्पनाशील और दूसरे छोर पर इतने बौद्धिक विचारशील कि राष्ट्रीय-अन्तरराष्ट्रीय मुद्दों में बेधड़क हाथ डाल देने को तत्पर रहें, ऐसे व्यक्ति के लिए यह उक्ति अविश्वसनीय जैसी लगती है; कि वह परिवर्तन की इतनी सिम्तों को समझता, समेटता हुआ भी रचनाओं में एक-से ही पैटर्न बनाता रहे।

मेरी समझ में इस कथन को एकाएक कुछ ऐसा कह पाने का 'थ्रिल' और अनायास ही अपनी आन्तरिकता के मर्म को खोल बैठने वाली उक्ति मात्र माना जा सकता है। एक कथाकार के अनुभव के नाते मैं भी यह भूल नहीं पाती कि अपनी रचनासृष्टि में एक बार किसी पात्र का उपयोग कर लेने के बाद पात्र लेखक की चेतना से खारिज हो जाता है, और लेखक की चेतना को भी उसी अनुपात में खाली करता जाता है। यह रूपान्तरण रासायनिक, स्वतः और सतत् है पर अगर ऐसा नहीं होता और वही अहसास बार-बार लौट-लौटकर आता है तो इसका मतलब है उस अनुभव का बहुत-सा बिनखपा हिस्सा भीतर है। या उस होने को रिजेक्ट किया जा रहा है, याकि दर्द के दाग बहुत गहरे हैं। यह भी हो सकता है, लेखक के मन में सबकुछ को विस्मृति के खाते में डालने की तमन्ना ही न हो। बहरहाल, प्रो. जैदी के माध्यम से मिली इस आत्मगत स्वीकृति से हमें उनके रचना-संसार में प्रवेश करने का एक जरूरी सार्थक सुराग जरूर मिल जाता है, जो कहानियों में जगह लेते घटनाक्रम को कम, पर उस परिवेश, उस वातावरण, उस मौसम और माहौल की छटाओं को ज्यादा व्यक्त करता है जिसे रचना के संसार में उपार्जित कर पाने के इस्सर साब ज्यादा आग्रही रहे हैं। उनकी कहानियों का पैटर्न और समवेत प्रभाव बेशक वही है जिसकी वह इस कथन में तसदीक कर रहे हैं, नहीं तो उनके अकेले जैसे जीवन में घटना-स्रोतों का अम्बार है। इस यातना-कुण्ड में देश-विभाजन का हाहाकारी दर्द, विश्वासों के चलते पहले विचारधारा से जुड़ने, फिर अलग होने की बेदारी, अन्दर तक एक तरह से कैंसर के फैल जाने का त्रास, वार्धक्य की हथेलियों में अभी तक थमी हुई माँ की स्मृति, एक आदिम बच्चा, अपरास्त आशावाद की जड़, जिजीविषा में तेजोदीप्त आस्था की कोपलें, क्रान्ति और शान्ति (भगत सिंह और बुद्ध) की उपास्यमुद्रा एक साथ—क्योंकि इन दोनों विभूतियों में लक्ष्य की पवित्रता उन्हें कॉमन, काम्य और नमनीय रही, फिर भी इस्सर साब तक हम उनके अवचेतन की खुशबू के माध्यम से पहुँचते हैं, घटनाक्रम के माध्यम से कम। यानी कि कहानी में उन्होंने कहानी की स्थापित शर्तों को नकारा, जबकि उनके पास घटनाओं के अम्बार हैं, उनकी कलम भी कमजोर नहीं और संवेदन भी समृद्ध, जटिल, तहदार हैं।

ऐसा नहीं कि अपने अनुभवी जीवन में घटनाओं की इस लदान और कथा विधा

से उसके रिश्ते से वह बाखबर नहीं रहे होंगे पर अपनी चुनावधर्मिता (और शायद गोपनभाव) के चलते अपनी कहानियों में वह इसी तरह की प्रभाविष्णुता पैदा करने के हिमायती लगते हैं। साथ ही, उस आजादख्याली के, जो उन्हें मौलिकता, विलक्षणता, सांकेतिकता, प्रतीकात्मकता में उतर पड़ने का अधिकार देती है। सामने के यथार्थ से 'परे' और 'पार' जाने की सृजन-सम्भव आश्वस्ति पैदा कर सकती है। उन्हें जरूरी लगता है उस अहसास को पाने के लिए अपने उस अर्थ की तलाश में निकल पड़ना जो स्मृति और स्वप्न के बीच की स्पेस में जन्म लेता है जो फन्तासी, अतियथार्थ, अयथार्थ, प्रतीक, बिम्ब, स्वप्न, कल्पना, चेतनाप्रवाह में तैरता कोई खंड—यानी कि जो अभिव्यक्ति के चाहे किसी भी उपकरण से पकड़ा जाए। दूसरे रचनागारों की तरह अगर उनकी रचनाओं में पाठक को क्रमबद्ध, चिकनी, हमवार, जिज्ञासा और बेचैनी पर लेप लगाने वाली ज़मीन नहीं मिलती तो इसका अर्थ है—उनके कृतित्व का मर्म कहीं और है, यथार्थबोध को लेकर उनकी किन्हीं मूल अवधारणाओं में।

अपने को वह उद्घोषित रूप से रोमांटिक कहते हैं और भौतिक संसार से दूरी बरतते हैं। दिदरो को उद्धृत करते कहते हैं, "मनुष्य होने का अर्थ है भौतिक संसार से परे जाना।" उन्हीं के शब्दों में-*"मेरी दिलचस्पी परिन्दे में कम, उड़ान में अधिक रही है। फूल में कम, खुशबू में अधिक, दिल में कम, धड़कन में अधिक, शरीर में कम, रूह में अधिक,"* जाहिर है उनकी पसन्दगी का यथार्थ प्रचलित ढाँचों और सुनिश्चित समीकरणों को पहचानने वाला यथार्थ नहीं।

रुमान की व्याख्या भी वह कुछ इसी तरह करते हैं— *'"वास्तव में रुमानी स्वभाव है क्या? चीजों से परे और पार देखना।... यह मसला स्वभाव का है, सौन्दर्य का, मूल्यों का। दुनिया में हर बड़ी तब्दीली स्वप्न से शुरू होती है और हर तब्दीली अपने पीछे स्मृतियाँ छोड़ जाती है। जो लोग स्वप्न नहीं देखते उनके पास स्मृतियाँ नहीं, सिर्फ सामने का यथार्थ है, वह बड़े निर्मम और आततायी होते हैं। कोई भी व्यक्ति रोमानी स्वभाव के बिना न सपने देख सकता है, न स्मृतियों में खो सकता है, न भविष्य में खुशबू लेकर प्रवेश कर सकता है... स्मृति और स्वप्न के बीच जो स्पेस रह जाता है, सृजन का सच उसमें जन्म लेता है और इस प्रकार वर्तमान को अतीत से और अतीत को भविष्य से जोड़ता है।"*

यथार्थ बोध को लेकर उनकी सोच और परिभाषा पर भी दृष्टि डालना जरूरी है। बकौल उनके *"जो प्रत्यक्ष है उसे यथार्थ के नाम पर प्रस्तुत करना मुझे अपील नहीं करता, न ही मैं समझता हूँ कि ऐसा करना कोई बहुत बड़ा काम है... आखिर कहानी के उस यथार्थ में कैसे रुचि ली जा सकती है जो जानी पहचानी है। एक रैखिक है, सपाट और सतही है, कालक्रम और कार्यकारण सम्बन्ध में लिखी गयी है... जिसके रहस्यों से पर्दा उठ चुका है। यानी उसमें न जिज्ञासा है, न जोखिम, न कोई*

जटिलता।" इस तरह के यथार्थ से विरत होने के इस्सर साब के अपने ढंग और अपनी युक्तियाँ हैं जिनसे वह अपनी कहानियों का ताना-बाना बुनते हैं। वह समझते हैं कि "जिस किस्म की दुनिया का पाठक अभ्यस्त हो चुका है उससे उसे डिफेमिलियराइज (de-familiarise) करना है। अपरिचित बनाकर ही उसे ऐसी दुनिया में ले जाया जा सकता है, जो मौजूद तो है लेकिन उसने देखी नहीं या उसे उस तरह नहीं देखा या उसे वैसे देखने का जोखिम नहीं उठाना चाहता।"

कहानी कला में यह जोखिम उन्होंने उठाया है। दूसरे कहानीकार जहाँ प्रत्यक्ष को और गाढ़ा, 'परिचित' को और 'वास्तविक' बनाते देखे गये हैं, इस्सर साब पाठक को परिचित संसार से परे ले गये हैं ताकि नयी जमीन तैयार हो सके, जहाँ नयी दृष्टि रोपी जा सके। यही दिशा, यही दृष्टि लेखक का चुनाव है। यह फैसला भी उसीका है, कि वह आपको कहाँ ले जाना चाहता है। यहाँ उनकी कल्पनाशीलता का एक अलग, बेहद लचकीला आयाम देखने में आता है। उन्होंने अपनी ढेरों कहानियों में अपने संवेदन-सजातीय पात्र बनाये हैं जिनकी मिट्टी और जमीनें उन्हें पहले से मिली हुई या उपलब्ध नहीं थी। स्थिति, गति और परिवेश सहित उन्हें सबकुछ आमूल गढ़ना पड़ा है। रुमान जैसे अ-ठोस अमूर्तन के व्योम में रास्ता ढूँढ़ती यह कठिन यात्रा है जिसके लिए गहरी, विश्वासदीप्त सृजनात्मक उर्जा और जोखिम उठाने की क्षमता चाहिए होती है।

बहरहाल, अपने परिचित संसार को लाँघकर इन सैकड़ों तहों, जटिलताओं, रहस्यों वाले पात्रों के साथ होने का मतलब है—पहले लेखक के तहखाने की, उसकी चेतना के प्रवेशद्वार की कुंजी ढूँढ़ने को उद्यम में पड़ना, जो हमें फिर से लेखक के चुनावों/विकल्पों के नजदीक लाने को बाध्य करता है। बेशक विनोद में ही सही, उनका कहना है, *दूसरे लेखकों द्वारा रिजेक्ट किये गये या दुत्कारे गये पात्र उनके दरवाजे पर आये हैं "मैंने इन पात्रों को नहीं चुना, इन पात्रों ने मुझे चुना है। इस मामले में मैं अपने को सौभाग्यशाली समझता हूँ कि दूसरे कहानीकारों ने उनकी दस्तक सुनने से इनकार कर दिया, उन्हें इस योग्य नहीं समझा कि वह अपने सृजनद्वार से उन्हें अन्दर आने की इजाजत दें और उन्हें तिरस्कृत करके दुत्कार दिया तो वे उनकी दहलीज पर लावारिस-से ठिठककर रह गये। (इस उद्धरण भर से उनके मन में पात्रों का मानवीकरण हो चुकने की प्रक्रिया देखी जा सकती है।) तो उन्होंने मेरी कहानियों में अपने गुमशुदा चेहरे की, अपने खोये हुए स्वत्व की, अपने लापता अतीत की, अपनी भूली हुई स्मृतियों की तलाश शुरू की। वे इसमें सफल हुए या नहीं, मैं नहीं कह सकता, लेकिन इतना जानता हूँ कि मैं भी उनकी तलाश में उनका हमसफर हो गया। एक बात कहूँ कि इस सहयात्रा में मैंने महसूस किया कि मैं भी वही हूँ जो वे हैं—साइकिक। जो कुछ मैं लिखता हूँ, यह उनकी दास्तान है या मेरी, इसमें कोई अन्तर नहीं रह गया।"*

पात्र से ऐसे तादात्म्य की यह स्थिति लेखकीय बिरादरी के सामूहिक अनुभव में अविश्वसनीय क्योंकर होंगी। फ्लाबेयर के 'मदाम बॉवरी' और तालस्ताय की 'अन्न केरोनिना' के हवाले से ऐसी तल्लीनता के वर्णन हमारी स्मृति और लेखकीय इतिहास में भरे पड़े हैं।

उनके बारे में कुछ और आगे जाने से पहले 'सच' के उनके प्रत्यय–जो रचना में कथावस्तु का रूप लेता है–को भी देख लेना जरूरी है। 'सच है क्या?' इस प्रश्न को वह बार-बार उछालते हैं। सच क्या कोई वस्तु है जिसे हम कामना स्वरूप मुट्ठी में बाँध लें। उनके अभिमत में सच 'एल्यूसिव' है। पारे की तरह है, छूने जाओ आगे सरक जाता है। जबकि सृजन का रहस्य सच का सामना करने में है। और जब उसे छूने की कोशिश की जाती है तो वह यथार्थ की हदों से परे सरक जाता है और उस बिन्दु पर ठिठककर रह जाता है जहाँ से रहस्य की सीमा शुरू होती है।

इस्सर साब के लिए रहस्य की सीमा शुरू होने का मतलब है विराट के धुँधलके में 'अनिश्चय' और 'सम्भावना' के बीच अपनी तरह के सच की तलाश की सरहद का शुरू होना। मतलब उनकी तरह की सृष्टि का शुरू होना–पात्र, परिवेश, संरचना और सच। इस सच को लेखक की दृष्टि भी कह सकते हैं क्योंकि इसे तो अपनी ही दृष्टि में उपार्जित किये जाना है। मतलब अपने ही संवेदन के फिल्टर से छनकर आया, अपनी वेदनाओं, सन्तापों, प्रश्नों, राग-विराग, प्रेम-वियोग, शरीर-मन की घुलमिल में से आकांक्षित अनुकूलन में ढाला गया सच, जिसे इन पात्रों की चेतना में ढुलकाया जाना है। पात्र–जो अपने ही स्वत्व, अपने ही रक्त से, अपनी ही प्राणवायु से बने अपने ही सच के प्रतीक हो सकते हैं।

पर समस्या यहाँ हल नहीं होती क्योंकि हमारा सच तो हमारा ही सच है, पूरा सच नहीं। सच तो अनेक हैं, सबके लिए अपने-अपने हैं। पर ज्ञान समग्र है, अतः हमें समग्र के आदर्श की ओर चलते रहना है। वे ठीक ही कहते हैं, *"मनुष्य उस यथार्थ से जिन्दा नहीं रहता जिसे उसने पा लिया है। बल्कि उस तसव्वुर से जिसे वह यथार्थ का रूप देने के लिए रोशनी और साये के संगम पर ठहरकर रुकने का इन्तजार करता है और इन्तजार की व्यथा से गुजरता है।"*

ऐसी अवधारणाएँ उनकी रचनाओं का ताना-बाना बुनती हैं। जिसे समझने के लिए उनकी जीवनदृष्टि की समग्रता तक जाना पड़ता है, (जो उनके जीवनदर्शन, रचनात्मक और बौद्धिक सरोकारों की मनोभूमि है) जहाँ पात्रों में जगह ढूँढ़ते बड़े सवाल–मनुष्य की नियति, अस्तित्व, मैं कौन, मेरा उद्देश्य क्या, आत्मा की मुक्ति आदि हमें घूर रहे होते हैं। शायद इसीलिए उनके पात्र विचारों के धनी हैं और लेखक की तरह ही जीवन की धूप-छाँह में लुकते-छिपते, अन्ततः उन्हीं के व्यक्तित्व में काया-प्रवेश करते अपनी सत्ता अर्जित करते हैं और एक नया रचना पैटर्न, नया सौन्दर्यबोध प्रस्तुत करते हैं। यह सफर बकौल उनके "भावना, बुद्धि और कल्पना

की उड़ान तय करती है।” अपने द्वारा बहुलता में प्रयोग में लाये जाते शब्दों के कोड को भी उन्होंने खोला है। (यह सब तथ्य हमें डॉ. गुरचरण सिंह को दिये गये लम्बे साक्षात्कार शीर्षक ‘पत्थरों के शहर में एक शीशागर’ से प्राप्त होते हैं।) उनके हिसाब से ‘तलाश’, ‘स्वप्न’, ‘परछाई’, ‘परिन्दा’, ‘उड़ान’ जैसे कल्पनाप्रसु शब्दों के अर्थ प्रतीकात्मक होते हैं– *“असल में साहित्य की अलग से कोई भाषा नहीं होती। जब कोई शब्द साहित्य में लाया जाता है तो वह अपने साथ अर्थ का असीम संसार लेकर आता है। हर शब्द एक प्रतीक, एक कोड होता है...सिग्नीफायर के मल्टीपल सम्बन्धों को समझना जरूरी है।”* उनके ऐसे वक्तव्य हमारी समझ में इजाफा जरूर करते हैं, पर किन्हीं संकेतक (सिग्नीफायर) शब्दों के मिल जाने से समस्या हल नहीं हो जाती क्योंकि लेखकीय मंशा और अवधारणा के चलते वे उनके पूरे रचनात्मक उद्यम में शिराजाल की तरह बिछे हुए हैं और चूँकि ये समय के चलन और प्रत्यक्ष यथार्थ की पहचान से दूर ले जाते हुए हैं, इसलिए उन्हें इस्सर साब की दी हुई जमीन और उन्हीं के दिये हुए शब्दों की आन्तरिकता से समझना पड़ता है।

उनके लेखकीय चुनावों और विकल्पों की पगडंडियों पर से गुजरते यह अहसास गाढ़ा होता चला जाता है कि हम उनकी कथासृष्टि पर नहीं, कथास्रष्टा पर लौट-लौटकर आने को क्यों बाध्य होते हैं। क्या उनकी सृष्टि वस्तुपरक विलगाव के पैमानों तक नहीं पहुँच पायी है। यह एक अलग किस्म का आलोचकीय उत्तेजन का सवाल हो सकता है, जिस क्षेत्र में दाखिल होने का मेरा इरादा नहीं है, न मेरी पात्रता। किसी लेखक को लेकर मेरी जिज्ञासा कृतित्व और व्यक्तित्व के बीच बनते पुलों के मिजाज को जाननेभर को लेकर होता है।

जहाँ तक मेरी समझ जाती है, इस्सर साब की कथासृष्टि में उनके ‘आकांक्षित’ और ‘रूपान्तरित’ के गठजोड़ का कठिन समीकरण काफी दूरी तक सध पाया है। वह अपने ‘आकांक्षित’ को ‘रियलाइज्ड’ तक ले जा पाये हैं। पार्श्वों, दरारों, अन्तरालों में जो गूँजे बची हैं वह रचना व्यवहार में छूटती जाती सम्भावनाएँ हैं। वैसे भी, यह एकत्व फाटोकॉपी जैसी यथातथ्यता पा लेने का मामला नहीं है। मुझे लगता है उनके आत्मप्रत्यय आँवें चढ़े हैं। उनकी कहानियाँ किसी धुनी-जनूनी के असह्य उबाल से बनी इबारतें नहीं लगतीं (क्योंकि अपने गुणधर्म से बने वायुमंडल में स्थिरता से टिकी रहती हैं) बल्कि विचार और अनुभव के बीच डोलती वयस्क, विरल, आश्वस्त और साहसी अभिव्यक्तियाँ लगती हैं। वे दिखने में अतार्किक पर आत्मप्रत्यय के सेंक से तपकर स्रष्टा से अलग हो जाने के अर्थ में भीतर तक तार्किक हैं। गहराई में जाकर देखने पर कलामूल्यों के बारे में लेखक की दृष्टि और उसकी रचनात्मक परिणति के कौशल को देखा जा सकता है।

दुर्बोधता अगर उनमें है तो पाठक और परिदृश्य/परिमंडल के बीच अपरिचित और विचित्र यथार्थ के फैलाव को लेकर है, जिसे लेखक की मंशा ने उपजाया है और

अवधारणा के स्तर पर समझाया भी है। समग्रता में देखने में उस अन्तर्धारा के दर्शन हो सकते हैं जो प्रकट से 'पार' और 'पार' से 'अपार' तक जाने को लालायित है। वह संसार जिसमें हम छायाओं को बेचैन तैरते देखते हैं वह समग्र से विलगाव की भटकन का दर्द है। उन्हें वजूद और छाया के बीच फाँक के बिना के अविभाजित सत्य की प्यास और तलाश हैं। यह तलाश चूँकि खत्म नही होती इसलिए उनमें अधूरे और पूरे, आकांक्षित और वास्तविक की मुठभेड़ (एन्काउण्टर) सतत् है। स्वप्न वहाँ एक सम्भावना है और सम्भावना की पकड़ के लिए सृजन एक मनोनीत साधन।

'एन्काउण्टर' ('तलाश' और 'स्वप्न' की तरह ही) उनका प्रिय शब्द है। कहना चाहिए टेक्स्ट के मंशागत निर्माण में उनकी रचनात्मक बौद्धिक क्रियाशीलता का एक आधारभूत उपादान। वे शुरू से कहते रहे हैं *"मेरी समस्या यह है कि मैं यथार्थवादी नहीं हूँ जो साहित्य के लिए बड़ा गुण है। मैं चीजों और व्यक्तियों को वैसा नहीं देखता जैसे वे होते हैं... मैं मूलतः सेंटीमेंटल और रोमांटिक हूँ... न भोगे हुए यथार्थ पर लिख सकता हूँ, न स्वत्व पर, क्योंकि मैं 'एन्काउण्टर' का कायल हूँ।"* फिलहाल, इस बात को पीछे छोड़ देना होगा कि साहित्यिक बौद्धिक संसार में चलती आयी स्थापनाओं को नकारने वाले ऐसे व्यक्ति को अपना संसार, आरम्भ से इति, तक स्वयं बनाना पड़ता है, बल्कि इस बनाये हुए संसार के सक्रिय विरोध-प्रतिरोध, सृष्टि-प्रतिसृष्टि, क्रिया-प्रतिक्रिया का जोखिम और दायित्व भी खुद ही उठाना पड़ता है, वह भी किसी कीमत पर। वह कीमत उन्होंने कई तरह से चुकायी है। पर इस बहाने विरल संवेदन वाले सृष्टा कहलाने का अधिकार भी उन्हें मिला है। यों विरलता विलक्षणता के प्रति रुझान उनका एक और पैशन भी है जैसे कि जिन्दगी में एक ही खब्त काफी न हो।

'एन्काउण्टर' का कायल होने से ही निकलता रहा है उनके लिए 'समाज, नैतिकता, राज्य, कायदे-कानून' पर प्रश्नचिह्न लगाना या सार्थक हस्तक्षेप की मुद्रा में आना। सृष्टि और प्रतिसृष्टि का सौष्ठव उनमें भरपूर है। वस्तुतः किसी 'एन्काउण्टर' के लिए वस्तुस्थिति में 'रहित' और 'सहित' का ज्ञान जरूरी है। इस दिशा में ज्ञान के लिए उनकी अदम्य भूख, घोर अध्ययनशीलता और स्पंज जैसा सोख्ता संवेदन खूब कारगर सिद्ध हुआ है। अपने इस बौद्धिक, वैचारिक उद्यम में वह देश-विदेश की सीमाएँ लाँघते दिखाई देते हैं। ज्ञान के लिए उनकी अदम्य भूख अपने प्रत्ययों को प्रमाणपुष्ट बनाने के लिए ही नहीं, वैचारिक उर्जा/उर्वरता के हर सम्भव ठिकाने में हाथ डालने की पहल और प्रेरणा से आती है।

ध्यान से देखा जाए तो 'एन्काउण्टर' का यह मनोभाव उनकी सृजनभूमि और विकसित विचारणा शक्ति में अन्तर्निहित है। भौतिक का अभौतिक से, यथार्थ का रुमान से, अपने सच का समग्र सच से, इस दृष्टि का उस दृष्टि से, स्थापना का कल्पनाशीलता से... यह एक लम्बी तालिका है, जिसके घात-प्रतिघात में से उनका

इतना बीजगर्भित चिन्तन हमें उपलब्ध हो सका। यह किसी से छिपा नहीं है कि वह हमारे समय के एक प्रखर चिन्तक और प्रबुद्ध संस्कृति समीक्षक माने जाते हैं जो एक तरह से उनकी उद्‌घोषित रोमांटिक छवि के विपरीत (एन्काउण्टर में) ही पड़ता है, जिसका निस्तार बौद्धिक, सांस्कृतिक क्षेत्र में उनकी अछोर कल्पनाशीलता के उपयोग में माना जा सकता है, पर प्रस्तुत प्रसंग में यह सब अवान्तर मुद्‌दे हैं।

स्पष्ट है कि इस एन्काउण्टर-वृत्ति की केन्द्रीयता ने उनकी सिरजना में उनकी जमीन ताने-बाने का दर्जा लिया है और चूँकि उनकी मेधा एक बेहद जटिल और बहुपर्ती स्तर पर काम करती है इसलिए यह घर्षण इतने सरलीकृत नहीं हैं कि आपने-सामने का एक स्थूल मॉडल रचकर किनारा कर लें बल्कि स्थिति के हर सूक्ष्म-सबल कोने की पड़ताल से जुड़ा है। यह एन्काउण्टर आदिम पुरुष और सभ्यता के धुँआसे से मलिनतर हो चुके 'करप्ट, भौतिक, उपयोगितावादी' स्वत्व के बीच भी है। यह एन्काउण्टर जंगल की उस कैफियत में भी पिन्हा है "जहाँ मैं युवा, सुन्दर और संवेदनशील पैदा हुआ था, पर जो ध्वंसकारी प्रवृत्तियों के हमले के कारण अब 'मैला, बेचेहरा और संवेदनशून्य है।' यह एन्काउण्टर अन्तरंगता की जुबान भी बोल सकता है जहाँ 'लोग बरसों से साथ रहते हैं' शरीर का कोई फासला नहीं होता, फिर भी एन्काउण्टर नहीं होता।" यहाँ तक कि इस्सर साब के भीतर बैठे लेखक को यह लगता है 'जिस दिन यह विरोधाभास... यह द्वन्द्व मिट जाएगा मैं भी नहीं रहूँगा' यानी कि अपनी सलामती का अहसास भी उनकी दृष्टि से बनते इस अहसास में से निकलकर आता है। यह किसी लेखक के विश्वास (कंविक्शन) की पराकाष्ठा है।

कहने का अर्थ यह है कि कायल होने के लिए 'एन्काउण्टर' उनके द्वारा लाया गया कोई एक शब्दभर नहीं, बल्कि एक पूरी व्यवस्था है। जिसमें से एन्काउण्टर के लिए उनके चौतरफा सरोकारों के समूह के समूह निकलते चले आते हैं, जिससे उनके सृजन-चिन्तन की बेहद व्यापक, बेहद भेदक और समृद्ध दुनिया बनती है। इन समूहों में ग्लोबल सरोकार, राष्ट्रीय अन्तरराष्ट्रीय चिन्ताएँ, वाद, समाज, कलाकर्म, मीडिया, इतिहास, संस्कृति, टेक्नोलॉजी, राजनीतिक मोर्चे, सोशल इंजीनियरिंग, आधुनिकता, अद्यतन वैचारिक वृत्तियाँ, विमर्श, परिवर्तन, आन्दोलन, मनुष्य, ईश्वर, आदि 'सब कुछ' शामिल है, फिर इस 'सब कुछ' का पक्ष-प्रतिपक्ष यानी और भी कुछ।

यह तालिका अभी पूरी नहीं है क्योंकि उनकी 'ग्लोबल संलग्नता' मात्र उनका वैचारिक ऑब्सेशन ही नहीं, व्यक्तियों, व्यक्तित्वों, कलाकारों, वैज्ञानिकों, चिन्तकों, चित्रकारों की विलक्षणताओं के प्रति भी उनकी दृष्टि उतनी ही आसक्त, चौकन्नी और चौकस है। अपनी पुस्तक 'कोई आवाज गुम नहीं होती' में उन्होंने देश-विदेश की सीमाएँ भूलकर विश्व भर के प्रतिभाकुण्ड और थॉट-टैंक में हाथ डाला है। प्रेमचन्द से लेकर नाडीन गार्डीमार तक 34 व्यक्तियों को उन्होंने अपने स्निग्ध स्मरण की

मंजूषा में इसलिए बाँधा है कि वे अपने-अपने क्षेत्रों में विलक्षण प्रतिभा वाले लोग हैं। कहना न होगा कि विलक्षणता की खोज और उसके प्रति लगाव उनका एक और ऑब्सेशन है। उनका विश्वास, कि "ये सब वे लोग हैं जो हमारी जिन्दगी को कैक्टस लैंड होने से बचाना चाहते हैं और उनका यह तर्क कि 'सामाजिक व्यक्ति की धारणा, व्यक्ति को ही निगल न जाए इसलिए उसकी चिन्ता जरूरी है,' मार्मिक है।"

इस चौतरफा सरोकार-समूह की मौजूदगी कुछ हद तक इस वस्तुस्थिति की व्याख्या भी कर सकती है कि क्यों उनकी साहित्यिक, बौद्धिक छवि दो अलग-अलग संसारों में बँटे विखंडित विरोधाभासी व्यक्तित्व का अहसास देती है। इसमें सन्देह नहीं कि उनके कथा-संसार के मिजाज से सटकर चलते अकसर रुमान रुमानियत, रोमांटिक का घटाटोप सिर चढ़कर बोलने लगता है पर यह सब बातें तभी तक उलझी हुई, रहस्यमयी लगती हैं जब तक उनके वैचारिक पक्ष को तराजू के दूसरे पलड़े पर नहीं रख दिया जाता जहाँ वह अपनी सुदृढ़, भविष्यदर्शी स्थापनाओं में अधिक स्पष्ट और सक्षम दीखते हैं। इतना ही नहीं बल्कि पाठक पर अपनी संवेदना के समूचेपन को खोज निकालने की चुनौती भी फेंकते हैं।

गहराई से देखा जाए तो रचनात्मक साहित्य के क्षेत्र में उनकी अमूर्त-सी लगती अवधारणाएँ भी अपनी मंशा में सरहदविहीन विराट की इतनी ही व्याकुल प्यास की पुकार हैं। पहले देखा जा चुका है वह उसे वहाँ तक फैलाने के लिए व्यग्र है जहाँ वह अदृश्य, अज्ञात, सीमाहीन के अभी तक अनदीखे विस्तार में से अपने आशय के कण बटोर सके चाहे वह अभिव्यक्ति का कोई भी, कैसा ही उपकरण हो। वस्तुतः वह 'पार' और 'विस्तार' के लेखक हैं।

उनकी इबारतों में से इतना सटकर गुजरते उनका 'पार' और 'विस्तार' का यह ऑब्सेशन अचानक ही कहीं और—एक विस्थापित जोन में जाकर खुलने लगता है। कहीं किसी वीरान में दबे ऐसे गहरे गह्वर पर जो बरसों से (के) घास-फूस, पत्तों के ढेर से ढका पड़ा है। उनकी बौद्धिक रचनात्मक उपलब्धियों के ढेर पर पीढ़ी दर पीढ़ी पलती पाठकों की जमात के बीच यह अन्दाजा लगाना कठिन हो जाता रहा कि उनको लेकर बात कहीं हम जड़ों को छोड़कर पत्तों से तो नहीं करते रहे हैं। समय की अनदेखी गुफाओं में बेदर्दी से गिरती-फिंकती उन संवेदनाओं की कराह को अनसुना करते रहे हैं, जहाँ लहू उलीचते जख्मों का लावा, बाहर गिरने की बजाय भीतर ही टपटप गिरता गया है और फिर कभी वापस न मुड़ने के लिए उनके रक्तप्रवाह में सदा के लिए दाखिल हो चुका है। देश विभाजन की बेदारी को वे किस तरह बयान करते हैं।—*एक बानगी देखिए—*

होशो-हवास को पहला आघात...

"शरणार्थी!

यहाँ तक तो मैं किसी तरह बच-बचाकर आ गया। लेकिन किसी ने यहाँ सीधे

सीने में गोली दाग दी। नाम, घर, देश खोकर यह अहसास तो था कि मनुष्य हूँ—स्वतन्त्र भारत का नागरिक। यह अहसास भी खत्म हो गया। नहीं, मैं शरणार्थी नहीं। शहीद न सही लेकिन शरणार्थी कदाचित नहीं। मैं अपनी जन्मभूमि से विस्थापित हुआ हूँ... दुख मुझे इस बात का है कि मैं शहीद क्यों नहीं हो सकता—शरणार्थी क्यों हो गया?"

उनके इस उद्धरण का इस्तेमाल मैं किसी की दया-दयालुता जगाने या मार्मिकता को असरदारी तक पाठक को ले जाने के लिए नहीं कर रही। मंशा मेरी वही है, उनके मानसिक संवेदनात्मक घटकों के स्वभाव को जानने की कोशिश जिसके लिए मैं इस पूरे लेख में यत्नशील रही हूँ। स्वानुभव के चलते निर्वासन का यह एहसास स्वयं मुझे बरसों मथता रहा है और अन्ततः मैं इस नतीजे पर पहुँची हूँ कि अपनी जड़ों से नाभिनाल की तरह जुड़ा आदमी, उखड़ जाने पर दर्द की इन्तहा में पूरे विश्व के संवेदनाकुण्ड से रिश्ता जोड़ लेता है। इस तरह के टूटे हुए निर्वासित व्यक्ति को अपने भीतर एक निर्गुण (न्यूट्रल) विराट हासिल हो जाता है जिसमें वह अपनी तरह विचरता है और मनुष्य की नियति की निरन्तरता में 'स्वातन्त्रय' का मूल्य भी आँकता है। एक समय के बाद वही उसका अपना आत्मीय, संवेदनात्मक संसार बन जाता है जिसे 'पार' और 'परे' के विस्तार में कहीं से भी छुआ जा सकता है। मुझे लगता है इस्सर साब के बड़े बृहत विजन का रहस्य शायद इस वस्तुस्थिति में ढूँढ़ा जा सकता है।

हाल ही में सलमान रुश्दी द्वारा लिखे एक लेख से भी मुझे अपने भीतर इस दृढ़ हो चुके आशय को समर्थन मिला। रुश्दी (इस प्रसंग में स्वानुभवी) ने यह लेख इतिहास की गर्त में खो चुके दार्शनिक हेराक्लाइटस पर लिखते हुए कहा—"कोई प्रवासी बिना जड़ के किसी ऐसे पेड़ की तरह होता है जो लगातार गिरने से बचने की कोशिश करता रहता है। प्रवासी होना एक वास्तविक स्थिति है, जो निर्मतापूर्वक हमें, हमारे सभी सुरक्षा कवचों से अलग करके उस संसार में फेंक देती है जो अगर हमें समझने भी लगे तो गलत ही समझता है। लगता है जैसे हम उस धरती की तरह हैं जिसे अपने वायुमंडल से अलग कर दिया गया है, और जिसे सूरज अपनी निष्करुण शक्तिमता से झुलसा रहा है... ऐसे लेखकों के लिए 'अनिश्चय' और 'अस्थिरता'—'रिहायश' 'भविष्य', 'परिवार', 'स्वत्व' की—एक स्वनिर्धारित विशेषक बन जाती है। इन्हें एक स्वतःप्राप्त (ऑटोमेटिक) विषयवस्तु का हमेशा अभाव रहता है, उन लेखकों के विपरीत जो हमेशा अपने अंचल या अपनी देशीय संस्कृति को मन में धारण किये ताउम्र अपने लेखन में भुनाते रहते हैं। (रुश्दी ने यहाँ जेम्स जॉयस के लिए डबलिन और नुरुद्दीन फर्राह को लेकर सोमालिया का जिक्र किया है) जबकि प्रवासी मानसिकता, 'परिवर्तनशीलता' और 'अनअन्तिमता' को सदा अपने सरोकार के घेरे में पाती है।... प्रवासी लेखक के पास कोई जमीन नहीं होती

जब तक कि वह खुद ही इसका आविष्कार नहीं कर लेता। यह कैफियत भी हर चीज के प्रति उसके अनिश्चय की भावना को बढ़ाती है जिसके चलते वह किसी चीज को भी मानकर नहीं चल सकता—न नियति, न पात्र, न रिश्ते।'

इस उद्धरण में कुछ काँट-छाँट की जा सकती थी पर मैंने जानबूझकर नहीं की क्योंकि एक गहरे विश्वसनीय तरीके से यह इस्सर साब की मनोभूमि के रेशे-रेशे को जुबान दे रही थी। इसमें सन्देह नहीं कि उन्होंने खुद अपना विराट रचा है। अपने यथार्थ और परिवेश का आविष्कार किया है। स्थिरता, सुरक्षा कुछ पायी होगी तो इसी स्वरचित संसार में पायी होगी। पात्रों को, उनकी नियति को खुला छोड़कर। उनके जैसा लेखक तभी यह कह सकता है:—

"मैं जब लिखता हूँ, सब कुछ खुला रखता हूँ। यह एक प्रकार से मनुष्य के मौन और तन्हाई में प्रवेश करना है—उस संसार में जहाँ इन्नोसेंस लुप्त हो रही है। जहाँ भाषा परत दर परत अपनी शक्ति खो रही है और बात संकेतों, प्रतीकों, बिम्बों, स्पर्श और दृष्टि से की जा सकती है। मैं अपने पात्रों को न कोई निर्देश देता हूँ, न कोई मानचित्र... बस इतना चाहता हूँ, पाठक जिस रास्ते से कहानी में दाखिल हुआ है, वह कहानी के अन्त पर किसी दूसरे रास्ते से जाने की सोचे।"

इस अनुच्छेद के पिछले दो वाक्य रेखांकित करने योग्य हैं। हर पात्र और पाठक के लिए यह 'सम्भावना' और 'स्वतन्त्रता' के मूल्यबोध के हक में दी हुई किसी कथाकार की बहुत बड़ी स्टेटमेंट हैं।

महीप सिंह : समय में हस्तक्षेप की चेतना

जीवन का खूब लम्बा समय अहमदाबाद में गुज़रा। 'संचेतना' कुछ इन पत्रिकाओं में से थी जो उस अहिन्दी भाषी प्रदेश में उपलब्ध थी और महत्त्वपूर्ण भी मानी जाती थी क्योंकि उसके सरोकार शुद्ध रूप से साहित्यिक थे और विधाओं की समकालीनता को दरज भी करते थे। उसके छोट-से कलेवर में चुभती हुई रचनाएँ अलग से पकड़ में आ जाती थीं। तब गौर नहीं किया था कि इस पत्रिका का अवतरण कब से हुआ है, पर तल्लीनता से लिखे हुए डेढ़-दो पृष्ठ के सम्पादकीय एक बौद्धिक की चिन्ताओं और समस्याओं को सम्बोधित कर लेते थे, इसलिए अच्छे लगते थे। उससे पत्रिका को कुछ कम कठोर नीतियाँ भी स्पष्ट होती थीं जिसके चलते सुझावों को निस्संकोच व्यक्त करने में दुविधा पैदा नहीं होती थी।

आज पलटकर देखने से लगता है इस अर्थ में 'संचेतना' डॉ. महीप सिंह की स्वभावगत आंतरिकता का दर्पण थी। कोई भी पत्रिका अपने सम्पादक के व्यक्तित्व का ही कोई महत् अंश होती है, इसलिए सम्पादक के बदलते ही पत्रिका से उद्भूत 'दृष्टि' बदल जाती है। 'संचेतना' भी इसका अपवाद नहीं है। डॉ. महीप सिंह के सम्पादन के समय वह कोई लड़खड़ाता हुआ दस्तावेज़ नहीं थी जो पाठकों/लेखकों को आकर्षित करने की ऊर्जा न पैदा कर सके। उस समय आज जैसी पत्रिकाओं की रेल पेल भी नहीं थी।

एक लघु पत्रिका के सम्पादक के रूप में डॉ. महीप सिंह की इतने दर्शकों में फैली साहित्यिक उपस्थिति को संकुचित करना मेरा उद्देश्य नहीं है पर सच यह है कि डॉ. महीप सिंह से मेरे सम्बन्ध का समीकरण मुख्यतः वही था। उन्हें जानने पहचांनने की शुरुआत इसी तरह हुई थी। मुझ जैसे नये-नकोर लेखक को उन्होंने मान से छापा। वह तब तक एक जमे हुए पुख्ता लेखक थे। घोर पंजाबी होने के बावजूद जिनका हिन्दी का ज्ञान, भाषा-प्रयोग और उच्चारण विरल था। उन्हें ऐसी भाषा बोलते देख, उनकी पगड़ीधारी आकृति से उसका जोड़ बिठाते यह जिज्ञासा बलवती जरूर होती थी कि वह अपनी मातृ भाषा किस लहजे में बोलते होंगे? क्या वह इतनी ही विशुद्ध और प्रफुल्ल हो सकती है। यह बात तब उजागर हुई जब मेरी ओर से पंजाबी ही बोलने का आग्रह शुरू हुआ। उनकी ओर से ऐसी कोई पहल नज़र नहीं आयी थी। मैं ही अपनी भाषा के गैर-इस्तेमाल के चलते, अपने को उस भाषा

को सजीवता से विछिन्न भान रही थी। उनकी पगड़ी धारी आकृति के चलते प्रस्ताव मेरा ही था कि मैं उनसे केवल पंजाबी में ही वार्तालाप करना चाहती हूँ। इसे उन्होंने अपनी तरफ से निभाया भी, यह बात अलग है कि साहित्यिक सरोकारों से लदी चर्चाएँ पंजाबी में व्यक्त होने को बाध्य होते अपनी साम्यता, मधुरता, कर्णप्रियता खो देती थीं। वह नज़ारा अपने को ही असुन्दर और अरुचिकर लगने लगता था तो बात हिन्दी में वार्तालाप में पलट जाती थी। इसका एहसास शायद डॉ. महीप सिंह को इतनी तीव्रता से न भी होता हो, पर उन्हें एक सहधर्मी को खुशी देने में खूब खुशी महसूस होती थी। इस उत्साह में उन्होंने मुझे पंजाबी के वर्णाक्षरों की एक पुस्तिका भी लाकर दी थी और अपनी तरह समझाया था कि वाचन और लिपि के जुड़े जाने से किसी भाषा में कैसी ताकत पैदा होती है। मैं इस ताकत के क्षीण होने को जानती थी, अतः उसी सन्दर्भ से ताकतवर होने को भी जान सकी। यह दूसरी बात है कि डॉ. महीप सिंह की सहृदयता के बावजूद पंजाबी लिपि से मेरा अपरिचय उतना ही बना रहा अब तो और भी ज्यादा जबकि पंजाबी भाषा विकास और उच्चारण के कितने सोपान लाँघ चुकी है। ऐसा मुझे इन दिनों अकसर आकाशवाणी और दूरदर्शन पर प्रसारित इबारतों से पता लगता है। बाद में डॉ. महीप सिंह ने पंजाबी राइटर्स कोऑपरेटिव सोसायटी की अध्यक्षता स्वीकार कर ली जिसके तहत पंजाबी हिन्दी साहित्य का आदान-प्रदान बढ़ा भी। इस समागम से बहुत-से लेखक दोनों क्षेत्रों में अधिक जाने गये।

स्थापत्य की कामना शायद उनके स्वभाव का ही कोई घटक है। साहित्यिक परिदृश्य में आजतक उनकी सतत् उपस्थिति के तथ्यों पर ध्यान दें तो बहुत-सा कुछ सम्बन्धित तरीके से उजागर होने लगता है। 'संचेतना' पत्रिका को उन्होंने शुरू किया और आज तक कायम रखा। अपने सम्पादकीयों द्वारा समय-समय पर अपना मत-अभिमत भी प्रकट करते रहे। समय में हस्तक्षेप की यह प्रवृत्ति बाद के वर्षों में अधिक चटक होती गयी, उसने एक स्पष्टतर दिशा भी ग्रहण की। आत्मप्रत्ययों के चलते उन्होंने राजनीतिक सन्दर्भ को भी अपनी सरहद में लिया। प्रचलित व्याधियों-साहित्यिक, सांस्कृतिक, राजनीतिक के मूल की ओर इशारा करके लेखक वर्ग के चिन्तन को भी उकसाया और उनके मंशा-विकल्पों को दस्तावेजी तरीके से पत्रिका में समाविष्ट भी किया। दस्तावेज बनाने की ओर रुझान को मैं उनको स्थापत्य कामना का ही एक रूप मानती हूँ, क्योंकि यह काम अभी तक अविरल रूप से चलता आ रहा है।

'भारतीय लेखक संघ' की स्थापना को भी मैं उसी बद्धमूल महेच्छा का प्रारूप मानती हूँ। उसके सदस्यों द्वारा एक-एक रुपये के टिकट बेचकर साधारणता में असाधारण प्राप्ति की घटना भी उनमें एक आश्वस्त व्यक्ति के लक्षण प्रकट करती

है। नयेपन का तिलिस्म खोकर और रंग-रूप बदलकर वह 'लेखक संघ' भी आजतक चला ही... चल रहा है। जिसके अनेकों प्रतिबद्ध सदस्य हैं। नींव डालना और फिर कायम रखना दोनों दुर्गम काम हैं। कुछ अधिक सूक्ष्म स्तर पर जाएँ तो चीजों, सम्बन्धों आपसी समीकरणों में सुदृढ़ और संसिक्त बने रहने भी उनकी सदाशयी वृत्ति भी एक उसी केन्द्रीयता का लक्षण है।

बाद के वर्षों में उन्होंने वर्ष-दर-वर्ष को चुनिन्दा कहानियों के संकलन भी निकाले, जो 'वर्ष के श्रेष्ठ' को दस्तावेज़ के रूप में पा जाने का एक उत्साही उपक्रम था। कहानियों का चुनाव, 'अन्धा बाँटे रेवड़ी' की तर्ज़ पर न होकर साधारणतयः जनतान्त्रिक और सर्वग्राही होता था, क्योंकि वर्ष विशेष के उत्तमतम की खोज करता था। शायद यह वही समय रहा होगा जब 'अभिव्यंजना प्रकाश' की शुरुआत हुई होगी। मेरी समझ में इन उपयोगी पुस्तकों की उपलब्धता भी अन्य दूसरे मुद्दों के अतिरिक्त उसमें शामिल रही होगी।

इस दस्तावेजी प्रतिभा की बाध्यता में उनके द्वारा किये गये और भी कई ऐसे कृत्य देखे जा सकते हैं, जिसमें दूरदर्शिता का आयाम अनायास ही जुड़ता दिखाई देता है। इस दिशा में कुछ प्रबुद्ध लेखकों के साथ जुड़कर उन्होंने मंटो पर, दलित चेतना पर, 1984 के फसादों पर संकलन-सम्पादक का काम किया। यह सम्पादित काम उनकी मनोगत दिशाओं को लेकर बनी हमारी समझ के वृत्त को पूरा करता है। जहाँ तक मेरी दृष्टि जाती है उनके जीवन में राजनीतिक प्रतिबद्धता की लकीरें 1984 के दंगों के बाद ज्यादा चटक और मुखर हुईं याकि दिखाई देने लगीं । उस समय वे आमूल हिल गये थे। शायद कानपुर में बसे परिवार जनों की क्षति भी हुई थी।

रचना-कर्म में डॉ. महीप सिंह का चुनाव मुख्यतः कथा-साहित्य ही रहा। उन्होंने ढेरों कहानियाँ और कई उपन्यास भी लिखे। हाल ही में उनकी प्रस्तावित त्रयी का एक भाग 'अभी शेष है' के नाम से प्रकाशित हुआ है जो विभाजन की पृष्ठभूमि पर आधारित है।

रचना की ज़मीन पर साधारण जीवन को लय से जुड़े रहने की वृत्ति, साहित्य में एक 'असाधारण' सोपान है। असाधारण की किसी मुद्रा को पकड़ पाने के लिए हमारी कला-चेष्टा के सभी उपकरण सतत् सक्रिय रहते हैं। डॉ. महीप सिंह का यथार्थ बोध जीवन के रोज़-दर-रोज़ घटते क्रम का ऋणी है। वे साधारणता के अपने आवेश पर कायम रहते हुए, उसे जीवन के तापमान की अपरिहार्यता मानते हुए साहित्य की सृष्टि करते हैं। उनका कला-कौशल मानवीय सम्बन्धों के संयोजित समीकरण में से अचानक ही कथा का मर्म तलाश लेने की बेचैनी में से उठता है। उस बिन्दु तक पहुँचने की यात्रा में वह उसी हिसाब से सम्पृक्त, असम्पृक्त दिखाई

देते हैं। कथा-परिवेश को वह तनिक भी अस्त-व्यस्त नहीं करते, उसे द्वन्द्वों अन्तर्द्वन्दों की सघनताओं में भी नहीं ले जाते। "उनकी कहानियाँ किसी कही जाती कथा के समापन की तरह हैं जिसका मर्म सजल और सीधा हम तक पहुँचता है। कथा कहने का संयोग और कारण भी कहानी के वर्णित एहसास के साथ ही साथ पाठक के हाथ लगता है। कहानी पर घटना का बोझ जरूर है पर कला का बोझ नहीं। शायद इसलिए उनकी कहानियाँ अपनी कलात्मक निस्संगता के लिए विख्यात रही हैं। यह कलात्मक निस्संगता... बहुत ही सांकेतिक ढंग से किसी एक जड़ स्थिति या मनः स्थिति के भीतर से मानवीय अस्तित्व को चेतना का संकेत दे जाती हैं।"

एक तरह से वह मनुष्य के सार्वजनीन स्वभाव की कहानियाँ हैं। खाँटी ठेठ स्थानीयता ने उनकी लेखकीय अस्मिता को जकड़ा नहीं है। पंजाबी और भुक्तभोगी होने के बावजूद भाषा की अन्दरूनी सम्भावनाओं तक वे अपने हिन्दी-भाषा-व्यवहार में परिशुद्ध रह सके हैं। यहाँ एक महत्त्वपूर्ण सवाल यह भी उठता है कि अपनी स्थानीयता का विस्थापन क्या किसी लेखक के जीवन में ऐसी निस्संग प्रकृति का निर्माण करता है? होने को महीप सिंह के अन्दर पूरा इतिहास दफन है। उनकी राजनीतिक समझ भी सचेत और परिवेश-प्रवृत है, पर रचना के केन्द्र में नहीं आती रही। जिस रचना-पीढ़ी से महीप सिंह जुड़े हैं उनमें अनुभव और रचना के बीच एक चुप्पी देखी गयी है। (भीष्म साहनी को छोड़कर) यह लक्षण बहुत से रचनाकारों में लक्षित होते हैं। क्या इसका कारण वही है जो मैंने 'रुको इन्तजार हुसैन'[1] कहानी में तलाशा था? इतिहास को भुनाने की बजाय भुलाने और हज़्म कर जाने की ताकत का माद्दा ही... क्या एक बहादुर कौम का निर्धारित किया गया चेहरा होने को है? मेरी समझ में इतने समानधर्मा लोगों के बीच महीप सिंह भी उसी लक्षण का प्रतिनिधित्व करते हैं। क्या इस स्थिति में जातीय सहचारिता जैसा कोई ताप है?

हाल ही में डॉ. महीप सिंह को प्रस्तावित त्रयी का पहला भाग 'अभी शेष है' प्रकाशित हुआ है। यह पुस्तक उनके अब तक के रचनाकर्म के बरअक्स एक नये

1."... किताबें रखी रहती हैं क्योंकि उनका जीने में से गुजरती जिन्दगी से कोई वास्ता नहीं... होता तो देश-विभाजन के इतने बड़े हत्या कांड पर हाथ लगतीं इतनी-सी किताबें। लाखों के खून-खराबे को जुबान देती कुल जमा दस किताबें। यहूदी अच्छे निकले जिन्होंने अपना दुखड़ा तरल करके सारे संसार को धमनियों में बहा दिया। क्या कोई ऐसा सूरमा नहीं था यहाँ, इन दो सरहदों के बीच?...

फिर खुद ही लगा गलत सोच रहा है। लिखने वाले और होते हैं, उखड़ने वाले और। उखड़ने वालों को इबारतों से उलझने की फुर्सत ही नहीं। पैरों तले पड़े अंगारों को हथेली पर रखकर देखने की हिम्मत भी नहीं।"

उद्धरण कहानी—रुको इन्तजार हुसैन, लेखक राजी सेठ

किस्म की अगवानी है। यह आत्मकथा भी है, देश-कथा भी, काल-कथा भी। उसका यथार्थ सीधे शब्दों में, सीधी रेखा में, सन्दर्भित स्वरों में सीधा बजता है। उसमें बारीकियाँ नहीं हैं, काल चेतना है, राजनीतिक सजगता है। यह पुस्तक उनकी दस्तावेजी क्षमता का प्रमाण है। लगता है अगले खंड भी इसी तरह अपनी कहानी खुद कहेंगे। इस खंड के सन्दर्भों का परिप्रेक्ष्य नहीं बदलेंगे। काल की सुरंग में से अपना साक्ष्य प्रस्तुत करते हुए सीधे गुजरेंगे। इन दस्तावेजों के लिए डॉ महीप सिंह जैसी लेखकीय वृत्ति बहुत फलदायी सिद्ध हो सकती है। इस वृत्ति में और भी बहुत कुछ शामिल है जो दृष्टि सम्पादन में उनका सहायक होता है—जैसे आत्मप्रत्ययों की स्पष्टता और दृढ़ता। वाणी का संयम पर निर्भीकता। टिकाव-ठहराव का माद्दा। दस्तावेजी रुझान। मुद्दों से जुड़ा चिन्तन उन्हें रास आता है, इसीलिए समय में हस्तक्षेप की चेतना उनमें सतत् सक्रिय रहती है और कर्म की दिशा निर्धारित करती रहती है।

स्मृति शेष

डॉ. देवराज : जीवन का यही क्रम शाश्वत

शिमला से घर लौटने पर तीनों पत्र एक साथ मेज पर पड़े मिले थे। एक साथ इतनी ढेर-सी, सूचनाएँ सूचनाओं में पिरोयी हुई वही पुरानी परिचित बेचैनी... वही प्रश्नाकुलता, जिसके चलते वे कहा करते थे, उनका दिमाग फटा जाता है। 'कम्ब रामायण' उन्हें दोबारा पढ़ने पर बाल्मीकि और तुलसी से ज्यादा सक्षम लग रही थी—"उसमें नैतिक प्रत्ययों के लिए इतनी सामग्री निकल पड़ेगी इसका गुमान न था। इसके सृजनात्मक उपयोग की बात ने दिमाग को पकड़ लिया है... उधर पूरे युगबोध को समेटते हुए, मनुष्य की मानवसुलभ कमजोरियों और उदात्त प्रेरणाओं के बीच कशमकश को ध्यान में रखकर लिखा जाने वाला उपन्यास कल्पना में पक चुका है।' लिखा था कुछ हिस्से लिखे भी जा चुके हैं—"सारा समय किसी-न-किसी तरह की व्यस्तता... पढ़ने की बुरी ललक और आदत पड़ी है।"

कुछ और घरेलू बातों के बाद यह चर्चा कि "हिन्दी को किसी तरह प्यूरिटन नहीं होना चाहिए। हमें उर्दू के सरल फारसी से आये शब्द...अग्रेजी पत्रकारिता से आते दबाव को लेते-पचाते चलना चाहिए, चाहे हिन्दी लेखन पर हिन्दी मुहावरे की छाप जरूरी है। यों शब्द-शिल्प के विकास के लिए संस्कृत वाङ्मय से परिचय जरूरी है।" फिर सुझाव था—मुझे जॉर्ज नोवेक की सम्पादित पुस्तक 'एग्जिस्टेंशियलिज्म वर्सेज मार्क्ससिज्म' अपने शिमला संस्थान के पुस्तकालय से ढूँढ़कर देखनी चाहिए। उनकी लिखी पुस्तक 'फ्रीडम क्रिएटिविटी एंड वैल्यू' तो मैं अब तक देख ही चुकी होऊँगी। पत्र के अन्त में वाक्य था—"स्व का गुणात्मक विकास, उस मार्ग पर बढ़ने की ललक जगाना...लेखन में जीना किसलिए, का उत्तर खोजना—जीवन का लक्ष्य क्या इतना पर्याप्त नहीं है?" पत्र के पुनश्च में अभी-अभी हुए आणविक विस्फोट और 'पश्चिम की एकाधिकारिक मनोवृत्ति की व्याख्या' और अन्त में यह सूचना कि अगले सप्ताह वह दिल्ली पहुँच रहे हैं—"समग्र रचनावली की योजना बनानी है। बारहवाँ कविता संग्रह भी अब तो प्रक्रिया में है।"

यह थे मेरे गुरु डॉ. देवराज—हिन्दी के प्रबुद्ध संस्कृति चिन्तक, दर्शन और साहित्य की सृजनात्मक और आलोचनात्मक भाव-बोध धाराओं के प्रशिष्ट प्रज्ञा-पुरुष। उनके मात्र सरसरे जैसे—कभी-कभी दिनांक विहीन—लिखे जाते तीन पत्रों भर में इस तरह के इतने विचार-सूत्र, जिसके माध्यम से केवल उनके साथ ही नहीं बल्कि पूरे

संसार से रिश्ता कायम किया जा सकता था। उनके पत्रों को संकलित करके एक जिल्द में रख देने की बात अगर मन में बनी रहती थी तो मात्र इस कारण कि उस माध्यम से विश्व के सर्वश्रेष्ठ साहित्य के रू-ब-रू हुआ जा सकता था। वह भी नाम उछालने की मुद्रा में नहीं बल्कि उनके द्वारा आत्मसात किये हुए सारतत्व की पहचान से।

इन एक-दूसरे से भिड़ती पत्र की पंक्तियों ने अभी मन से विदा भी नहीं ली थी कि ठीक इसी समय फोन से समाचार आया--डॉ. देवराज नहीं रहे। 11 जनवरी को उनका लखनऊ में देहान्त। देहान्त भी कितनी विचित्र स्थितियों में हुआ। सुबह की सैर के लिए घर से निकले ही थे कि सड़क पर दौड़ते एक वाहन ने उन्हें टक्कर मारकर गिरा दिया। खूब चोट आयी। खूब खून बहा। पाँच दिन इंटेसिव केयर यूनिट में रहे। घर लाये गये तो मौत की सुरंग में फिसल लिए। गिरनेवाले दिन और मरनेवाले क्षण के बीच उपचार और अटेंडेंस की जो न्यूनताएँ हैं उनका जिक्र नहीं करना चाहती। वह प्रेत उनकी नियति पर कब से मँडरा रहा था। अतिक्रमण की क्षमता सृजक को किसी भी ऊँचाई तक ले जाए, पदार्थिक वास्तविकताओं से पार पाना आसान नहीं होता। उनके मरने की सूचना पर किसी ने कहा था--"चलो, ठीक है। वे अस्सी वर्ष के थे।" पर अस्सी वर्ष पुराना पेड़ अगर अभी भी उतना ही हरा-भरा और फलदायी हो तो क्या उसके इस तरह कट जाने का आघात नहीं लगता? यों यह पेड़ इतना फलदायी न भी रह गया होता तो भी उसके विवर्तों में कितने मौसम और कितनी पीढ़ियों ने अपना उपजीव्य सँजोकर रखा है, यह भूलने की बात नहीं। उनकी सबसे अनिजी और गहरी चिन्ता तो यही थी कि भारत को हर हाल में अन्तरराष्ट्रीय कद और छवि के लेखक मिलें, जिसके चलते अपनी दृष्टि की अन्वीक्षिकी को उन्होंने हर पल, हर दिशा और हर झरोखे की तरफ खुला रखा। हर छोटे-बड़े लेखक की प्रतिभा को सम्मान और सम्भावना से देखा। नौ सालों तक सम्पादित 'युग-साक्षी' इसी सामूहिक परिष्कार की परिकल्पना की उपज थी। उसमें 'युग-चेतना' के दिनों की वापसी का स्वप्न थरथरा रहा था। जो इस स्वप्न के हिस्सेदार थे, इस सत्य को जानते हैं।

मैं अपने को कुछ उन भाग्यशाली लोगों में से मानती हूँ जिसे उनकी सागर भर ज्ञान सम्पदा में से कभी भी चोंच भर ले लेने का अधिकार हमेंशा उपलब्ध रहा। वह सदा ऊर्जावान, बेहद खुले हुए, बेहद ममतालु, मन से सरल, सदाशयी, मृदुल, सतत्-संवाद-प्रस्तुत और निरभिमानी थे। बड़े विचारों और बड़ी दृष्टि के प्रति मन में एक अचूक अड़ियल कट्टरता। बौद्धिक इमानदारी इतनी कि पढ़ते-लिखते-सोचते समय किसी की पंक्ति या विचार के बलाघात से कोई बात मन में कौंध भर जाए तो स्रोत के प्रति कृतज्ञता ज्ञापन के लिए अधबीच रुक जाना। उसे खुल्लम-खुल्ला प्रकट करते रहना, दूसरों से बाँटते रहना। इसे एक ऊँचे दरजे की अहिंसात्मक वृत्ति ही

कहा जा सकता है, जो उनकी दार्शनिक और साहित्यिक धारणाओं में सांगोपांग पिरोयी हुई रही। उनको निकट से देखना एक बेचैन जिज्ञासु और एक उत्सुक शिशु को एक ही काया में घुले-मिले देखने जैसा था। दृष्टि की उत्तानता के बावजूद वह जीवन की छोटी-छोटी घटनाओं और व्यवहारों को पक्षी के चुग्गा चुनने की तरह चुनते थे। बच्चों पर लिखी उनकी कविताओं की शृंखला जीवन में अक्षुण्ण रहे इस अबोधत्व की साक्षी है।

यह बात सदा अचरज में डालती रही कि इस ऋजुता के साथ-साथ कैसे ऐसी अदम्य ऊर्जा, निष्ठा और ऐसी सृजन-समृद्ध आस्था के दर्शन हो पाते हैं। मैंने उन्हें कभी नकारात्मक भूमिका में नहीं देखा। इस अचलता को लेकर मन में सदा प्रश्न उठते रहे। यह प्रश्न इसलिए भी उठते थे क्योंकि वह आस्थावादी थे, पर आस्तिक नहीं थे। ईश्वर को नहीं मानते थे। आस्तिकता के होने, न होने को उन्होंने कभी अपना मुद्दा नहीं बनाया; न ही कभी ईश्वर के अस्तित्व के बड़े तम्बू के नीचे किन्हीं विवादास्पद धारणाओं को सरकाने की कोशिश की। हर चेतनागत समस्या का सीधे सामना किया। विचार और व्यवहार के बीच मानवसुलभ रिश्ते कायम किये। लौकिक और पारलौकिक का भेद उनके लिए किसी दूसरी दुनिया का नहीं, इसी दुनिया का मसला था। इसलिए उन्होंने जीवन की उच्चतम सम्भावनाओं के जीवन-दर्शन के सोपान खोजने और विकसित करने पर जोर दिया।

उनके हिसाब से सृष्टि का पहला अन्यतम सोपान और घटक है—स्वयं 'मनुष्य'। दूसरा, उसकी 'सृजनात्मक वृत्ति', जिसके कारण वह मूल्यों की सृष्टि करता है। तीसरा संभावनाशील सोपान है—उसमें निहित सन्तत्व। इन्हीं सोपानों में से उनके लिए मनुष्य जीवन का अर्थ या यात्रा पूरी हो जाती है। उनके जैसा निष्णात दर्शनशास्त्री समूचे जीवन-दर्शन को इस सम्भावना-बीज में समेट देता था। उनकी दृष्टि ठोस वैज्ञानिक, समग्रतावादी, वृत्ति समावेशी, मनुष्य के भीतर छिपी हीरोइक सम्भावनाओं की उत्तानता में अडिग विश्वास रखने वाली रही। उनके द्वारा सांगोपांग ढंग से प्रतिपादित 'सृजनात्मक मानववाद' इसी दृढ़ विश्वास की उपज है, जिसने साहित्य में अलग तरह से और दर्शन में अलग तरह से अभिव्यक्ति पायी। उनके मनोभाव में केन्द्रीय 'विजन' का आग्रह, पकड़ और पहचान मुझे विलक्षण चीज लगती थी, जिसकी परिणति उनके व्यावहारिक जीवन में भी इतनी ही उत्कटता से होती थी। ज्ञान के अथाह की अनथक अभीप्सा के बीचोबीच अपनी मौलिकता के सत्त्व को बचा ले जाना उनके चेतस पुरुषार्थ की अनिर्वच उपलब्धि थी, जिसे उनके सिरजे हुए मन्तव्यों द्वारा ही जाना जा सकता है।

यह वैचारिक मौलिकता उनके व्यक्तित्व में इतनी उजागर थी कि पचास के दशक में जब हम लखनऊ विश्वविद्यालय में उनके विद्यार्थी थे तो उनके लेक्चर्स में प्रस्तुत आशयों, अभिप्रायों, दृष्टिकोणों का विस्तार लायब्रेरी की किसी भी पुस्तक

में ढूँढ़ नहीं पाते थे। इसलिए कक्षा में जो कुछ वह कहते थे, उसे नोट कर लेने का श्रम इतना तनाव भरा होता था कि घबराहट में अक्षर हाथ से छूटते जाते थे। उनकी मननशीलता एकदम अपहुँच लगती थी। बौद्धिक और आत्मिक ऊर्जस्विता से उन तक कभी भी पहुँचा जा सकता है, यह बाद के वर्षों में समझी गयी बातें हैं। इसे एक बत्सल प्रबुद्धता का साहचर्य ही कहा जा सकता है।

उनसे सम्पर्क के इन सब सालों में उनपर लिखने की जरूरत मुझे बेतरह महसूस होती रही। कई कारणों से यह दिन-प्रतिदन उग्र भी होती गयी; पर फली नही। उनके कृतित्व की अर्थवत्ता, व्यापकता और संश्लिष्टता के सामने पहले तो अपनी क्षमता ही छोटी तुलती रही; फिर कितनी ही दीक्षाओं में निष्णात, समग्रता में सोचने वाले चिन्तक के सरोकारों को केवल साहित्य के सन्दर्भ से उठाने की बात भी कभी न्यायसंगत नहीं लगी। उनकी विचारणा के अनगिनत पक्षों को नापने के लिए एक सुफ्ट समन्वित दृष्टि की जरूरत थी। साहित्य और दर्शन की चिन्तन परम्परा में इतने ठोस योगदान के बावजूद वह साहित्य जगत द्वारा उपेक्षित ही रहे। शायद धारा से हटकर खड़े होने वालों की यह नियति है। वैसे भी हिन्दी की यह विडम्बना है कि यहाँ बड़ी, गहरी, उत्कट प्रतिभाओं के अवदान पर गम्भीरता और खुलेपन से सोचा नहीं जाता। हिन्दी के आलोचनात्मक तर्क को एक खास तरह की कट्टरता ने दबोच-सा रखा है, जिसके चलते सृजन-मनन उतना महत्त्वपूर्ण नहीं रह जाता जितनी कि किसी खेमे की शिविरबद्धता। इस वायुमंडल का सबसे तीखा दबाव डॉ. देवराज जैसे बहुआयामी और लगभग आधी सदी तक सृजन और विचार-सक्रिय रहने वाले सशक्त रचनाकार के कृतित्व की चतुर उपेक्षा के रूप में पहचाना जा सकता है।

कितनी इच्छा रही कि वह 'सबकुछ' सबके द्वारा जल्दी जान लिया जाए, जिसे वह हम सबके लिए सतत् कह-सुन रहे थे; यह कि उनका हम सबके बीच होने का कोई आदान-प्रदानमय अर्थ निकले। यह जरूरी न भी हो कि हम अपना अर्थवान सबकुछ निर्जीव धूल खायी पोथियों की काली लकीरों से ही पढ़ें। हमें अपने स्रोतों की महत्ता का इनसानी उष्णता और वत्सलता से जुड़ता कोई अर्थ भी मिले। पूरी ज्ञान परम्परा को अपने भीतर समाये जो कृति-व्यक्तित्व हमारी पहुँच में है, उसकी सृजन-साधना का ढंग भी हमारे अनुभव में जुड़े; पर सृजनात्मक संसार को लेकर हमारी जिज्ञासाएँ शायद बहुत छोटी हैं, या कि हर पीढ़ी की अहम्मन्यता उसकी नम्रता को दबोचे रहती है। लोग भूल जाते हैं, रचनात्मकता के जिस प्रवाह में हम हाथ डाले बैठे हैं वह पीछे से चलता चला आ रहा है। वह स्रोतविनी कितनों के श्रम-पराक्रम से यहाँ तक बहकर आयी है। हम उसके अकेले अधिकारी नहीं हैं; पर इस समय इस विषमता के कारणों पर जाना एक इतिहास पुरुष की स्मृति को दूषित करना है।

'इतिहास पुरुष' की रचना पर आचार्य हजारी प्रसाद द्विवेदी ने उन्हें लिखा था

कि "जी में आया है कहूँ—शाबाश, यह रचना मुझे बहुत उत्तम लगी... अध्ययन-मनन से पवित्रीकृत...कहूँ तपःपूत है। यह हृदय की धड़कन का स्वयं गृहीत रूप है।" यह पत्र 10 मार्च, 1966 का है। इसके बाद तो डॉ. देवराज के दस काव्य संग्रह और लिखे गये। नौ उपन्यास भी छपे। ढेरों दर्शनशास्त्र की तथा आलोचनात्मक पुस्तकें छपीं। क्या यह माना जाए कि आचार्य द्विवेदी की आकलनबद्धता में हमें सन्देह था? आकलन की उपेक्षाओं से डॉ. देवराज का जीवन भरा पड़ा है। मैं इस दर्द की व्यक्तिगत रूप से साक्षी हूँ। लगभग नौ वर्ष तो उनके साथ 'युग-साक्षी' का सह-सम्पादन करते गुजरा। वह सीखने-समझने के गझिन वर्ष थे। 'युग-साक्षी' के पुनर्प्रकाशन तक पहुँचते तो वह आत्मरचना की जरूरतों के समकक्ष पहुँच रहे थे। परत-दर-परत शीर्षक से सम्पादकीय लिख रहे थे। हर पल विकसित और संवर्द्धित होती आत्म चेतना को अपने प्रकाशन के लिए स्पेस भी चाहिए था, अतः 'युग-साक्षी' का प्रकाशन आरम्भ हुआ—और उस पूँजी से हुआ जो एक अध्यापक की पूरे जीवन की गाढ़ी कमाई थी। कम या ज्यादा, डॉ. देवराज ने लेखकों को पारिश्रमिक भी दिया, जब तक इतनी चीजों के संयोजन के श्रम ने उन्हें पस्त नहीं कर दिया। पत्रिका के सम्पादकीयों की शृंखला एक मनीषी की उच्चतम प्रज्ञा और आत्मचेतना का जागरूक उदाहरण है, गहरे आत्मसंघर्ष की साक्षी तो है ही।

बार-बार ऐसा देखने में आता है कि दर्शन-साहित्य-संस्कृति चिन्तन के गहरे अध्ययन-मननवाले सुपात्र, सृजनशील लोगों को आज के वायुमंडल में अपरीक्षित रूप से ही पुरातनपन्थी, जड़-रूढ़िवादी करार कर दिया जाता है। उसी तर्क से डॉ. देवराज के बारे में किसी ने यह जानने तक की कोशिश नहीं की कि वह इसी युग में मनुष्य के भीतर की उच्चतम (हीरोइक) सम्भावनाओं में विश्वास को लेकर आजन्म एक नास्तिक मानसिकता में जिये। उनकी मनोधारा बौद्धिक प्रगतिवादी, आधुनिक, दृष्टि समग्रतावादी, वृत्ति समावेशी, उदार और व्यापक रही। वह मनुष्य को ही इस सृष्टि की अन्यतम प्रजाति मानते थे, इसलिए विकास की उत्तरोत्तरता के चिन्तन में उसके लिए संघर्ष को महत्त्व देते थे। नैतिक मूल्यों की मानवोचित सम्भाव्यता को टटोलते थे। नैतिक फैबरिक के बिना जीवन की कल्पना उन्हें खोखली लगती थी। गालिब, गाँधी, कालिदास, तुलसी और टॉलस्टाय के वह विशेष प्रेमी थे। उनके लिए इस संसार के सारे रास्ते मूल्यों की नैतिक 'अवेयरनेस' के साथ इसी संसार के भीतर से होकर जाते हैं। 'अजय की डायरी' के माध्यम से मनुष्य के भीतर की हीरोइक सम्भावनाओं के अन्वेषण का जो क्रम उनके सृजन में शुरू हुआ, वह 'सृजनात्मक मानववाद' के उनके सम्पूर्ण दर्शन में निष्पादित हुआ। उस सारी चिन्तनधारा में एक विलक्षण वैचारिक संगति है। उसकी जानकारी इसी देशकाल में, इसी जीवन में रहते और जीते मनुष्य के अर्थवत्ता बोध और जीवनयापन के बीजमन्त्रों की तैयारी थी। पूरी गम्भीरता और निष्ठा से वह हमारी आधुनिकतम और कातरतम जिज्ञासाओं का

उत्तर दे रहे थे। निम्नतर से उच्चतर जीवन की व्यावहारिकता में समग्र जीवन की स्वीकृति का विचार-दर्शन प्रस्तुत कर रहे थे। मनुष्य ही उनके लिए *अपनी मंजिल और गन्तव्य/खुद तुम्हीं हो कि तुम ज्ञाता भी हो ज्ञेय भी/एक भी हो और अनेक भी/एक मात्र तुम हो/तुम्ही हो/इसीलिए यह जानते हुए भी/कि जिन्दगी का चरम छोर मृत्यु है/मैं जीने का साहस करता हूँ, जीता हूँ।*

इस नाशवान् संसार में किसी वस्तु या व्यक्ति के जाने का दुःख बेशक कुछ अर्थ नहीं रखता। वहाँ खड़े होकर तो हम अपनी क्षतियों और वेदनाओं का हिसाब-किताब ही कर रहे होते हैं। दुःख है उन बातों का, जिसे स्व. मैथिलीशरण गुप्त ने कहा था–

मेरा (हमारा) सुधासिन्धु मेरे (हमारे) सामने लहरा तो रहा पर तट पर पड़ी मैं (हम) प्यासी मरती हूँ। –(उर्मिला)

जाने कितनी तपःपूत प्रतिभाओं ने हमें इतनी आमन्त्रक उर्वर ज्ञान-भाव भूमि दी, पर हमें किसी अर्थवान भँवर में टिकने का समय ही नहीं। समय की अन्धी दौड़ के साथ दौड़ सकने का हौसला है तो अच्छा, पर कहीं अपने पैर गड़ाये रखने की जिद और संकल्प के बिना कोई भी समय हमें कभी उत्तर नहीं दे सकता।

जिस उपेक्षा और अवहेलना से हमने अपने इस युग मनीषी को विदाई दी वह मर्मान्तक है। इतना तो सबको विदित है कि ज्ञान संचयी अपनी एकान्तनिष्ठा के कारण परिवार-परिजनों को भी खो देता है–और जिनके लिए वह अपनी फसलें बो-काट रहा होता है वे भी उनके वंशज बनने को तैयार नहीं होते; उन्हें कोई आश्वासन नहीं देते। यदि उनका जीवन और उनकी शवयात्रा 'अमेदियस' चलचित्र में प्रदर्शित महान् संगीतकार मोत्जार्त जैसी थी तो इसमें क्या आश्चर्य।

उन्हें नमन करते हुए भी ऐसे नमन को 'अन्तिम' कहने की इच्छा कभी मेरे भीतर नहीं जागती। बड़ी प्रतिभाओं को लेकर समापन का भाव भी मेरे मन में नहीं उगता। ऐसा कुछ लिखते उनके आशयों को अधूरी अधबनी गूँज ही मन में टकराती है, सो बस उसीके साथ...

अज्ञेय : कितने ठौर ठिकाने

संस्मरण, स्मृत और स्मृति को ही नहीं लिखते, लिखने वाले को भी उतना ही लिखते हैं। यह द्विमुखता ही उनके उपार्जन की सहजावस्था है। दो तटों के बीच बँधे-बहते समय-प्रवाह में कब, कहाँ, कौन-सा स्मृतिखण्ड चेतना से टकराएगा और उसकी प्रतिगूँज किसको किस मुद्रा में लिखेगी, कोई नहीं जानता।

अहमदाबाद से स्थानान्तरण के बाद हम लोग 1977 में दिल्ली आये थे। यहाँ आने से पहले मैं 'नया प्रतीक' में कई विधाओं में छप चुकी थी। छपने की दुनिया में वह मेरा पहला प्रवेश था। एक या दो कहानियाँ छप चुकने के बाद मैंने वात्स्यायन जी को अपनी कुछ कविताएँ भेजीं। तुरन्त उत्तर आया :

"माननीयासु! आपका पत्र और पाँच कविताएँ मिली थीं। धन्यवाद! इतनी ही कविताओं का निर्णय करना हो, तो मैं कदाचित्—'दर्द की तरह'—रखकर बाकी लौटा देता, लेकिन इन्हें देखकर मुझे लगा कि आप ही के पहले चुनाव से न बँधकर सम्भव हो, तो और भी काफी-सी कविताएँ देखनी चाहिए; बशर्ते कि आपने लिखी हो बहुत सी। क्या यह सम्भव होगा कि एक साथ ही पन्द्रह-बीस कविताएँ मुझे देखने को मिलें--तब यदि उचित जान पड़ा, तो एक बड़ा समूह एक साथ प्रकाशित करना चाहूँगा। कुछ 8-10 पृष्ठ तक। वैसा हुआ, तो दिसम्बर के अंक में यह समूह इकट्ठा दिया जा सकेगा जैसे सितम्बर के अंक में अरुण सेदवाल की कविताएँ दी गयीं हैं।"

एक नये उगते लेखक पर ऐसे किसी पत्र की प्रतिक्रिया क्या हो सकती है, इसकी कल्पना करना आसान है। जीवन के उत्तरार्द्ध में शुरू हुआ रचनाकर्म जैसे एकाएक महा-स्वीकृति पा गया हो। कविताएँ उन्हें भेजी गयी। विचारार्थ उनके पास रही थीं। दिसम्बर अंक में; पर मेरी कहानी छपी, जिसके बारे में उन्होंने लिखा कि उन्हें "अच्छी लगी...उसकी स्पष्टदर्शी प्रतिभा से मैं चौंका भी।" 15 कविताओं का समूह फिर जनवरी अंक में छपा। सुखद लगा। अभिव्यक्ति के स्तर पर तब तक मेरे मन में कविता-कहानी का कोई भेद नहीं था।

शायद उसी साल, अहमदाबाद से छुट्टी पर घर (शाहजहाँपुर) जाते समय नियत करके पहली बार उनके बसन्त विहार वाले आवास में मिलना हुआ था। मोहक, भव्य और आकर्षक उठान, शिष्ट, शालीन, सुस्मित स्वागत भाव। चाय-पानी के बाद इला जी ने तब तक छपी रचनाओं के पारिश्रमिक स्वरूप संकोच से एक लिफाफा भी

थमाया था। उसके बाद इधर-उधर की कुछ बातें—पहले सेठ साहब के महकमे सम्बन्धी पूछताछ। फिर उस समय के छिटपुट अवलोकन जैसे—दिल्ली में हिन्दी नहीं बोली जाती, अंग्रेजी यहाँ की मूल भाषा है। या यह कि किसी विचारधारा से जुड़ाव नये लेखक के लिए किस-किस तरह के संकट पैदा करता है, स्वीकृति के लिए उसे अपना रास्ता बदल देना पड़ता है। या कि साहित्य का आम आदमी क्या वास्तविक आम आदमी है? आदि-आदि।

यह सब कुछ शान्ति से सुनते-सुनते भी मैं भीतर से अधीर थी। 'नया प्रतीक' में अपने अब तक के छपे पर प्रतिक्रिया भी चाहती थी। शायद शाबाशी का लोभ रहा हो। उस पहली भेंट में वे शायद कुछ भी न कहते; पर मैंने थोड़ा उकसाया तो वे बोले, "आपकी कविताओं में अक्सर शब्द की खोज का श्रम दिखाई देता है। वह होता तो है पर दीखना नहीं चाहिए। संवेदन को पैराफ्रेज करने की प्रवृत्ति भी कहीं-कहीं दिखाई देती है। कुछेक शब्द या पंक्ति छोड़ देने से बात अधिक गहरी होकर सामने आ सकती है।" यह भी बताया कि कुछ कविताएँ उन्हें बहुत अच्छी लगीं, कुछ में शाब्दिक परिवर्तन किये गये। यह भी बताया कि किन्हीं कविताओं में श्री रघुवीर सहाय ने कुछ फेरबदल किया है।

कुछ भी अन्यथा नहीं लगा था। गुरु-सम किसी के मिल जाने का भरोसा हाथ लगा। उनसे पूरे सम्पर्क काल में मेरी एक प्रशिक्षु जैसी मानसिकता ही बनी रही थी। कहना चाहिए; उन्होंने मुझे झेला ही था। लगा था वे अच्छे गुणवान साहित्य के तरफदार हैं, इसीलिए गुण-दोष को लेकर, इतने स्पष्टवादी। यह बात उनके अति शिष्टतावादी रवैये के बीच में कभी आती नहीं लगी। अपनी धारणाओं पर उन्हें सदा अडिग देखा। विद्यानिवासजी ने कहीं लिखा भी है—"सृजन के नये सोपानों पर घुटनों के बल चलते रचनाकार उन्हें बड़े अपने लगते हैं। अनगढ़ सौन्दर्य, अनगढ़ रचना से वे बड़े अभिभूत होते हैं।"

वैसे भी समय के उस दौर में मेरे मन में 'अज्ञेय-वृत्तान्त' एकदम तरोताजा था। सूरत में रहते, ठेठ गार्हस्थ्य जीवन जीते, शादी के तेरह-चौदह सालों बाद मैंने फिर से पढ़ाई शुरू करने का निर्णय लिया था। छोटी-छोटी लड़कियों के साथ, रोज-दर-रोज कक्षा में बैठने के अटपटे, आहत दर्प के पीड़न के बीच मैंने दक्षिण गुजरात विश्वविद्यालय से अंग्रेजी में एम.ए. में दाखिला लिया था। वैकल्पिक विषय हिन्दी और 'विशेष कवि' के रूप में अज्ञेय को चुना था। अहिन्दी भाषी प्रदेश में विद्यार्थियों को अज्ञेय जैसे कवि की तलब नहीं थी। 26 या 16 छात्रों की कक्षा में अज्ञेय को चुनने वाले मेरे समेत दो ही विद्यार्थी थे। उस प्रौढ़ वय में, पंक्ति दर पंक्ति के सघन शिक्षण के दौरान मैंने सचेत रूप से उनके रचनाकर्म की आन्तरिकताओं, पार्श्वों, संकेतों, निहित अन्तरालों, जटिलताओं, सूक्ष्मताओं आदि को जानते-समझते पढ़ा।

परीक्षाएँ खत्म होते-न-होते हमें सूरत से अहमदाबाद स्थानान्तरण का हुक्मनामा

मिला। नये सिरे से उखड़ने-जमने की कवायद, किताबें, अध्यापक छूट जाने का अवसाद मन पर हावी था। तब अनुमान नहीं था अहमदाबाद का आवास कहीं ज्यादा अनुकूल, उर्वर और निर्णायक सिद्ध होगा। वहाँ मेरी छोटी बहिन कमलेश सिंह-'आत्मकथा के स्वरूप और साहित्य' पर शोध कर रही थी। भाषा भवन के अध्यक्ष डॉ. भोलाभाई पटेल, हिन्दी अध्यापन के साथ-साथ अज्ञेय जी पर अपना शोध प्रबन्ध तैयार कर रहे थे। वस्तुतः अज्ञेय का सन्दर्भ ही उनसे मेरे संवाद-सम्पर्क का कारण बना। नये सिरे से अज्ञेय जी के कृतित्व का आमना-सामना हुआ। माहौल की आवेगित निरन्तरता के चलते मैंने हिन्दी में पीएच-डी, करने का इरादा भी किया, पर अंग्रेजी में एम.ए. करने के कारण उसकी स्वीकृति नहीं मिली। मैं खिन्न हुई तब डॉ. भोलाभाई की पहल पर, अलमारियों में धूल खातीं रचनाओं का अवलोकन उद्धार हुआ। उन्हीं के द्वारा पहली कहानी 'नया प्रतीक' में भेजी गयी जो तुरन्त छपी। सिलसिला चल निकला। तब तक तो मैं भूल भी चुकी थी (अब याद आ रहा है) कि बहुत छुटपन में जब मैंने वात्स्यायन जी की पुस्तक 'इत्यलम' पढ़ी थी, अपने प्रिय लेखक की खोज की दिशा उसी समय मेरे लिए तय हो गयी थी। छपना-छपाना तो बहुत बाद में शुरू हुआ।

कहूँ कि मेरे संवेदन में उनसे जुड़ाव का घनत्व उनके द्वारा छपने या उनसे साक्षात् मिलने से कहीं ज्यादा था, तो अतिशयोक्ति नहीं होगी। उनसे मेल-मिलाप का सिलसिला दिल्ली आ जाने के बाद ही शुरू हुआ और कई कारणों से बाधित भी रहा।

यदि मैं अपने को ठीक समझ पा रही हूँ, तो उनके कृतित्व और व्यक्तित्व के बीच के सेतुओं की खोज ने उसी समय मेरे मन में जन्म लिया था। वस्तुतः उनसे मिलने पर मुझे इन दो छोरों की दूरी सदा एकरस, एकात्म होती लगी थी। कृतित्व के गाम्भीर्य और व्यक्तित्व के सौस्ठव की छाप एक-दूसरे से भिड़ती हुई न होकर खपती हुई लगती थी। दोनों के गठजोड़ से एक प्रभावी एकात्मकता की सृष्टि होती थी। मुझे यह भी लगा करता कि इन दोनों छोरों के बीच फाँक अगर है, तो वह उनके बेहद संयत, शिष्ट, आत्मानुशासित सभ्याचार की है। जिसके चलते वे सामने वाले को अपहुँच जैसे लगते हैं। तब फिर वह अपनी इस असमर्थता का दोष उनके मत्थे मढ़ देता है। उन्हें घमंडी, अहंकारी, अतिचारी कहकर अपने को राहत देता है; जबकि ऐसा आचार-व्यवहार उनके जीवन-यापन की सहज अवस्था थी। अपनी निजता की रक्षा और दूसरे की निजता का वे भरपूर आदर करते थे। उनका चेहरा-मोहरा, हाव-भाव, दृष्टि की कोमल, पर अचंचल एकाग्रता सब कुछ मिलकर एक ही छवि का समर्थन करते थे। सामने बैठे उनके जैसे धैर्यवान श्रोता के बारे में कोई यह नहीं कह सकता था कि वह उस क्षण उपस्थित नहीं हैं; यह भी नहीं कि वह उसी क्षण में लिप्त हैं। लगता था दूसरों से सुने हुए वाक्य को साथ लेकर वह सोच की किसी

यात्रा पर निकल पड़ते हैं और उसे बृहत्तर सन्दभ म रखकर तुरन्त ही लौट पड़ते हैं। व्यक्ति का देय उन्हें समाज को देय लगता है। अपनी निजता के पूरे चेत के बावजूद उनका लेखक सामाजिक-सांस्कृतिक सरोकारों के बीच खुलता है। ऐसा बिरादरी भाव उन्हें बेहद प्यारा था।*शब्द, सम्प्रेषण, संस्कृति, समाज, भाषा भारतीयता जैसी उनकी चिन्ताओं को कौन नहीं जानता। एक सांस्कृतिक पुरुष की संज्ञा उन पर खूब फबती लगती।

उनसे मेरा सम्पर्क दिल्ली आने के बाद से उनके अवसान काल तक रहा। लम्बे समय तक तो यह बात मेरे लिए अविश्वसनीय बनी रही थी कि मैं साक्षत् उनके सम्पर्क में हूँ। उनसे मिलना यदा-कदा यहाँ-वहाँ, कभी समय नियत करके इण्डिया इन्टरनेशनल सेंटर में, कभी गोष्ठियों, व्याख्यानों, साहित्यिक जमावड़ों में होता रहा। दो-चार बार वे मेरे घर भी आये। उनसे लिए जाते साक्षात्कार के पहले दो खेप मेरे घर में ही सम्पन्न हुए। उन दिनों मैं इण्डिया इंटरनेशनल सेंटर के पुस्तकालय में बैठकर लेखन-कार्य किया करती थी। संयुक्त परिवार की ठसाठस रिहायश और जिम्मेदारी के बीच लेखन के लिए अनुकूल समय पाना कठिन होता था। पतिदेव ऑफिस जाते समय मुझे वहाँ छोड़ जाते थे; वापिसी पर हम इकट्ठे घर चले आते। अंग्रेजियत से सराबोर, वहाँ के माहौल में, किसी कोने में बैठी हिन्दी की किसी लेखिका से किसी को कोई वास्ता नहीं था। अपरिचय का वह विस्तार मुझे अनुकूल ही लगता था। दिक्कत शुरू हुई थी जब 'रूपा एण्ड कम्पनी' से अंग्रेजी में छपा, मेरा अनूदित कहानी संग्रह वहाँ नयी पुस्तकों के शेल्फ में देखा गया। साथ ही साथ 'एशियन एज' ने चित्र सहित मेरा एक लम्बा साक्षात्कार प्रकाशित किया।

चार-छह बार अवश्य ऐसा हुआ कि वात्स्यासन जी ने मुझे वहाँ बैठे देखा, तो चाय के लिए न्योत लिया। अचानक के उस साक्षात् में वे एकदम सहज होते, पर मैं असहज हुई रहती। हड़बड़ाहट में कुछ ज्यादा ही बोल जाती, बाद में अपनी वाचालता पर पछताती, वे मुस्कुराते रहते, फिर उन दिनों किसी अपनी पढ़ी किताब या लिखे जाते लेख पर चर्चा को बीच में खींच ले आते। अक्सर मेरे कच्चे-पक्के सवालों से भी उन्हें टकराना पड़ता। कह सकती हूँ भाषा, शब्द और सम्प्रेषण की बारीकियों को मैंने उनसे सीखा—प्रूफ रीडिंग तक। बहुत-सी भाषाओं में होने और किसी एक में अपने पैशनवश जमना चाहने की इच्छा से पैदा हुई कमियों को मैं तब तक पहचानती नहीं थी। जबकि भाषा की वर्तनी व्यवहार को लेकर वे मात्र सजग ही नहीं थे; उसे संस्कृति के उद्घाटन का चेहरा भी मानते थे। सिखाने को लेकर उनका धैर्य मुझे अत्यन्त मार्मिक लगता। गुरुवर डॉ. देवराज की तरफ ध्यान जाता जो पानी डालते ही, पल भर में, पौधे के पल्लवित हो उठने की आशा-अपेक्षा में तनिक कठोर हो जाते थे। उनकी स्वभावगत वत्सलता उस समय तिरोहित हो जाती थी।

सृजन और चिन्तन की मूलगामी अवधारणाओं में अलग-अलग विश्वासों के

बावजूद, उन दोनों में पारस्परिक आदरभाव का रिश्ता था। याद आता है 'युग साक्षी' पत्रिका से मुझे जोड़ने की, डॉ. साहब की इच्छा, आवश्यकता और आग्रह को समझते हुए भी, आनाकानी करते रहने के मेरे रुख को वात्स्यायन जी ने अन्यथा लिया था। दबी जबान डपटते हुए कहा था, "इतनी बातें कहती हैं यह क्यों नहीं कहतीं कि जिम्मेवारी लेना नहीं चाहतीं।" गम्भीर कर्म को लेकर अवहेलना उन्हें पसन्द नहीं थी। मेरा फैसला डॉ. साहब के पक्ष में हो गया था। डॉ. देवराज वात्स्यायन जी के पूरे सृजनकर्म में किसी केन्द्रीय दृष्टि के अभाव की शिकायत करते हुए भी उनके योगदान को महत्त्वपूर्ण मानते थे। उनका मानना था कि अपने देश को अन्तरराष्ट्रीय कद से किसी लेखक की जरूरत है और उस अपेक्षा को केवल वात्स्यायन ही पूरा कर सकते हैं। ज्ञानपीठ पुरस्कार के निर्णय के समय डॉ. देवराज प्रवर परिषद के सदस्य थे।

वात्स्यायन जी को लेकर मैं डॉ. देवराज के मत-अभिमत से सहमत नहीं थी। मेरी समझ में यह दो प्रकार (दर्शन और साहित्य) की दीक्षाओं में पोषित होने का फर्क था। वात्स्यायन जी की मूल वृत्ति, स्वात्म और सारी सृष्टि के कण-कण में से स्वातन्त्र्य भाव के अर्जन-उपार्जन में चेष्टारत रहने की थी। उसी चेष्टा में वह छोटे से छोटे उपग्रह तक पहुँचने और स्थितियों के महीन से महीन आयामों को छान डालने को कटिबद्ध रहते थे। अपनी अन्तस्थ ऊर्जा को उसी एक दिशा में ले जाने के लिए मैंने उन्हें सदा तत्पर देखा (उनसे सम्पर्क काल में इसी अवलोकन के चलते मैंने वह लेख 'अज्ञेय के कृतित्व में मुक्ति कामना का प्रसार'- भी लिखा, जो उनके इस शती वर्ष में इस समय 'पूर्वग्रह' में छपा है। इस लेख में मैंने चाहे उनके काव्यकर्म को ही समेटा है, पर उनमें कीलित इस मनोभावों की केन्द्रीयता को उनके पूरे सृजनकर्म में विस्तार पाते देखा जा सकता है) वे स्वयं अनुशासन प्रिय होते हुए भी मुक्त चिन्तन के आवाहन के आकांक्षी थे। मेरी समझ में गुरुदेव रवीन्द्र नाथ टैगोर की लीक के ज्यादा निकट बैठते थे। बातचीत में अक्सर रवि बाबू के आचार-व्यवहार, साधन-प्रसाधन, हाव-भाव तक की चर्चा करते रहते थे। अक्सर लगता था क्या वे रवि बाबू में अपना रोल मॉडल पा जाने के आकांक्षी हैं? तारसप्तकों की परिकल्पना से लेकर वत्सल-निधि शिविरों, संवत्सर व्याख्यानों की शृंखला की परियोजनाओं के पीछे क्या विश्व भारती जैसे किसी सांस्थानिक स्थापत्य की प्रेरणा थी? अपनी पृष्ठभूमि के चलते उनसे ज्यादा कौन जान सकता था कि स्थापत्य इतिहास में जीते रहने की कितनी बड़ी गवाही है। पीढ़ियाँ सदा से उन आधारों पर पलती आयी हैं।

मेरा उपन्यास 'तत-सम' उन्होंने चाव से पढ़ा नये। लेखकों को वे ढूँढ़ते-पढ़ते अपने से जोड़े रखते थे। इस दिशा में उनमें एक खोजी पहल थी। इस क्रिया को वे बिरादरी-भाव के विस्तार की तरह देखते थे। इतने बड़े और स्थापित लेखक का अहं मैंने उनमें नहीं देखा। उनसे सम्पर्क ऐसा सम्पर्क था जिसमें न अभिन्नता थी

न एहसास में दूरी। कोई उन तक पहुँचना चाहे, तो पूरी छूट, न चाहे, तो उसकी शुभेच्छा। एक बार मैंने उनसे पूछा भी था कि लोग आपसे मिलने से डरते क्यों हैं? उत्तर था—"जो मुझसे बचना चाहते हैं, वे इस तर्क को ओढ़ लेते हैं। सुख भी पाते हैं।" इसी प्रसंग की निरन्तरता में, हँसते हुए उन्होंने एक और रोचक बात सुनायी थी कि कभी कोई एक लेखक, उनके स्थापित और सफल होने की संस्तुति करते हुए उनसे सफलता के गुर जानने के लिए मिलने आया था, और उन्होंने उसे बता भी दिये थे—"देखिए, अज्ञेय से दूर रहिए। यही इस माहौल में जीने का सफलतम नुस्खा है—और वह इतना आज्ञाकारी निकला कि मन-वचन-कर्म से उनकी बात मान गया; फिर कभी पास नहीं फटका। सफल हो गया होगा।"

असल में उनकी निजता उनके अपने नाप का एक जरूरी कवच भी थी, जिसका होना उनके और शायद दूसरों के हित में ही था। उनकी उपस्थिति का समूचापन दूसरे को ध्वस्त कर सकता था, इस आशंका से लोग उन्हें प्रहारों से छेदकर ध्वस्त किये जाना जरूरी समझते थे। पंक्ति में लगे लोगों को अपनी जगह बनाने की जल्दी थी और वात्स्यायन जी थे कि "अपने को पंक्ति को दे दो" के सर्वहिताय सदाशयी आवाहन में लगे थे। उनका इतना आत्मस्थ होना, शत्रु-समय की ललकारती चुनौतियों के सामने बेशक ढाल की तरह था, फिर भी इतने संवेदनशील मनुष्य की त्वचा पाया व्यक्ति इस घायल, आहत-भाव या अस्वीकार को कैसे लेता-सहता होगा—यह सदा मेरी जिज्ञासा का हिस्सा रहा। मेरी इस जिज्ञासा का उत्तर उनकी संकल्पस्थित प्रज्ञा के पास इस क्रम में था—*"अवसाद-भाव नहीं; आनन्द-भाव तक पहुँचने की भारतीय संस्कृति की लीक और सीख क्या इस दिशा में सहायक-वरणीय करणीय नहीं?"* मेरी कविता—'दर्द की तरह' का उनके द्वारा इतना पसन्द किये जाना भी मुझे, उनके बारे में, अपनी समझ का विस्तार करता लगता था। उन्होंने कहीं लिखा भी था कि भारतीय होने का एक परिणाम यह है कि वह 'सेंस ऑफ लॉस' पर नहीं 'सेंस ऑफ लिबरेशन' पर जोर देता है।

यह बात भी मेरे देखने में आती रही कि उनके सामने बैठा कोई अपना दुखड़ा रो रहा हो, तो वे अविचलित जैसे, चुपचाप बैठे सुनते रहते थे। बाद में कहते थे वह मुझसे नहीं अपने आप से बातें कर रहा था। उनके हिसाब से, "यह किसी व्यक्ति के मानस में अपने विरेचन के लिए चल रही आत्मसम्बोधित क्रिया है। उसे संयोगवश मैं सामने बैठा मिल गया।" सान्त्वना, समाधान, सन्देश, निर्देश वे देते नहीं थे पर उस प्राणी को अपनी आत्मीयता के घेरे में सहृदयता पूर्वक दाखिल जरूर कर लेते थे। शायद इसीलिए उनके अलग-अलग व्यक्तियों से अलग-अलग स्तर के रिश्ते थे।

मेरे मन में कितनी ही स्थितियों, संयोगों, घटनाओं में लिपटी पड़ी ढेरों स्फुट बातें हैं जो उनके लम्बे समय तक परिदृश्य पर बने रहने के कारण अनुभव-समृद्ध-जीवन

विवेक की आभा से दीप्त हैं, पर उन्हें केवल स्मृति के सहारे, देशकाल की प्रामाणिकता के बिना, किसी काया में बाँधकर इस तरह, स्मरणालेखों में अँटाना नहीं हो सकता। ऐसा करना, भीतर-बाहर की एकता में आत्मस्थ हो सकने की तड़प में आजीवन जीते व्यक्ति के प्रति अन्याय करना होगा। उनकी मानें, तो "बाँधो मत... फूल झरता है तो झरने दो।" सच तो यह है कि किसी के भी द्वारा कहे-सुने-उच्चारे गये अर्थवान शब्द अपने घनत्व के चलते स्वतः जीवित रहते हैं, स्मृति में टिके रहते हैं। किसी मंजूषा के चौखटे से मुक्त उन्हें कभी भी, कहीं भी, एक छोटे-से सन्दर्भ का सहारा देकर पाया जा सकता है। तलबगार उन्हें स्वयं पा लेता है और ऐसे बरत भी सकता है जैसे कोई एक बल्ब जो एक छोटी-सी 'खट' के सहारे सारे प्रकोष्ठ को प्रकाशित कर सकता है।

अपने उपन्यास 'तत-सम' पर लौटना चाहती हूँ, इसलिए नहीं कि वह मेरा उपक्रम था और उस कारण से मेरे लिए महत्त्वपूर्ण है, बल्कि इसलिए कि वह उस पुस्तक के माध्यम से, उनकी सोच और सरोकार को जान लेने का एक अकल्पनीय अवसर रहा। उतनी लम्बी सघन बैठक और उतनी विस्तृत चर्चा फिर कभी उनसे किसी बात पर नहीं हुई। उपन्यास उनके पढ़ने में आया है यह जानकर मुझे उनकी प्रतिक्रिया की अधीर प्रतीक्षा रहती थी। जानना चाहती थी कि एक पुस्तक में अन्तर्वस्तु (आत्मस्वातन्त्र्य के आविष्कार, प्रसार का संघर्ष) की तरह बुने हुए मेरे केन्द्रीय सरोकार को वे किस 'दृष्टि' से देखते हैं। मुझे सदा लगता रहा था कि उन्होंने अपनी मूल प्रकृति, प्रवृत्ति और संस्कृति (सीखे हुए के अर्थ में) के घर्षण में तपते-तचते, इस अवधारणा को मात्र आत्मोपलब्धि की तरह ही नहीं, बल्कि मानवीय सम्भावनाओं के चरम पर खड़े सांस्कृतिक सर्वात्म की तरह कमाया है, जिसे अब वह एक अनुभव-समृद्ध सचेत लेखक की तरह अपने विश्वबोध की तरह बरत रहे हैं।

उनकी ओर से जब घोर चुप्पी रही, तो मैंने फोन खटखटाया था। बोले—"पढ़ तो चुका हूँ। अभी तो उसके पात्र मेरे आसपास मँडरा रहे हैं। उनसे मुक्त हो लूँगा, फिर आपसे मिलूँगा।" आगे के किन्हीं दिनों में बैठक का समय और स्थान उन्होंने खुद ही तय किया था। इण्डिया इंटरनेशनल सेंटर के लाउंज के भीतर न बैठकर बाहर की कुर्सियों पर बैठने का विकल्प भी उन्होंने चुना था। सामन्यतः अन्दर ही बैठना होता था। कोई दूसरा लेखक वहाँ उपस्थित हो, तो साभिवादन आकर बैठ भी सकता था। ऐसा बिरादरीभाव उन्हें प्रफुल्लित करता था। कुछ को छोड़कर, अक्सर लोग नहीं भी बैठते थे। कनखियों से देखते हुए कतराकर निकल जाते थे। कतराने के निहित अर्थ से मैं शायद असहज हो जाती होऊँगी और उस होने को वह लक्ष्य करते रहे होंगे कि एक दिन नरमी से उन्होंने कहा था—*"यहाँ अच्छा-बुरा सब चलता है। चुपचाप अपने काम में लगी रहिए। जिस मन से हमें चौबीसों घण्टे काम लेना है, उसे दुलारकर शान्त रखना चाहिए।"* लेखकीय जीवन के हक में मुझे उनसे मिली

यह सनातन सीख है।

बहरहाल, चाय के आदेश के बाद बैठते ही उन्होंने कहा—"आप अपने पिता से बहुत प्यार करती रही होंगी?"

"आपको कैसे पता?" हर दृष्टि से इस अप्रत्याशित का कोई उत्तर होता भी होगा, तो मुझे उस समय न सूझता। पुस्तक में, नायिका के संवेदनाहत काल में, कहीं-कहीं, स्थितिनुसार, दर्दीले उत्कट पितृ-स्मरण का उल्लेख जरूर हुआ था, पर पिता से दीर्घ संलग्नता को जताती दूसरी कोई बात उस पुस्तक में उस समय मेरे मन में नहीं आयी।

तब पहली बार उन्होंने मेरे माता-पिता, पितृगृह के परिवेश और बीते दिनों के बारे में बात की थी। सामने बैठ ध्यानपूर्वक, चुपचाप मुझे सुना था मेरी प्रगल्भता पर अंकुश लगाये बिना। फिर बोले-"मतलब, हिन्दी आपके लिए भी सीखी हुई भाषा है।" आगे की उनकी बातों का आशय यही था कि इसीलिए पुस्तक में संस्कृत, अंग्रेजी, उर्दू, गुजराती के शब्द आये हैं और कई-कई जगहों पर वे प्रयोग-भ्रष्ट भी हैं। (पुस्तक पर लगे निशानों को सामने रखकर वे बता रहे थे)। मैंने कहने की काशिश जरूर की थी कि संस्कृत तो मुझे आती ही नहीं, सीखी भी नहीं, पर हो सकता है अपनी सूत्रात्मक मितव्ययता के गुण के कारण अनजाने ही मेरे प्रयोग में आ जाती हो, पर उनका आग्रह अटल था। *"जिस किसी भाषा में भी लिखें उसके संस्कार को वहन करता कोई उपयुक्त शब्द ढूँढ़ना ही चाहिए। लिखते समय न भी बने, तो बाद में स्थानापन्न किया जा सकता है।"* बिन्दुओं के अति प्रयोग, वर्तनी की भूलों, चिह्नों की उपयुक्तता की ओर भी उन्होंने ध्यान दिलाया था। आवाजाही की छूट देने वाली अध्याय-रहित कथा संरचना उन्हें खासी अच्छी लगी थी—ताम-झाम के बिना सीधे भीतर ले जाने वाली।

दोनों, खण्डों की शुरुआत के काव्यांश (?) भी उन्हें खूब अच्छे लगे थे। सदोष वर्तनी वाले निशानों की तरह इन जगहों को भी उन्होंने बुकमार्क हटाकर अँगुली रखकर दिखाया था। पुस्तक की अन्तर्वस्तु को लेकर जिस बात की मुझे अधीर प्रतीक्षा थी, उस पर वे सबसे बाद में आये।

आगे की बातचीत से लगा कि अन्तर्वस्तु की तरह बुनी हुई और इतने आयामों में पसारी गयी आत्म स्वातन्त्र्य के अर्जन की अवधारणा ही थी, जो पुस्तक में उनकी रुचि का मुख्य विषय थी। दो पात्रों के बीच जमकर हुए संवाद के द्वारा वह स्पष्टतर भी हो गयी थी। इसी मुद्दे के कई पक्षों पर वे देर तक बात करते रहे। उनके हिसाब से मैंने स्त्री को केन्द्र में रखा जिससे "बहुत-सी बातें तो जड़ निर्विवाद हो गयीं पर यह स्त्री के ही नहीं मनुष्य मात्र के आत्मसंघर्ष का मामला है। उसे उसी स्तर तक देखा जाना चाहिए जो बखूबी चित्रित किया गया है।" यह व्याख्या मुझे अच्छी न लग रही हो ऐसा नहीं कह सकती, पर पात्रों के आसपास हिरते-फिरते रहने की जो

बात उन्होंने फोन पर कही थी उसे मैं भूली नहीं थी।

उस सवाल का जवाब अन्ततः उन्होंने दिया—एकाएक, वह भी अंग्रेजी में, भाषा पक्ष को लेकर अभी-अभी दी इतनी हिदायतों के बावजूद—"वुड इट सरप्राइज यू, इफ आयी से आयी एम विद द लूज़र?" (क्या आपको हैरानी होगी, अगर मैं कहूँ कि मैं खोने वाले के साथ हूँ?) आश्चर्य मुझे हुआ था, यह जानकर कि उनकी संवेदना पात्र 'विवेक' के साथ थी, पात्र 'आनन्द' के साथ नहीं, जो व्यक्तित्व के स्तर पर बेहद संयत, आत्मशक्ति सम्पन्न, वयस्क और दुख तत्त्व पर पार पा सकने वाला प्राणी था। मेरे अनुमान से आनन्द को ही स्वभावतः उनकी पसन्द का पात्र होना चाहिए था। (ज्यादातर पाठकों की भी यही प्रतिक्रिया थी)। उनका यह निष्कर्ष मुझे आज भी उनकी आन्तरिकता में टीसते किसी ऐसे दर्द की टोह देता लगता है जिसमें किसी का साझा न रहा हो। नहीं तो साहित्य में अनुभव और विचार, समझ और मर्म के अलग-अलग मायनों की बात किसे नहीं मालूम।

कारण जो भी हो; बात आगे नहीं चली थी। बीच में गम्भीरता-जैसी पसर गयी थी। उनकी वैसी स्मितविहीन मुद्रा मैंने पहले कभी नहीं देखी थी। "अच्छा बस" कहकर वह उठे और बिना किसी औपचारिकता के निभाव के लपककर चले गये। जाने मुझे क्यों देर तक लगता रहा कि उस वातावरण में पुस्तक के सन्दर्भ से इतर भी कुछ अनजाना-अनदेखा साँस ले रहा है, वो इस पूरे अनुभव में शामिल हैं। उनकी मृत्यु के बाद मैंने बहुत लोगों से वात्स्यायन जी द्वारा इस पुस्तक की संस्तुति किये जाने की बात सुनी थी।

इन्हीं किन्हीं दिनों वे अघोषित ही हमारे घर आये थे। मेरे जन्मदिन पर भेंट में एक सुर्ख गुलाब और अपनी आवाज में टेप की हुई कविताओं का कैसेट लाये थे। तभी उन्होंने बताया था कि एक बार पहले भी वे हमारे घर आ चुके हैं। घण्टी टीपी थी। जल्दी दरवाजा नहीं खुला, तो लौट गये थे। उस सुबह जब आये, तब साफ-सफाई का समय था, रास्ते में रखा झाड़ू, प्रवेशद्वार पर फेंकने के लिए जमा कूड़ा-कबाड़। सफेद झक्क कपड़ों में उन्हें द्वार पर खड़ा देखकर सारा घर सकपका गया था। मेरे देवर की बच्ची प्राची 'किंग अंकल आये... किंग अंकल आये' कहती उनके पार्श्व में हो ली थी। यह नाम उसको किसने सुझाया होगा, यह आज तक रहस्य है। रचनात्मकता के पदार्पण पर शायद वह पहली सहज निर्दोष स्वागतोक्ति थी। मेरे संकेत पर प्राची उन्हें तुरन्त ही ऊपरी मंजिल में ले गयी थी। मेरे अध्ययन कक्ष में यह उनका पहला और अन्तिम प्रवेश था। तैयार होकर जब तक मैं ऊपर आयी, प्राची से उनकी प्रगाढ़ दोस्ती चल रही थी। वे झूलनी कुर्सी पर बैठे झूल-से रहे थे और स्वभाव से प्रगल्भ, प्राची उनके घुटनों से लगी, उसी लय पर झूलती बोल-बतिया रही थी। गयी रात उन पर लिखे 'मुक्ति कामना' वाले लेख के पूरा हो जाने और सुबह एकाएक उनके उपस्थित मिलने के संयोग से मैं बेसँभाल पुलक से

भर गयी थी। कुछ और समझ में नहीं आया, तो मैं वह लेख उन्हें थमाकर नाश्ते-पानी की व्यवस्था के लिए नीचे चली गयी। एकान्त में उन्होंने स्वभावतः वह लेख ध्यान से पढ़ा होगा। मैं आयी, तो प्रसन्न दीखे। "कैसा लगा?... कुछ बना?" मेरा वही सनातन प्रश्न।– *"इतने सालों से लिखता आ रहा हूँ। इसी बात की पूँछ पकड़कर चलता आ रहा हूँ। अब जाकर किसी ने सही नब्ज पर हाथ रखा।"*

मैं भीतर से फूल तो रही थी, पर अपने को संयत करने के लिए उसी पुरानी तरकीब की शरण में चली गयी थी। कुछ ज्यादा ही बोलने लगी कि इस लेख में केवल काव्यकर्म को ही समेटा है। दूसरी विधाओं में भी इसका पिरोयापन देख चुकी हूँ, कभी लिख डालूँगी। (वह लिखना अब तक नहीं हुआ) इस बीच प्राची गुलाब का फूल उठाकर कब गायब हुई, किसी ने नहीं देखा था। वह पतिदेव के साथ लौटी। एक बदरंग-से रिबन से गुलाब को बाँधकर प्राची ने छोटा-सा गोल घेरा बना लिया था और अपने 'किंग अंकल' के सिर पर पहनाने की कोशिश में लगी थी। इतने बड़े सिर पर इतना छोटा घेरा... अँटा नहीं, तो एकदम रुआँसी हो गयी, तब वात्स्यायन जी ने उससे उसकी नोटबुक मँगायी और उस पर अपने हाथ से लिखकर दो कविताएँ भेंट कीं (एक थी 'गेहूँ के खेत में', दूसरी का नाम याद नहीं)। मेरा विश्वास है कि अब लन्दन में बसी प्राची की मंजूषा में वे दोनों कविताएँ कहीं सुरक्षित पड़ी होंगी। याद आता है वह जिद करके वात्स्यायन जी के दाह-संस्कार में भी गयी थी; बल्कि हमारा पूरा परिवार।

तब तक भ्रमणप्रिय पतिदेव ने वहीं आकर अड्डा जमा लिया था। यात्राओं के बारे में वह वात्स्यायन जी के मुरीद थे। उस दिन भी उनसे आगामी यात्राओं के चिट्ठे बनवाये गये। उन्हें बताना होगा कि इस साल के सरकारी भत्ते से कब कहाँ जाया जाएगा। जो वात्स्यायन जी कहें वही अटल सत्य। सेठ साहब का यह लोभ सनातन किस्म का था। लाइब्रेरी से मुझे घर लिवाने आते समय यदि मैं वात्स्यायन जी के साथ बैठी मिल जाऊँ, तो पौ बारह। बीच के उपस्थित सन्दर्भ को निरस्त करके संवाद देशाटन के घोड़ों पर कूदने लगता था। उन्हें बताना पड़ता था, कब, कहाँ, कौन-सी दिशा, कैसी जलवायु, वनस्पति, परिधान, ठहरने के ठिकाने-दर्शनीय स्थल आदि सब कुछ। सेठ साहब के स्वभावगत आग्रहों, आवृत्तियों से घायल होते हुए भी वे हँसते-मुस्कराते रहते थे। पालमपुर (हिमाचल) की यात्रा हमने उनके निर्देश पर ही की थी। अगली बार का पड़ाव डलहौजी काखजियार हो सकता है, विदेश में हों, तो कैलीफोर्निया, यह भी उसी समय सुझा दिया गया था।

इस सिलसिले में स्मरण में तैरती आती एक और छोटी सी प्रवृत्तिगत बात। पालमपुर, अन्द्रेटा घाटी और धर्मशाला से लौटने के कई दिन बाद उनसे मिलने पर मैं होटल की टैरेस से दिखती धौलाधार पर्वत श्रेणियों की अनुपमेयता का बखान करने बैठी थी। लम्बी देर सुनते रहे; फिर हँसते हुए धीरे से बोले, "मैं यह सब कुछ

जानता हूँ।" मैं संकुचित हुई थी—"तो फिर टोका क्यों नहीं?" उत्तर था, "मैं आपको मिलते आनन्द में बाधा क्यों डालता?" इस छोटी-सी घटना से, मेरे मन की उनकी चीजों को विरूपित-निरूपित न करने, अक्षुण्ण बना रहने देने की प्रवत्ति को लेकर एक और प्रविष्टि हुई थी।

क्रम ठीक से याद नहीं, पर उसके बाद भी उनका दो बार हमारे घर आना हुआ। साक्षात्कारों के सिलसिले में पं. विद्यानिवास मिश्र जी ने 'अभिरुचि' की शुरुआत की, तो पहले अंक के लिए वात्स्यायन जी से साक्षात्कार का काम मुझे सौपा। मैं बौखला गयी। साक्षात्कार के समय होशो-हवास दुरुस्त होने चाहिए और वही थे जो उनकी उपस्थिति में सबसे पहले गुम होते थे। सचेत पाठक होना एक बात है। वाचा की रीति-नीति में निपुण होना दूसरी बात। ऐसी प्रवीणता अध्ययन-अध्यापन में लगे, रोज-दर-रोज मुखर रूप से संवाद-विसंवाद में लगे लोगों में सहज होती है। यही नहीं, हर विधा की अपनी भी कुछ शर्तें होती हैं। उस जमीन पर खड़े होकर विषयी के अन्तर्न्यस्त को खोलने की जरूरत होती है। सम्बन्धित लेखक के प्रति प्रश्नकर्ता का प्रशंसात्मक रुख प्रतिपक्ष का निर्माण करने में बाधक भी हो सकता है। पूछने वाला इस बारे में संयमित-सचेत न हो, तो मेहनत विफल हो सकती है। इन मिले-जुले कारणों से बनते तनाव के चलते मिश्र जी को मैंने इस काम को लेकर अपनी असमर्थता जतायी थी। पता लगा निर्णय और चुनाव उनका नहीं वात्स्यायन जी का है। जान गयी थी फिर तो उस होने को होना ही है। जिम्मेवारी से बचने की बात पर पहले ही उनसे फटकार खा चुकी थी।

देखती आ रही थी उनके स्वभाव में एक निर्द्वन्द्व पहल है। अपने चाहने को कर गुजरने की अभीत संकल्पवानता। दो-एक दिन में ही उनका फोन आ गया था कि अगले हफ्ते का अमुक दिन उनको अनुकूल है; यदि मुझे भी सुविधाजनक हो, तो वे टेपरिकार्डर लेकर मेरे घर पहुँच सकेंगे। वे आये। काम शुरू जरूर हुआ, पर मेरे मन में इच्छित तैयारी की अनुभूति नहीं थी। होती, तो भी मुझे अधूरी ही लगती। जिज्ञासाएँ अनन्त थीं, उनकी उपलब्धियाँ भी कुछ कम नहीं थीं; फिर मेरे पूछने का ढब ही गड़बड़ा जाता था। प्रश्न बनते-बनते बिगड़ जाता था, फिर भी वे उसी सुस्थित भाव से सधा हुआ जवाब देते रहते। हर शब्द में छिपे अर्थ संकेतों पर पूरा ध्यान देते। प्रश्न के हर हिस्से को खोलने में सचेष्ट दीखते। उनकी मृत्यु के बाद छपी पुस्तक 'रचना—कब और किन के बीच' में पाठकों ने पहले खण्ड में प्रश्न बनाते मेरे वाक्यों का हड़बड़ायापन स्वयं देख लिया होगा। उनके उत्तरों की सुसंगति भी लक्ष्य की होगी। तीसरे खेप के प्रश्न लिखकर भेजे गये थे। उत्तर भी लिखित में आये थे और 'अभिरुचि' में ही छपे थे।

साक्षात्कारों की तैयारी में, नये सिरे से वात्स्यायन जी के कृतित्व से जूझते कई भूमिगत हो चुके सवालों ने सिर उठा लिया था। 'भवन्ती', 'अन्तरा', 'शाश्वती' और

बाद में 'आलवाल' अन्तःप्रक्रियाओं की ये किताबें मेरे लिए वैसे भी विशेष थीं—कृतित्व-व्यक्तित्व के बीच बनते पुलों को लेकर मेरी सनातन जिज्ञासा को पोषित करतीं। जर्मन कवि रिल्के के 100 पत्रों के अनुवाद करने का काम (आज सोचती हूँ) मैंने इन्हीं आन्तरिक बाध्यताओं के चलते करना सोचा होगा। मुझे यह भी लगने लगा था कि इन दो छोरों के बीच अविच्छिन्न संगति की तलाश साहित्यिक दृष्टि से हमारे लिए मूल्यवान सिद्ध हो सकती है। पश्चिम में इन उपक्रमों ने एक से ज्यादा स्तरों पर अपने लेखकों में निहित सम्भावनाओं को बहुत-सी प्रशाखाओं में फैल-फैला सकने के लिए सुलभ कराया है।

उन देशों में ऐसे उपक्रमों की बहुलता और अपनी सांस्कृतिक परम्परा में इनकी विरलता अक्सर वात्स्यायन जी और मेरे बीच चर्चा या विचार का विषय बनती थी। इसी सन्दर्भ में एक बार उन्होंने मुझे ब्रितानी लेखक वर्जीनिया वुल्फ पर लिखी ऐसी ही एक किताब दी थी। उस किताब को या तो मैंने टूट-टूटकर पढ़ा था इसलिए; या वह मुझे अपनी अपेक्षाओं का उत्तर देती नहीं लगी थी, पर मेरी कम उत्साही प्रतिक्रिया ने उन्हें खिन्न जरूर किया था। पता नहीं उनका कभी इस ओर ध्यान जाता था या नहीं कि वे अपने वजूद-काल में, एक ही समय में खुले और बन्द, पहुँच-अपहुँच, निजी-अनिजी जैसे दो अलग-अलग छोरों पर एक साथ खड़े दिखाई देते थे। कब कौन-सी कुंजी उस आबद्धता को खोल सकती है, यह भी विचारगत मुद्दे की गवेषणा-गणना का अन्तरंग पर अधखुला हिस्सा था। एक दिन सामान्य सी जिज्ञासा की तरह मैंने उनका मनोभाव जानना चाहा वह कौन-सा समय होगा, जब आप अपने हथियार डालने को राजी होंगे? मुझे लगा था परिधि की कोर पर टिके ऐसे परोक्ष वाक्य को वे समझ नहीं पाएँगे, पर वे समझ गये थे। तभी उन्होंने बताया कि डॉ. रामकमल राय यह 'दुष्कर्म' कर रहे हैं, मेरी जीवनी लिख रहे हैं। अब उन्हें लम्बा समय देना पड़ता है, उनका 'हुकुम' मानना पड़ता है। "पर इसमें आपकी रजामन्दी तो रही होगी?" पूछने पर वे बेहद गम्भीर हो गये थे। बोले—"हाँ! लिखने वाले की मंशा में खोट न हो, तो सब ठीक ही है, पर उखाड़ने-पछाड़ने के लिए किसी को जमीन चाहिए हो, तो बात दूसरी है। उनके चेहरे पर झलक आती उदासी से जाहिर था कि उखाड़ने की राजनीति से वे कितने पीड़ित रहते होंगे। तब शायद अपने निहायत समृद्ध आन्तरिक स्रोतों की ऊर्जा ही उनकी सहचर बनकर रहती होगी जिसे उन्होंने कठोर आत्मानुशासन से कमाया था।

डॉ. रामकमल राय की पुस्तक 'शिखर से सागर तक' जब छपकर आयी, तो वात्स्यायन जी ने लोकार्पण से पहले ही उसकी एक प्रति स्वयं मुझे दी थी। साथ में उनकी अपनी नयी किताब की हस्ताक्षरित प्रति भी थी। याद नहीं कौन-सी। अपनी हर नयी छपी किताब की हस्ताक्षरित प्रति उन्होंने सदा मुझे दी। उनके ठाठ-बाट के अनुकूल कृतज्ञता प्रकट करने की शायद मुझे तमीज नहीं थी। 'थैंक्यू' कहकर छोड़

देती थी। उनको अपना कुछ कभी पढ़ने को दिया, तो ध्यान से, उसी समय पढ़कर, दूर देखते हुए, दोनों हथेलियों के बीच पन्नों को रखकर सहलाते रहते थे, फिर "अच्छा है, छपा सकती हैं, पर उससे पहले फिर से देख लेना चाहिए" कहकर मेज पर रख देते थे। "आप बताएँगे, कहाँ से?" "नहीं, वह देखना तो आपका अपना ही होगा। पूरा कर लें, तो मैं एक बार जरूर देख लूँगा, पर इस काम को तुरन्त ही कर लेना अच्छा है।"

उनके ऐसे बार-बार दोहराये जाते इंगित को मैं अच्छी तरह समझने लगी थी। 'शेखर...' भाग-3 के सृजन और प्रकाशन की लगातार पूछताछ से वे अब प्रश्नाहत होने लगे थे। कहा करते थे, "पहले मैं ऐसा नहीं मानता था। अब लगता है अनुभव से दूरी लेखक को महँगी पड़ती है। अनुभव को उसी समय खरा कर लेना चाहिए जब वह अपने भीतर उत्पात मचा रहा हो।" यह एक तरह से इलियट से प्रभावित होने के आरोप का खण्डन था; या वे अपने अवबोध में आगे निकल आये थे।

उन्हें कहते मुझे संकोच ही हुआ था कि बहुत-से निहित कारणों से वह जीवनी मुझे उतनी पसन्द नहीं आयी। वे बुझ गये थे। थोड़ी देर खामोश रहकर बोले-"मेहनत तो बहुत की है, पर जिसकी जितनी तथा है उतना ही तो कोई करेगा।" मैंने उन्हें बताया नहीं था कि पुस्तक पढ़ने के बाद मैंने एक लेख लिखा था (जिस पर 4 अगस्त, 1986 की तिथि दर्ज है)। वह लेख मुख्यतः तो अपने को प्रभावमुक्त करने और नुकीले तरीके से अपने एतराजों को समझने के लिए ही था, ताकि आगे चलकर वात्स्यायन जी से उस विषय पर खुलकर बात हो सके। यों आधारग्रन्थ की तरह वह निश्चय की एक अच्छी पुस्तक थी, पर श्री राय ने–'यहाँ इतना ही जानना काफी है' या कि 'इतना ही कहना ठीक है' का सहारा लेते हुए एक इतिवृत्त पूरा किया था, जो मेरी समझ में इस तरह के दस्तावेज का जिम्मा उठाने के कर्म के विरुद्ध था; मुझे लगा था तब फिर ऐसी अधूरी अनमनी चेष्टा क्यों करनी चाहिए?

"आपने उन्हें सहयोग नहीं दिया होगा? सच नहीं कहा होगा?" पता नहीं कैसे हिम्मत करके मैं उनसे कह गयी थी।

वे विचारमग्न हो गये थे। कुछ आगे को झुककर बैठे थे; फिर पीछे होकर कुर्सी पर पीठ लगाकर बैठ गये थे; लगभग असम्पृक्त, फिर जैसे चेत आया हो–"सहयोग देने से ही वह पूरी बात कह पाऊँगा, यह कैसे कह सकता हूँ।" फिर छोटी-सी चुप्पी के बाद "मैं किस रास्ते से यहाँ तक पहुँचा हूँ उस बात का बहुत महत्त्व भी नहीं।"

याद करती हूँ 'भवन्ती' में कही ऐसा कुछ उन्होंने लिखा भी है। यह भी लिखा कि "जिन छोटे-छोटे प्रकरणों से जोड़कर यह पुस्तक बनी है, वे प्रायः सभी छोटे-छोटे युद्धों के इतिहास हैं। प्रत्येक के पीछे एक यन्त्रणा भरी प्रक्रिया रही है।" अच्छा ही हुआ बातचीत के दौरान ही श्री शंकरदयाल सिंह या कि ऋषिकल्प दम्पती आ गये थे। विषय और वातावरण बदल गया था; फिर भी उठते-उठते उन्होंने मेरी ओर उन्मुख

होकर कहा था—"ऐसा भी तो हो सकता है; किसी को किसी दूसरे का किया हुआ काम पसन्द न आये, तो वह उस काम को खुद ही कर डाले।" यह सुझाव था या उनकी इच्छा, यह उस रपटते क्षण, मेरे लिए तय कर पाना मुश्किल था, पर यह जरूर जानती थी कि उनके निहितार्थ सदा संक्षिप्त और सुविचारित होते थे।

बाद में अपने को टटोला, तो लगा कि मैं 'तय' कर लेती, तो भी वह 'हाँ' की सीध में न होता। देर से लिखना शुरू किया था; ऐसा करके मैंने पहले से ही अपने अनगिनत दायित्वों, दबावों की गिनती में एक और दायित्व जोड़ लिया था। जिये जा चुके का बहुत-सा मैला-उजाला मेरे अपने ही भीतर बन्दी था। सर्वोपरि तो साहित्यिक वातावरण में फैलती धुआँस कि "मैं एक नयी नकोर लेखक वात्स्यायन जी जैसे वरिष्ठ प्रतिष्ठित समादृत रचनाकार के कन्धों पर खड़े होकर दुनिया देखने का सपना देख रही हूँ", मुझे हर तरह से अमान्य था। खाल अभी इतनी मोटी नहीं हुई थी कि प्रभाव न पड़ता। किसी का माध्यम बनने या किसी को अपना माध्यम बनाने की कोई अभीप्सा मेरे मन में नहीं थी। गर्वोक्ति न मानी जाए, तो कहूँ उतना आत्मबल, श्रमबल मुझमें था। उतनी-सी पूँजी के सहारे ही मैं लेखन के संसार में उतरी थी। अपनी कमियों और गुणों को स्वीकार करके चलने और उनके बीच जीने का सलीका घनघोर संघर्षमय जीवन मुझे सिखा चुका था। अन्तःसलिला की तरह पिता का संरक्षक साया हर घड़ी मेरे साथ रहता था। कभी भूलती नहीं थी, किस तरह निरभ्र आकाश के नीचे केवल तीन कपड़ों में आन खड़े होने के बाद उन्होंने अपना जीवन बनाया था (सन्दर्भ—देश का विभाजन)।

अपने विश्वासवश यह भी जानती थी कि मेरा ऐसा मनोभाव जान लेने के बाद वात्स्यायन जी जैसे आत्मसम्पन्न, आत्मनिष्ठ व्यक्ति को भी मेरा ऐसा कोई कृत्य स्वीकार न होगा। दूसरों को माध्यम बनाने की कोई नकारात्मक वृत्ति मैंने उनमें नहीं देखी थी; बल्कि नये लेखकों के हक में वे अपने ही समय, क्षमता और प्रज्ञा का इस्तेमाल हो लेने देते थे। स्नेह से उन्हें देखते-परखते, उनके 'स्वात्म भाव' को ही सुदृढ़ करने में लगे रहते थे। उनके रू-ब-रू खड़ा होने के लिए गिड़गिड़ाहट की नहीं, असली, उत्सुक, निर्दोष जिज्ञासाओं और पूर्वाग्रह रहित मंशा की निष्कलुषता की जरूरत थी। इसी बीच कभी एक बार उन्होंने, बिना किसी प्रसंग के, फोन पर ही कहा जरूर था—"आप मुझसे कभी भी, कुछ भी जानना चाहेंगी, तो जरूर सच कहूँगा।" वह वाक्य शायद मेरे कान में अपने मनोभाव को सूचित करता, एक कतरा भर डाल देने की तरह था—उतना भर, विखण्डित।

शायद वह उनकी छिहत्तरवीं वर्षगाँठ रही होगी जब हमें उनके घर प्रीतिभोज पर न्यौता गया था। जहाँ तक याद है, उनकी पचहत्तरवीं वर्षगाँठ, इण्डिया इण्टरनेशनल सेण्टर के सभागार में सुरुचिपूर्ण ढंग से मनायी गयी थी। डॉ. रामकमल राय द्वारा लिखी उनकी जीवनी का उस दिन लोकार्पण हुआ और केलुचरण महापात्र और माधवी

मुदगल ने नृत्य पेश किया। आमन्त्रण वाले दिन उनके घर पहुँचते ही इला जी ने कहा था—"आज वात्स्यायन जी के पसन्द के लोगों को बुलाया गया है।" उन्होंने खुले मण्डप में जाने का निर्देश दिया था, जहाँ महामान्य श्री कुमार गन्धर्व का गायन चल रहा था। लोग तल्लीन होकर सामने बिछे गद्दों पर बैठे सुन रहे थे। वात्स्यायन जी सबसे आगे की पंक्ति में विराजमान थे। गायन के तुरन्त बाद भोजन करके हम रुके बिना वापिस आ गये। कैवेंटर लेन वाले उनके घर में, इससे पहले हम केवल एक ही बार गये थे। इच्छा सदा रही कि कभी घर जाकर उनका अध्ययन कक्ष और पढ़ने-लिखने का सलीका देखूँ, पर उतनी इजाजत अपने आप को मैंने कभी नहीं दी। उनके घर के चारों ओर कुशंकाओं, सन्देहों, आरोपों, अरक्षाओं का एक गन्धाता हुआ घेरा था जिसे लाँधने की इच्छा, मंशा, जरूरत किसे थी। अपने अग्रजों की समृद्ध विरासत के अधिकारी होने के नाते वात्स्यायन जी के श्रेष्ठत्व के निस्सीम में विचरण करने की जिन्हें छूट हो, वे ईंटों से बनी चारदीवारी से सिर फोड़ने क्यों जाएँगे।

4 अप्रैल, 1987 को उनका अवसान। सूचना मन्नु जी ने दी। सूचना सन्न कर देने वाली थी। अवसन्नता की पथरीली परती पर मेरा परिवार पहले से भौचक्क खड़ा था। 11 मार्च को ही हमने बेटी को दो छोटे बच्चों सहित कार एक्सीडेंट में खोया था। उसी पखवाड़े जिठानी की और परिवार में एक किशोर पोते की मृत्यु हो चुकी थी। सब कुछ भीतर से हिला हुआ था, पर अविश्वास-अस्वीकार के हस्तक्षेप से स्तब्ध ध्यान आ रहा है, बिटिया की मृत्यु के बाद कभी उनका फोन आया था—"यह मैं आप लोगों के बारे में क्या सुन रहा हूँ?"—"ठीक सुन रहे हैं।" कुछ क्षणों की खामोशी—"आप लोग थोड़ा स्वस्थ हो लें, फिर मिलता हूँ।"

मेरे मन में सब कुछ गड्डमड्ड हो गया था। उनके मृत्यु-मुख-दर्शन, शवयात्रा, दाह-संस्कार, बाद के समापन कर्म, स्मृति सभा—सब कुछ। सब में हिस्सा लिया था, पर जैसे नहीं भी लिया था। सब कुछ औपचारिक, सामाजिक, यन्त्रवत्। वात्स्यायन जी की मृत्यु मेरे लिए मात्र एक महत्तर, महान लेखक की मृत्यु नहीं थी। एक अग्रज, आत्मीय, वत्सल दिग्दर्शक की मृत्यु थी। उनकी अनुपस्थिति मेरे परिवार वालों की अनुपस्थियों के बीच ही कहीं गड्डमड्ड होकर बैठ गयी थी। अभाव, विषाद और अवसाद का एक ठोस पुंज था जिसमें ढेरों मुखविहीन छायाएँ बन्दी थीं। असह्य बोझ पर बोझ की पहचान मन में नहीं थी।

कुसमय आया, निकल गया, छापें छोड़ गया। ऐसी या वैसी या जैसी भी स्मृतियों से मुक्ति मेरी वांछा नहीं है। उन्हें जहाँ जितनी जगह लेनी हो लें। किसी सयाने ने कहा था, "अपनी स्मृतियों को सँभालकर रखिए, आप उन्हें दोबारा जी नहीं सकते।"

शिवप्रसाद सिंह : तेजोदीप्त अभिमानी

डॉ. शिवप्रसाद सिंह नहीं रहे। गहरी क्षति का भाव जैसे कोई स्तूप ढह गया हो। 5-6 सालों के उनसे सम्पर्क को इस अर्थ में परिभाषित करना कठिन-सा है कि वे विचार, अनुभूति, धारणा के किसी भी काँटे से अँटते नहीं थे, न ही घण्टों के संवाद के बाद उन्हें थोड़ा-सा भी समझ लेने की अनुभूति होती थी। एक ठोस किस्म की अन्दरुनी स्थिरता उनकी विचारमग्नता को बनाती थी जहाँ से खिसकते-खिसकते वे व्यंग्य विनोद वक्रोक्ति की छोटी-छोटी पहाड़ियों से टकराते पूरे साहित्यिक परिदृश्य को स्पर्शते सतह पर आ जाते थे और झट ही कहीं और डुबकी लगा जाते थे। एक प्रवासी किस्म का संवाद जिसमें सब कुछ है पर कुछ भी हाथ में नहीं है। उनकी समूची सोच को किसी क्षण विशेष में पकड़ पाना कठिन लगता था। कुछ-कुछ ऐसा ही अहसास उनके कभी-कभी लिखे जाते पत्रों से होता था जैसे कोई बहुल-प्रसंगी उत्तेजना अक्षर-पाठ के नीचे आन्दोलित हो और अक्षरों के जाहिरा अर्थ को ध्वस्त करती किसी नये रचना-रसायन की ओर अग्रसर हो रही हो जिसे उनके अन्तर्स्रोतों को जाने बिना जानना मुश्किल है। मुक्त चिन्तन से बनते उनकी लेख भी इसके साक्षी हैं।

यह प्रश्न सदा उद्वेलित करता रहा कि उनकी उद्दाम अविचलता तत्त्वों से निर्मित है—गहरी भारतीयता? विशद ज्ञान? इतिहास बोध? संस्कृतियों के ध्वंस और निर्माण के अजस्र स्रोतों की समझ और पहिचान? गहरी आस्था? तेजस्वी अहम्मन्यता? त्वरित तटस्था? बोझिझक औघड़पन? इन कारक तत्त्वों तक कोई पहुँचे इससे पहले ही वे ब्रह्मांड में हो रही वैज्ञानिक खोजों के सांगोपांग ज्ञान से अपना बनता हुआ चित्र स्वयं ध्वस्त कर डालते थे। मेज पर पड़ी इन दो पुस्तकों 'स्टीफन हाँकिंग की जीवनी' और 'ए ब्री हिस्अरी ऑफ टाइम' पर उन्होंने अपना अविकल अधिकार माना था। मुद्रण के विकास के युग में लाखों के खेप में छपती, सदा उपलब्ध रहती पुस्तकों का एक जगह से दूसरी जगह चले जाना कोई बड़ी बात भी नहीं है। असल में ब्लैक-होल्स-थ्योरी से वे इतना आश्वस्त थे कि उन्हें लगता था कि ब्रह्माण्ड की कल्पना का इस मार्ग से तार्किक रास्ता पाया जा सकता है। ऐसे विश्वास के अत्यन्त निकट खड़ी उनकी आध्यात्मिक अन्तर्धारा जिसके आप्लावन में बहुत-से कालखंड लुढ़कते-पुढ़कते उनकी चेतना की नदी में आन खड़े होते थे जो आधुनिकता के सबब को भी सन्दर्भित कर सकते थे। ऐसा वैचित्र्य अक्सर उनमें देखने में आता था।

सामने वाले के लिए यह प्रक्रिया भी साफ और पारदर्शी नहीं होती थी बल्कि अछोर, ओतप्रोत अन्दरूनी, अतार्किक पर आश्वस्ति की गूँज से भरी लगती थी। एक असन्दिग्ध आस्था से वे इसे अपने साथ लिए रहते थे।

महज किसी एक छोर पर खड़े होकर उनके कृतित्व और व्यक्तित्व को जोड़कर देखते अचम्भा-सा होता था। रचना में विनीत निष्ठा से उपार्जित उपलब्धियाँ और व्यक्तित्व में अलोच अहंमन्यता। 'मंजुशिमा' की संवेदित पीड़ा से 'नीला चाँद' और 'कोहरे में युद्ध' तक जाना ऐसा था जैसे एकदम नहा-धोकर उठे हों। नौ वर्ष के दीर्घ मौन के बाद अपनी बेटी मूंजू की अकाल मृत्यु पर लिखी जाती कृति 'मंजुशिमा' शायद उनके विरेचन की मनोभूमि थी। मंजू का खो जाना एक बेटी से अधिक उस सपने का खो जाना था जिसमें एक उत्तराधिकारी के पोषण और वात्सल्य के पूरमपूर आधार की आशा पल रही थी। उसकी मृत्यु ने उनके जीवन को ही नहीं, उनके सपने को भी घायल किया था। अरविन्द दर्शन में वर्णित मानव-चेतना के विकास की उत्तरोत्तरता में उनकी इतनी आस्था न होती तो मेरा अनुमान है कि उत्तरार्द्ध के उपन्यासों की इतनी बृहद यात्राएँ असम्भव होतीं। पांडीचरी आवास की जरूरत के लिए मैंने उन्हें सदा व्याकुल पाया। राष्ट्र के निर्माण का एक मूल्यापेक्षी ढाँचा उनकी मन-वाणी से फूटता रहता था। उनकी बातें सुनते उनके शब्दों तक सीमित रह जाना गलत हो जाता था। सोच का मर्म कहीं और से जागृत होता था—बेलाग नापता फलाँगता हुआ, गरजता हुआ, परे के हर सन्दर्भ में हठात प्रवेश करता हुआ। भीतर से उझक-उझककर उठते किसी बहुप्रसंगी, बहुआयामी संसार की किन्हीं रूपरेखाओं के दर्शन होते थे। उनके अनगिनत लेख उनके इस शब्द-रस की पुष्टि करते हैं।

इन कुछ सालों में काशी पर दो ('गली आगे मुड़ती है' पहले छप चुका था।) दिल्ली पर दो तथा अन्य दो (शैलूष और औरत) उपन्यासों के प्रकाशित हो जाने पर लगता था उन्होंने इतिहास के अनुसन्धान को चाकरी में रख रखा है। एक बार उन्होंने दिल्ली पर उपन्यास लिखने की अपनी मंशा की चर्चा करते हुए कुछ दस्तावेज दिल्ली से मँगाए थे। 'सर्वे ऑफ इंडिया' से दिल्ली के कुछ प्राचीनतम नक्शे और जनपथ की फुटपाथी दुकानों से उपलब्ध होती विदेशियों के लिए यात्रापयोगी किताबें उन्हें भेजते मुझे लगा था कि वे उपन्यास-लेखन के शुरुआती दौर में हैं पर एक के बाद एक दिल्ली पर उनके दो उपन्यासों का आ जाना इतिहास के अन्तरालों से उनकी कल्पना शक्ति के रिश्ते और विशद ज्ञान को सिद्ध करता था। यह लगभग आतंकित करने वाला सच था। भारत राज्य में धर्म और जाति की प्रचलित रही धारणाओं का उत्खनन वे कुछ चीजों को सामने लाने और उसमें समाज और राष्ट्र की संरचना का विधायक ढाँचा प्रस्तुत करने के लिए करते थे। उन दिनों वे भीतर से इतने व्यस्त और उत्तेजित रहते कि लिखे जाते उपन्यास के कई-कई अनुच्छेद मुँह-जबानी बिना किसी विराम विश्राम के सुनाते चले जाते थे जैसे वह किसी लम्बी

कविता की अन्तहीन शृंखला हो और वे सब किरदार किसी ऐतिहासिक कालखंड में नहीं इस समय उनके सामने हिरते-फिरते सच के टुकड़े हों। उस समय उनकी बड़ी-बड़ी आँखों का विकट विप्लवी भाव लगभग असह्य हो जाता था। उनकी यह मुद्रा देर-देर से टूटती थी। अक्सर उनकी अन्दरूनियत में एक बीहड़, दुरूह, संश्लिष्ट, कई काल खंडों को समो लेने वाली चेतना का पता दे जाती थी। वैसे भी अतीत, वर्तमान, भविष्य की मनुष्य निर्मित श्रेणियों का अतिक्रमण उन्होंने सृजनात्मक चेतना की मुक्त आवाजाही द्वारा किया। उसी रास्ते आज की अर्थवत्ता को स्थापित भी किया। इतिहास के अनुसन्धान ने उनके लिए वर्तमान को मुर्दा नहीं किया था, वे जीवनी शक्ति की निरन्तरता के हवाले से 'वैश्वानर' के प्रतीक को ही विस्तृत कर रहे थे। ऐसे कामों में उनकी अडिग आध्यात्मिकता और एकाग्र हो पाने की क्षनता ही शायद उनके काम आती रही।

इन सब सालों में यह इच्छा सतत् मन में बनी रही कि कभी उनको उनके अध्ययन कक्ष में और पुस्तकालय के परिवेश में स्थापित बैठे देखना है। वैसे भी स्थापत्य का भाव उनके भारी भरकम देह मन के साथ बखूबी जाता था पर इस इच्छा को सम्भव नहीं होना था। अपने काशी जाने की मेरे मन में वही एक अकेली स्मृति है। जब अपने विद्यार्थी काल में मैं अपने पिता से हठ करके प्रसाद जी के घर गयी थी। उनके सुपुत्र रत्नशंकर जी से भेंट हुई थी। प्रसाद जी का एक बड़ा चित्र प्राप्त किया था और कुछ-कुछ वैसी ही हस्तलिपि में रत्नशंकर जी की लिखी हस्ताक्षरित एक कविता पुस्तक। तब लगा था प्रसादजी के एक उर्जावान उत्तराधिकारी को देख रही हूँ पर पता नहीं क्यों कुछ भी आगे नहीं चला। क्या यह बरगद के नीचे पलते पल्लव की नियति है या चरम पर केवल एक ही व्यक्ति के खड़े हो सकने का नोकीला न्याय?

कभी-कभी उन्हें शंकाशील, असहिष्णु, व्यंग्य की कटार हाथ में लेने को तैयार देखा तो पार्श्व में रुका हुआ एक गया बीता उद्गार मिला—वह था अपनी ग्रामीणता का एकाएक अहसास। महानगर के तनाव भरे, अतिकृत्रिम परिवेश में ऐसा तनाव स्वाभाविक चाहे हो पर व्यर्थ जरूर था। संवेदना नागरी या ग्रामीण नहीं होती। खाँचों में ढला उसका रंग-रूप नहीं होता। उसकी क्रियान्विति निरपेक्ष, निस्सन्देह और निराली ही होती है। इस तर्क के हवाले से वे अपने आप में लौट आते थे। जो उनकी शक्ति थी उसे उनके विपरीत सिद्ध नहीं किया जा सकता था। ग्राम, ग्रामीणता, लोक-जीवन की नब्ज पर उनका अचूक हाथ मानवीय संवेदन की परिधियों का विस्तार ही करता था और वह वर्तमान/आधुनिकता के विरुद्ध कहाँ था? साहित्य में यह अपने-अपने अनुभव के क्षेत्र को आधिकारिक क्षमता से छूने का सवाल था और वे तो उन क्षेत्रों में भी आत्मसजग रहे जिन्हें दूसरों ने अपने अनुभव का पाथेय न समझकर परे जाने दिया। अस्तित्ववाद के हवाले से योरोपीय चिन्तकों की मनोभूमि

उन्होंने खखोली/दर्शन की अग्रगामी खोजों का एक ही ब्रह्मांड के चिन्तन पक्ष का हिस्सा माना। श्री अरविन्द की जीवनी लिखने में मनुष्य के लिए सार्थक सोपानों की क्रियाशीलता के लिए मनुष्येत्तर शक्तियों की एकाग्रता द्वारा महत सम्भावनाओं को सुलभ माना। गहरे में जाकर देखें तो उनके कथा-साहित्य के कलेवर की सपाटता या स्थूलता का हवाला देकर निरस्त करना गलत है। उसका सार संवेदना की समग्रता में है जो सूक्ष्म से सूक्ष्मतर होती ऐसी अतीन्द्रियता में दाखिल हो सकती थी जिसकी अटूट भाव-धारा में उन कल्पना खंडों की सृष्टि सम्भव हो पाती थी जो हमारे वर्तमान का अतीत और भविष्य भी रच सकें।

भीतर से वे कितने भी कोमल और स्नेहिल रहे हों पर इतने आत्मस्थ, काफी कुछ तटस्थ, अविनीत, दर्पोदीप्त अभिमानी खूब थे। अभी भी ऐसा नहीं लगता कि वे और जीवित रहते तो उनके बारे में अनायास से ज्यादा कुछ और जानकारी मिल पाती या उनकी ज्ञान-मंजूषा के किसी झरोखे पर अँगुली रख सकने की सुविधा सुलभ ही होती क्योंकि अपने ज्ञान, कल्पना रस और अवधारणा की प्रवृति को लेकर वे अपहुँच जैसे ही थे। इसका उद्‌घाटन उनकी पुस्तकों, विशेष तो उनके लेखों की अप्रतिमता और निरायास प्रवाहमानता के जरिये सम्भव था। उनका सान्निध्य व्यक्ति और व्यक्ति के सम्बन्ध का निजी उपभोग न होकर एक चुनौती की तरह था। जिज्ञासा वही रहती थी कि कौन-सी राह, कौन-से तत्व, कौन-से माध्यम, किस संश्लेष ने इस अस्मिता को बनाया है। जो इस दृश्य जगत को सदा इस सर्वसमावेशी तेवर में सम्बोधित करती है। वह सरणियाँ बहुत-से सूत्रों से निर्मित और अभी आवृत है क्योंकि उसमें पर-अपर का विखंडन नहीं है। लगता है वे साहित्य के सचेत को किसी दूसरे स्तर और सम्पर्क बिन्दु से जानते रहे।

मुझे लगता है उनके जीवन-काल में उनके सृजन की अवगति असम्भव रही, क्योंकि उनके ऐसे बृहदकाय उपन्यासों को सामने पाकर एक बहुत बड़े काम के लिए समय, स्थान, अनुकूलता न पा सकने की विवशता का सामना भी साथ ही करना पड़ता था। पर यह किसी दिन जरूर सम्भव होगा। हमसे आगे वाली पीढ़ी इसे उनके साक्षात् और स्मृति से विच्छिन्न करके देख सकेगी। तब शायद उन इतर, दुरूह, संघट, दूरगामी स्थलों में बसते उन उर्वर अन्तरालों का पता मिल सकेगा जो ऊर्जा के इस अजस्र स्रोत को प्रवाहित रखते थे।

जीवन के अस्त के समय भी 'वैश्वानर' यानी प्राणतत्त्व के प्रतीक को छोड़कर जाने की उनकी महेच्छा जरूर नमनीय है।

शैलेश मटियानी : अपने आईने में

"मैं चाहता हूँ, मृत्यु के अतिरिक्त कोई मेरी जिद को समाप्त न कर सके। मेरी जिद यही है कि मैं अपने निकट सिर्फ वही रहूँ जो मैं होना चाहता रहा हूँ"—शैलेश मटियानी।

ऐसा लिखने वाले और लिखने को अन्त तक निभा ले जाने वाले लेखक पर लिखना आसान नहीं है। जब-जब शैलेश जी पर कलम उठानी चाही, अपने छोटेपन का एहसास जमकर हुआ। लगा ढेरों-ढेरों शब्द भी उस अपूर्व जीवट और विकट जिजीविषा के आधार सूत्रों को नहीं खोल सकते, जो उनमें समूची तरह से संघट थी। चाहे उसे खोले बिना उस रसायन की थाह पाना कठिन है, जो विषमता और दैन्यता को फाड़कर चेतना के उत्कर्ष के रूप में हमारे हाथ लगता रहा।

निहायत सामान्य व्यक्ति होने से पहले तो लेखक हो सकने का आत्मसंघर्ष, फिर लेखक द्वारा मनुष्यता के मर्म तक पहुँचने का संघर्ष, यह एक ऐसी लीक थी जिसे समझे बिना हम उनके सार्थकता-दर्शन के निकट नहीं फटक सकते। उस धुरी तक नहीं पहुँच सकते जो उन्हें अन्त तक सृजनशील बनाये रही। अनुभवों विचारों का रचनात्मक अन्धड़ उनकी प्रज्ञा के संयम को तोड़-फोड़कर चाहे बह निकला हो पर मन के मरुथल होने की स्थिति कभी नहीं आयी। वह खुद ही कहते रहे कि *"विपन्नता में टूटता है व्यक्ति तो सम्पन्नता भी उसे कुन्द करती है।"* उनके हिसाब से लेखक यदि लेखकीय आचरण और विवेक में रहे तो कठिनाइयों को भी अनुभवों में बदल देता है और समृद्ध होता है। वह लेखकीय आचरण क्या था, क्या वह लेखक मात्र की कोई सार्वभौमिक वस्तुस्थिति है जिसके चलते लेखक वर्ग की सामूहिकता को परिभाषित किया जा सकता है या अपने लिए निर्धारित कोई आचरण संहिता थी।

आश्चर्य तो यह था कि जो फैसले उन्होंने किये, जो संकल्प अपने साथ जोड़े, जो रास्ता चुना वह उनकी जीवन स्थिति के विपरीत था। कहना चाहिए कुछ भी उनके पक्ष में नहीं था—जीवन स्थिति, आर्थिक स्थिति, परिवार, शिक्षा। लड़ाई ही जीवन की कथावस्तु बनी रही। पर सागर में डूबी हुई मछली प्राणवायु के लिए जैसे हर पल बाहर सिर निकालती है, कुछ-कुछ वैसा ही उनका जीवन योग बना—यानी दलदल में पैर और रोशनी की तरफ मुँह। एक इसी विकटता को आजन्म निभाने

की उन्होंने कोशिश की। उनका रचनात्मक संघर्ष उनके निजी संकल्पों, जिदों, आकांक्षाओं और तनावों को भोगते सान चढ़ा।

साहित्य को जीवन से जोड़ने के जितने भी उपकरण हैं—अनुभव, भाषा, अभिव्यक्ति क्षमता, सृजन सातत्य—उनमें से हर एक मुद्दे पर उन्होंने केन्द्रीय समस्याओं की तरह सोचा। इन्हें चीर-फाड़कर कसौटियों पर परख-परखकर देखा। दृष्टान्त जो बने उनके अपने जीवन की भट्टी में तपे-तचे थे। वह कुर्सी पर बैठे का बुद्धि-विलास नहीं था। प्रेमचन्द के बाद अपने को दूसरा बड़ा लेखक मानने को उनकी अहंमन्यता मानने का कोई कारण नहीं है, वह उनके अन्दर रचनात्मकता के लिए दी गयी कीमत का दहकता हुआ एहसास था, जो एक लपट की तरह होता है इसीलिए खरी भाषा बोलता है। इतना भोगने और सहने के बाद भी यदि उनकी रचनाशीलता अन्त तक कायम रही तो वह उनकी मंशा और आस्था के स्रोतों को प्रमाणित करती है। जीवन के अन्त तक एक भी कथन ऐसा नहीं मिलता जिसके बीज सूत्र उनके आरम्भिक चिन्तन में मौजूद न रहे हों। आत्मशिक्षण के सहारे उस ऊँचाई तक जाता व्यक्ति जीवन विवेक को अंजाने ही उद्घाटित करता चलता है। पत्रिकाओं के माध्यम से जितना ही उनका जीवनवृत्त जाना गया, जितनी ही जीवन स्थितियाँ उजागर हुईं, उतना ही आत्मशिक्षण की उनकी लम्बी साधना का मर्म समझ में आया। शायद ही कोई ऐसा लेखक हो जो ऐसा कह सकेः-

"अपनी परिस्थिति में बकरी की खाल उतारते, बोटियाँ काटते या कीमा कूटते हुए अपनी संवेदना और चैतन्य में से लेखक होने का निर्णय लेना... मेरे लिए मनुष्य होने का प्रारम्भ था। तब से वह दर्प मेरे भीतर मौजूद रहा कि मैं क्या हूँ? और मुझे क्या करना चाहिए। यह निर्णय या तो मैं अपने हाथ में रखूँगा या सिर्फ उसके, जिसके निर्णय से मैं मनुष्य हुआ हूँ।"

× × ×

"... कहना चाहता हूँ कि मुझे लेखक होने के लिए रचना करने से भी बुनियादी शक यह आत्मप्रतीति लगती है कि 'मैं रचा गया हूँ'। मेरी दृष्टि में माता-पिता के मैथुन की परिणति से आगे अपने होने के कारण को अनुभव न कर पाना... अन्धता है।"

× × ×

"यह सिर्फ एक भ्रम हो सकता है मगर है कि अगर अपने परिवेश और अपनी परिस्थितयों के विरुद्ध निर्णय न लिया होता तो अपने जीने का ठीक वही स्वरूप और अर्थ मेरे लिए नहीं होता, जो इसके बाद हुआ, और है।"

“अपने जीवन के कठिन समय के प्रति कृतज्ञता अनुभव होती है तो इसलिए कि शायद अन्यथा इस मनुष्य होने की भाषा को पहिचान नहीं पाता क्योंकि किसी भी लेखक के लिए लिखने की भाषा से भी महत्त्वपूर्ण मनुष्य होने की भाषा होती है। और लेखक होने का संघर्ष दरअसल अपने तत्काल के व्यक्ति से बेहतर मनुष्य हो सकने के लिए किये गये संघर्ष के अतिरिक्त और कुछ नहीं...। जैसे अपने शारीरिक ढाँचे से आदमी होना मात्र मनुष्य होने की शर्तों को पूरा कर लेना नहीं है, ठीक उसी तरह अपने तत्काल में बाहरी तौर पर एक भाषा सम्पन्न लेखक दिखना भी लेखक हो सकने के निकष पर खरा उतरने का प्रमाण नहीं।”

× × ×

“कोई लेखक अपने समय अथवा समाज में एक सामान्य व्यक्ति की तरह जीते हुए नहीं बल्कि एक लेखक की हैसियत से सामान्य भाषा और जानकारियों में से साहित्य रचने की कोशिश करते हुए खत्म होता है।”

× × ×

समय को अपने मनुष्य होने के चैतन्य और संघर्ष से जोड़े बिना ही ‘गर्दिश के दिनों’ या ‘खुशहाली के दिनों से देखने की कोशिश करना विवेकसंगत नहीं, क्योंकि आत्यन्तिक मूल्य इस बात का नहीं होता कि अपने समय में हम कितने दुःखी या सुखी या कितने सम्पन्न या विपन्न रहे—वास्तविक सार्थकता सिर्फ इस बात की होती है कि अपने समय में हम कितना मनुष्य हो सके।”

× × ×

“यह ‘मनुष्य होना’ कोई वायवीय अवधारणा नहीं है। यह अपने परिवेश और परिस्थिति के बीच सारी विरुद्धताओं के बावजूद, अपनी संवेदना और चैतन्य के अनुसार ही आचरण करने के आत्मस्वातन्त्र्य में जीना है...। अपने आप को अपने ही हाथों रचने का निर्णय लेना है।”

× × ×

“मेरी चिन्ता यह नहीं रह जानी चाहिए कि मेरे जीवन में अभाव और दुःखों के या परिस्थितियों को आत्मद्रोही नियतियों में बदल देने वाले दुर्दिन क्यों आये, बल्कि एक लेखक की हैसियत से मेरी चिन्ता यह रह जानी चाहिए कि अपने जीवन की इन तमाम यातनाओं को साहित्य में बदल देने में मैं असमर्थ क्यों रह गया?

× × ×

“असमर्थता और निरुपायता इन दोनों शब्दों से ज्यादा साथ मेरा आज तक किसी ने नहीं दिया है। यह ही दो शब्द हैं जो मुझे अपने यथार्थ की प्रतीतियों में से हटाकर उस परमेश्वर की प्रार्थना करने की कारुणिकताओं में ले गये हैं जहाँ ‘मैं परमात्मा का पुत्र हूँ’ कहते हुए मृत्युदण्ड के सलीब को भी अहिंसा और करुणा की अनन्त वीणा की तरह झंकृत कर देने वाला ईसामसीह तक नहीं ढँ2ढ पाया।”

"अपने दुर्दिनों को घटनाओं के स्तर पर बयान करना आसान भी हो सकता है, रोचक भी। लेकिन मैं कोशिश करना चाहता हूँ कि जो कुछ मेरे साथ घटित हुआ सिर्फ उतना ही नहीं, बल्कि वह भी कह सकूँ जो मेरे भीतर घटित हुआ...। कठिन समय की यातनाओं और विडम्बनाओं को मैंने जिस संवेदना और चैतन्य के सहारे झेला, इसे भी दूसरों को अनुभव करा सकूँ...। अपने समय के सारे लिखे हुए में से साहित्य के रूप में उतना शेष रह जाता है जो अपने ही नहीं, आने वाले समय के लोगों को भी अनुभव हो सके।"

× × ×

"हो सकता है कि यह सिर्फ एक आत्म विभ्रम हो पर मैं अपने ही अनुभव को असत्य मान लेने की बौद्धिक वंचना में जी नहीं सकता...। मनुष्य जो कुछ अपने चैतन्य में से अनुभव करता है वही सत्य है...। अब तक तो भीतर की अमूर्तता ही मेरे लिए अपने से बाहर की तमाम यर्थाथताओं से बड़ा सच रही है।"

× × ×

"हममें से कौन लेखक नहीं जानता कि संवेदना के संघर्ष और परिणामों से बचना ही अनुभव विपन्न होना है...। आदमी जब टूटता है, आर्थिक कारणों से नहीं नहीं, अनुभव विपन्नता के कारण टूटता है। स्थितियों की प्रतिकूलता के बीच आदमी जब भी अन्तिम रूप से हताश होता है, अपनी दृष्टिविहीनता के कारण होता है। स्थितियों की प्रतिकूलता के क्षण ही वह आईना होते हैं जिनमें मनुष्य अपना सम्यक साक्षात्कार करता है। अपने आप को जितना और जैसा वह है, ठीक-ठीक प्रतिबिम्बित होते देखता है।"

× × ×

समय भी आदमी से बंधा है और जब आदमी आगे नहीं बढ़ पा रहा हो तो समय भी थम जाता है... और जितनी देर तक थमा हो, उतना ही गहरा होता है इसका सन्नाटा भी। तब समय जैसे आदमी की आवाज के लिए कान उघाड़े ही रह जाता है; क्योंकि आदमी की वही आवाज सबसे गहरी होती है जिसे वह भीतर के चरम सन्नाटों में देता है। जिसे ठीक से सुनाई पड़ते-पड़ते, कभी-कभी, पूरी आयु तक भी लग जा सकती है। जिसके कि शब्द बनते बनते तक में आदमी स्वयं बीत जा सकता है।

× × ×

यह मात्र झलकियाँ है—मंशा के बीज, उनके सम्पूर्ण का ब्यौरा नहीं। उनका आकलन तो वैसे भी नहीं हुआ। आसानी से हो भी नहीं सकता क्योंकि शैलेश जी जैसे व्यक्ति में दैन्यता और दुस्साहसिकता को, विसंगतियों और उपलब्धियों को विलगा सकना कठिन है। उनकी चेतना की आवाजा ही इन दो विरोधी छोरों के बीच

थी। ऐसे दो ध्रुवान्तों के बीच एक खतरनाक सन्तुलन साधने में कोई भी टूट सकता है। पर शैलेश जी जैसे महाप्राण नायक को क्या हम इस तरह टूट जाने के हवाले से याद करेंगे...? उनकी विभीषिकाओं को देखेंगे या उनकी उपलब्धियों को? कीमत को देखेंगे या फल को...? कौन-सी अन्तर्धारा मनुष्य के मर्म को छू लेने की उनकी तड़प की हमसफर मानी जायेगी।

यह चाहना बेशक त्रासद चाहना है...। फिर भी मैं चाहती हूँ कि हम उनके टूटने को न देखें। उनकी संकल्पशीलता और अर्थवत्ता की प्रतिबद्धता को जानें। उनका परिवार उनकी इन सब दारुणताओं का हिस्सेदार है। इसकी कीमत परिवार ने चुकायी। साहित्य जगत को उनके प्रति क्षमायाचक होना चाहिए। क्योंकि उन जैसे व्यक्ति के संरक्षण के तले वे सब असुरक्षित ही ज्यादा हुए। उनके जीवन होम हुए। मनुष्यता के जिस स्तर को छूने के लिए शैलेश जी का आत्मिक संघर्ष रहा। उसी स्तर पर परिवार को वंचित किये रहने का गुनाह साहित्यधर्मिता के माथे पर रहेगा पर आत्म के उस उत्कर्ष को छूने वाले जीवन-योद्धा के निकष अलग तरह के ही होने होंगे, इसे कौन नहीं जानता।

निगम बोध घाट पर

निगमबोध घाट बेहद गर्म उमसायी हुई पहली अगस्त की दोपहर, एक कोने में लेखकों की छोटी-सी जमात जमा थी। यों लेखक के देखते उतनी छोटी भी नहीं। मुंजल भगत के शव के आने की प्रतीक्षा थी। 31 जुलाई की रात दिल का दौरा पड़ जाने से उसकी मृत्यु हुई थी।

कुछ लोग आपस में बोल रहे थे, कुछ एकदम गुम, दुर्घटना संवेदन के तन्त्र पर अपनी-अपनी तरह से टूटती है। एक घंटे तक वहाँ खड़े-खड़े कितना ज्यादा लग रहा था कि केवल मंजुल के साथ ही नहीं बहुतों के साथ आकस्मिक जैसा कुछ घटा है। ऐसा घट रहा है पल-पल, सिर्फ यह कि हर किसी को हर किसी दूसरे की खबर नहीं। हमारा काँटा हमारी खबर और सम्बन्ध है। हर तीन या चार मिनट के बाद एक शव आ रहा था। पूरी लम्बाई में ढका होने के कारण हर बार वह एक शव ही लगता था, कोई एक व्यक्ति नहीं। हर शव के साथ एक नया समूह, नया आवेग, नयी तरह का विलाप। इतनी जलती चिताओं, इतने अवरुद्ध उच्छवासों और इतनी चिलचिलाती गर्मी की संकेन्द्रित घुटन को अनकहा रहने देना ही अच्छा है।

मंजुल को में जानती रही, फिर भी नहीं जानती रही। लेखकों-साहित्यकारों को सब जानते हैं पर कोई नहीं जानता। हर लिखने वाला चाहे वह आज ही अवतरित हुआ हो उसकी भी एक बिरादरी होती है, उसे एक भूमिका मिलती है, एक परम्परा मिलती है। अपनी धुरी पर कायम रहता हुआ भी वह धीरे-धीरे उस सामुदायिकता की जद में दाखिल होता है। जीवन भर उसी से सन्दर्भित होता है। अन्ततः वह 'वही' हो जाता है। 'खुद' नहीं रहता। उसका उच्चारा गया हर कुछ दोहराया जाकर धीरे-धीरे सच का एहसास जैसा पा लेता है। पर क्या वह पूरा सच होता है? उसकी कही जाती कविताओं, कहानियों के कितने सारे खंड, कितनी खिड़कियाँ, कितने रूप, कितने दर्पण, कितनी कल्पनाएँ, कितनी अभिव्यक्त परछाइयाँ... क्या कोई कह सकता है कि कौन-सा सच असल में उसके निकटतम था?

मन में अभी बवण्डर जैसा उमड़ ही रहा था कि दूरदर्शन के कैमरे का भीमकाय गोलाकार लेंस ऐन मेरे मुँह के सामने आन टिका। उसे जो आदमी थामे हुए था उसने कहा—"आप उनके बारे में कुछ कहिए।"

शब्दों की व्यापारी कही जाती मैं को उस समय एक भी शब्द हाथ नहीं लगा,

इतनी कोफ्त शायद ही कभी हुई हो। गले की शिराओं पर खामोशी के नोकीले पंजे की इतनी विकट जकड़न शायद ही कभी जानी हो। मैंने काले गोल शीशे के सामने से हटते हुए कहा था–"किसी और से पूछिए।" मैंने ऐसा कहा था जानते हुए कि इस कथन के बहुत-से मायने निकल सकते हैं जो मेरे हक में नहीं जाते; पर जब व्यक्ति कोई और नहीं 'अपना आप' होता है तो ऐसी बहुत-सी दिक्कतें दरपेश आती हैं।

दूरदर्शन वाला औरों को ढूँढ़ने में व्यस्त हो गया था। वह कुछ को छोड़ रहा था, कुछ को चुन रहा था। यह सोपान-धर्मिता कौन संचालित कर रहा था, मैं नहीं जानती। इतना जानती हूँ यन्त्र को, सूचना को, मीडिया को एकदम लैस, एकदम तत्पर, बहुत स्मार्ट, चकाचक, तुरत-फुरत परिणामधर्मी होना पड़ता है और यह खूबियाँ एक इंसान में नहीं होती। वह मर्म पर पड़ी हर चोट से (कभी विषई को लेकर, कभी अपनी सोचकर) घायल होता है। दूरदर्शन की इतनी तत्परता के बावजूद मंजुल का सच यही रहा कि उसके अवसान की खबर तीन दिन तक अखबारों ने नहीं छापी। वैसे यह कोई नयी बात नहीं है। साहित्य की सेवा-परम्परा में से अपना कद अर्जित करने वाले श्री वीरेन्द्र कुमार जैन के साथ भी ऐसा ही हुआ था पर तब कहने को था कि वे साहित्य की राजधानी में राजपथ पर नहीं थे इसलिए भुला दिये गये, पर मंजुल भगत?...राजधानी की रिहायश, राजधानी का हिकमत भरा सूचना तन्त्र, चौदह किताबें, एक लब्ध प्रतिष्ठत लेखक परिवार, बहिन मृदुला गर्ग, मृदुला ही निगम बोध घाट पर यह कहती सुनी जा रही थीं कि "मेरा जी चाहता है कि मैं मंजुल से जाकर कहूँ कि देख तूने जिस-जिस को चाहा होगा मैंने उन सब लोगों को फोन कर दिया है। और आये भी काफी है।" और मृणाल पाण्डेय ने साहित्य अकादमी की जुटाई शोक-सभा में भरभरायी संजीदगी से साहित्य के तटस्थ चरित्र की बात करते हुए जोड़ा था कि "मंजुल होती तो सबको क्षमा कर देती। क्षमाशीलता ही उसका स्वभाव था।"

आप-धापी के इस जंगल में, 'मंजुल' की स्मृति के सन्दर्भ को, मृणाल ने साहित्य की तटस्थता और पवित्रता के कब से भुलाये जा चुके हवाले से बचा लिया था। शायद सबको मरहम जैसा कुछ दिया था। वह मृदुला की अपनी क्षति और दाह का यत्न था कि उस सभा में इतने लोग आये थे। आज के समय में किसी साहित्यकार की मौत का घटित दोहरी दाह जैसा होता है। समय इतना परे नहीं गया है, कि यह बात याद न आये कि जैनेन्द्र जी जैसे गौरव-सघन साहित्यकार की शवयात्रा की छिटपुट शिरकत पर प्रभाष-जोशी को 'जैनेद्र के पाठक कहाँ गये' जैसा लेख लिखना पड़ा था। याद पड़ता है। 'जनसत्ता' के इस मध्यवर्ती लेख के नीचे अंग्रेजी के एक अप्रवासी कद्दावर लेखक नीरद चौधरी पर लम्बा-चौड़ा लेख छपा था। ऊपर नीचे छपे दोनों पाठ एक-दूसरे पर मुँह चिढ़ाते लग रहे थे। मंजुल ने पता नहीं क्या सोचकर 1994 में छपी अपनी किताब की भूमिका में "शारीरिक स्तर पर मर जाने का नहीं,

भुलाये जाने के भय की बात" की थी। उसने शायद सलमान रुश्दी के इस कथन को थाम रखा था—"धीरे-भुलाये जाने के क्रम में मृत्यु के बाद भी, मरने की प्रक्रिया चलती रहती है।"

शायद बहक रही हूँ। दुर्घटनाओं के पीछे की दुर्घटनाएँ इतनी चुप्पा, इतनी मारक, इतनी सारी खड्डों के सिरहाने खड़ी होती हैं कि छूते ही हिलती मीनारों जैसी हो जाती हैं।

एक बजने को आया था। शव अभी भी नहीं आया था। मृत्यु घर वालों के लिए एक घटित ही नहीं बन्दोबस्त भी होती है। दूरदर्शन के गोलाकार करामाती लेंस ने अपनी मुहिम फिर से तेज़ कर दी थी। वह फिर से इधर लपकने को हुआ कि मैं परे टहल गयी थी।

कान के कहीं बहुत निकट अन्य लोगों द्वारा मंजुल के साहित्य की अमरता की बयानगी के स्वर संचरित हो रहे थे, जबकि मंजुल के वजूद के तिरोहित होने की उस आत्यान्तिक अन्तिम घड़ी की उदासी मन में सघन से सघनतम होती जा रही थी।

शायद यहीं कहीं कोई दुखती रग होगी। विलयन के इस अकेले क्षण में उसके साहित्य को छू सकने की अक्षमता मेरे भीतर एक अड़ियल आक्रोश का आकार ले रही थी। मुझे लगा था उसके साहित्य के स्मृतिपुंज में से उसके वजूद की एक फाँक छिटककर अलग-थलग होने जा रही है। प्रश्नाहत कर रही है—क्या मंजुल अपने साहित्य के इतर खुद कुछ नहीं थी? क्या सब कुछ आवरण ही आवरण था? एक रची हुई खूबसूरती?... खिलखिलाता, अपने पीछे-पीछे दौड़ता भाषा का बाँकपन?... किसी न किसी संवाद में उभरता शरारती चेहरा... चरित्रों की पेशगी का पूरमपूर इसरार क्योंकि वह कहानी रचती जो नहीं थी, पात्रों के जरिये जिन्दगी में दाखिल हो लिया करती थी।

यह सच है कि उसके साहित्य को इतनी और ऐसी महारत हासिल थी फिर भी मंजुल क्या यह थी? इतनी भर?... इतनी मात्र? वह व्यक्ति कहाँ था जो भाषा और भाव के इस अजूबे को जन्म दे रहा था? किन वीरानियों और वंचनाओं को घच्चा देकर? मृदुला ने कहा था "उसका अपना जीवन एक बहुत बड़ा उपन्यास था। यदि वह थोड़ी निष्ठुर होती तो एक बड़ा उपन्यास लिख लेती जो उसने नहीं लिखा।" मंजुल यही कहती रही कि उसे "रोने के सिवा दूसरे विकल्पों में" विश्वास है। उसे लगता है लेखक "स्वयं के दुखित चरित्र को जीवन के पहलू का निगेटिव बनाकर जीता है पर मैंने अपनी कहानियों को इस पैशाचिक छाया से बचाकर लिखा-रचा है। जीवन को भी बचकर और बचाकर जी लिया है।" ऐसे दो विकट दावेदारों के बीच वह कैसे जीती-जागती रही होगी यह सोचने की बात है। शायद रचना के द्वारा

जीवन की विकरालता से बचा लिए जाने के मर्म और भवितव्य को वह बखूबी जानती थी, इसीलिए कुछ लिख लेने पर वह आत्मतुष्ट उतनी नहीं, आत्म प्रसन्न ज्यादा होती थी। वह कितना अधिक सुनना चाहती थी कि वह कितना अच्छा लिखती है। लिखने की निर्मम दुनिया में किसी वज़नदार श्रेणी में कोई विशेष स्थान रखती है; कि उसने 'अनारों' जैसे समृद्ध और 'खातुल' जैसे सरहदों के पार जाते उपन्यास लिखे हैं, कि वह बूँद में सागर निचोड़ने के कौशल से भरी हुई है। लगता था वह भूल ही जाती है कि वह एक निहायत निर्मम निष्करुण संसार का हिस्सा है जहाँ बड़े-बड़े दिग्गज भी अपने समय के न्याय से वंचित हुए रहते हैं।

अजीब संयोग है कि हाल ही में उसका, मेरा और नासिरा शर्मा का कहानी संग्रह एक साथ पुस्तक मेले में विमोचित हुआ था। महाश्वेता जी के सान्निध्य में नामवर जी ने उन तीन पुस्तकों का विमोचन किया था। मंजुल विशेष खुश थी...विशेष, हाथ में पुस्तक लिए फोटोग्राफ के लिए अपनी मुद्रा सहेजती, हाव-भाव सजाती... खुलती-सी-मुस्कान...आत्म स्वीकृति की बेझिझक आभा..अपने से बाहर बहती उत्फुल्लता। यही मंजुल थी। प्रकाशक को शायद यह अपेक्षा रही होगी कि महानगर में तीन स्त्रियों के संग्रह एक साथ विमोचित हुए हैं, प्रतियाँ खटाखट बिकेंगी। अपेक्षा का क्या है। कुछ भी हो सकती है और यों देखा जाये तो विमोचन करने वाला भी कोई ऐरा-गैरा नहीं था और प्रकाशनगृह (ज्ञानपीठ) भी पुख्ता नामी गिरामी था पर ऐसा कुछ भी नहीं हुआ था। किताबों की लम्बी गड्डियाँ वैसी ही अछूती खड़ी रही थी। छोटी-मोटी भीड़ पुस्तक को उपहार में न पा सकने की निराशा में इधर-उधर छिटक गयी थी। पुस्तक मेले के दूसरे स्टॉल्स पर इससे ज्यादा बहुत कुछ दिलचस्प हो रहा था। हम तीनों ने अपनी हस्ताक्षरित प्रतियाँ अदल-बदल ली थीं। मंजुल ने मुझे बहुत-बहुत जोर देकर कहा था कि दिल्ली से गायब होने से पहले मैं उसे एकदम बता दूँ कि उसकी कहानियों पर मेरी क्या प्रतिक्रिया है। वह कल से ही मेरे फोन की प्रतीक्षा शुरू कर देगी।

पर उसने प्रतीक्षा नहीं की थी। बेशक उसकी धमकी के डर से मैंने उस रात उसकी कुछ कहानियाँ पढ़ी थीं। और 'बानो' पर अटकी थी। फोन उसी का आया था। रचना को पढ़ने-पढ़ाने की ऐसी जबरदस्त पहल उसमें थी, भाईचारे के विस्तार का निहायत निष्कपट आवेश। फोन पर मैं उसकी कहानियों की बात करती इससे पहले ही वह मेरे संग्रह की दो कहानियों को बीच में रखकर बात करने लगी थी। इतनी जल्दी पढ़ लेने के उत्साह को काटता एक कातर-सा कम्पन उसकी आवाज में थरथरा रहा था। उसने कहा था वह मेरे संग्रह की पहली और आखिरी कहानी पढ़कर बेहद हिली हुई है। साथ में उलाहना कि फिलहाल कम से कम जल्दी तो वह मेरी कोई और कहानी नहीं पढ़ेगी। उसकी कातर प्रशंसा मुझे विचारमग्न बना

गयी थी। उक्त दोनों कहानियाँ मैंने मृत्यु के कथ्य से टकराते हुए सिरजी थीं।

मैंने उसकी कहानी की चर्चा करके तुरन्त ही उसकी सोच का रास्ता बदलने की चेष्टा की थी। वह प्रसन्न हो गयी थी। अपनी रचना पर लौटने में प्रस्तुत हो गयी थी। प्रस्तुति का लोभ और आवेश, दोनों उसके व्यक्तित्व के ही हिस्से लगते थे। बहुत-से मंचों पर मैंने उसे पूरे उत्साह और तैयारी से प्रपत्र पढ़ते, केन्द्र में बैठते, फोटो की रस्मी रौनक में रस लेते देखा था। उन क्षणों में यह सारा ताम-झाम उसके लिए कितना सच हो उठता था। 'अनारों' की सफलता का प्रस्तुतिपरक तादात्म क्या मंजुल के ऐलीमेंट का विस्तार जैसा ही नहीं था?

उसके घर के हालात मैंने नहीं जाने। न चाहे। दीवारों के पार उचककर देखने का हक और दुराग्रह मेरे भीतर कभी नहीं जागता, पर ज्यों-ज्यों यह बात पता चलती गयी कि जिन्दगी के दम-खम को झेलने के लिए उसकी देह का ढाँचा अन्दर से खासा खोखला और खड़खड़ाता-सा है तो मन में उसके जीवन की व्याख्या बदलती गयी। वह मुझे अपनी एकल इच्छाशक्ति की जड़ से उसरती शाखा लगने लगी। नखों से यथार्थ की मिट्टी उकेरकर जिजीविषा के हर पहलू को अपनी हथेलियों में भर लेने की ललक की रक्षात्मक क्रिया। कभी-कभी वह मुझे दुस्साहसी लगती, कभी करुणा से ओतप्रोत। मृदुला गर्ग के बेटे की शादी में उसे देखा। लगा उसकी काया ऐसी कागजों जैसी है कि छोटी अँगुली के अपने पोर से धक्का देने भर से गिर जायेगी और फिर कभी नहीं उठेगी। पर वह उठती थी, हर बार हँसती मुस्कराती, असम्भव जैसी जगह पर सम्भव हो जाती थी। मिलने पर हथेली के छोटे-से स्पर्श में वह अपना पूरा मन निचोड़ देती थी और डपटते हुए कहती थी—"देख! जब भी दिल्ली छोड़ना मुझसे मिलकर जाना। इस बार तो खैर मैं बच गयी हूँ..."

लेखक के बच जाने के अचम्भे में अपने चुने हुए विकल्पों का कितना योगदान है, कितनी संकल्पित शक्ति इसे कौन नहीं जानता पर पैरों के नीचे से खिसकती जाती रेत का सच भी कैसे भुलाया जा सकता है। डूबती नौका की उताल डगमगाहट में उसने अपने सिर को कभी डूबने नहीं दिया, यह कोई छोटी बात नहीं थी।

अच्छा तो यही था निगमबोध घाट पर या उसके बाद तक जानना चाहा गया होता कि वह किस तरह की इंसान थी। उसका आचरण-व्यवहार कैसा था। यह पात्र किस मिट्टी का बना था जिसमें समाज का खाद्यान्न रचाया-पकाया जाता है। उसका जीवनयापन, प्रतिक्रियाएँ, प्रतिकूलताएँ, आस्थाएँ क्या थीं? उस कोरे, असली, निर्गुण, निरावृत व्यक्ति की असलियत की बात हाथ लगती जिसने जिन्दगी को इस तेवर में झेला, तलाशा। प्रश्न उठा होता कि उसने जीवन की तौहीन की या मुक्ति के एहसास की सरहद को आगे बढ़ाया। उसमें कुछ जोड़ा या घटाया।

यह सब बातें हमारी जमात में पीछे छूट जाती हैं क्योंकि यह साहित्य की बातें

नहीं 'व्यक्ति' से जुड़ी बातें कही जाती हैं–उसके अपने समर्पण-तर्पण की। शायद उन्हें कालान्तर के वैक्यूम में स्थित उन कच्चे-पक्के शोधार्थियों के लिए छोड़ दिया जाता है जिनमें सृजक और सृजन, कार्य और कारण के पुलों पर बनती मनीषा को जाँचने की कोई समझ ही नहीं होती।

वैसे भी सृजन और आचरण के रिश्ते की बात साहित्य में एक चिथड़े की तरह सदा काँटों की झाड़ी पर टँगी रहती है। हजारों अर्थों में से इसका एक ही अर्थ लगाया जाता है–स्वतन्त्रता याकि स्वच्छन्दता की सरहद के विस्तार की छूट। यही विचार सक्रिय रहता है कि इन दोनों मुद्दों में कोई विचारणीय रिश्ता नहीं है। उसे एक न्यूट्रल जोन होना चाहिए जहाँ स्वेच्छा के सब पहलुओं का एक अपना मूल्यात्मक अर्थ हो। कभी यह प्रश्न ही न उठे कि कलाकार खाता क्या है, इस बात को पूरी तरह भूलकर कि खाने और उगलने के बीच कोई एक अपरिहार्य रिश्ता है और यह भी कि समाज को प्रतिश्रुत शब्द को बहुत से स्तरों पर पारदर्शी और प्रतिबद्ध होना होता है। उदाहरण ही जरूरी हो तो कहा जा सकता है कि क्या सद्यः दिवंगत हरिप्रकाश त्यागी की कला ही मूल्यवान थी? क्या उसका जीवन मूल्यवान नहीं था जिसने ऐसी कला को सम्भव बनाया?

जीवन के पोषक तत्त्वों की अवमानना हमेशा ही हमारे हाथों होती आयी है, जबकि लेखन के लिए एकमेव सच है–एक अदद जीवन, कुछ कोरे कागज और एक लेखनी। शायद अमरता के झुनझुने ने ही हमें विवेक भ्रष्ट किया है। साहित्य रचना को युगों से अमरता का एक प्रलोभक आश्वासन हासिल है। गौरतलब है कि इस संसार में अमरता के बनाये हुए फन्दे और घेरे भी कितने जकड़ीले हैं। मिटते जाने की विभीषिकाओं में डोलते हुए भी हम अमरता का कवच ओढ़कर सुखी हुए रहते हैं, आराम से सोते हैं जबकि बाकी के सब लोग अमरता के इस वरद आश्वासन से हमेशा के लिए रिक्त और बेचैन हैं।

गलती मेरी थी कि मंजुल के जीवन और वजूद के खत्म होते क्षण में अमरता की आँच की इस बात को याद नहीं रख पा रही थी। एक साथ इतनी चिताओं में से उठते धुएँ के हजूम में एक 'उसकी' लकीर के शामिल होने और गुम होने की नियति को किसी समापन की अन्तिम टिक-टिक की तरह देख-सुन रही थी। भीतर से घायल हो रही थी।

ऐसे में तीसरी बार आये दूरदर्शन के अन्धे, काले गोले के सामने मैंने अपने फेफड़ों का पूरा जोर बटोरकर कहा था कि "वह एक बहुत अच्छी इंसान थी...बहुत ही अच्छी। यह एक धुर सपाट वाक्य था। दूरदर्शन के लिए निर्भाव और बदरंग, हमारे समय और साहित्य की स्फीत जलवायु के लिए फालतू।

कितने भी विश्वास से इसे कहा जाता आज के युग में यह छोटा-सा शब्द

विशेषता की क़िसी और पर्त को अपने में जज्ब करने से इनकार करता। अपने समकाल में खड़ी इस सहोदरा की क्षति को मैं अपनी क्षति कहकर चुप हो गयी थी। उसका सौम्य, हँसमुख, तरल, अपने पर प्रसन्न चेहरा मेरे तसव्वुर में नाच रहा था। अभी तक नाच रहा है।

मुझे लगता है अभी अरसे तक मैं उसका साहित्य नहीं पढ़ पाऊँगी, नहीं चाहूँगी। साहित्य की हमसफरी के लिए तो दूसरे बहुत से मौके आयेंगे... सदा आते ही रहेंगे वैसे भी इस समय तुरत-फुरत पढ़कर बताना किसे है? उसकी तलब किसे है?

□□